Mac 最強の仕事術!

CONTENTS

今、Macを使うなら本書のテクニックを理解しておけばとても快適に作業が進むでしょう!

今、Macで使うべき便利なテクニックを、ここに大厳選!!

本書は、Macの入門者・初心者〜中級者ぐらいを対象と考えて編集しておりますが、画一的な「初心者向けマニュアル」という編集方針ではなく、2023年の現在、知っておくべきテクニック全体がサラッと頭に入っていくような構成を目指しました。

そのため、記事の範囲や方向性、難易度には少しバラつきがあるかもしれませんが、今、Macを使うのに重要なテクニックを優先し、厳選したため、と考えていただければ幸いです。もちろん使う人それぞれにMacでやりたい作業、したい仕事は違うと思いますが、多少なりとも読者の方のMacライフに本書がお役に立つことを願います。

必須アプリの使い方、便利な
Webサービス、ピンポイント
な便利ワザなどを大厳選!!

標準アプリの便利テクニック

「標準アプリの便利テクニック」では、メモや、Finder、プレビューなど、Macに標準で備わっているアプリの使い方を紹介しています。もっとも基本的な使い方はもちろん、わかっておくと役立つテクニックなどを中心に紹介しています。アプリによってページ数に差はありますが、ここを読んでもらえれば、紹介している標準アプリは使えるようになるでしょう。また、中級者の方にも、知らなかったテクニックなどもあると思います。

標準アプリの便利テクニック

メモ、フリーボード、プレビュー、Numbers、Finderの使い方を紹介!

3つのテクニックを必要に応じてチェックしていこう!

ベスト・テクニック

ベスト・テクニック!!
高速かつ超便利な多機能ブラウザ「Sidekick」を使おう!
Sidekickはどんなウェブブラウザなのか?
Sidekickの基本機能を使いこなす
1 グローバルサーチを実行する
2 広告をブロックする
タブをグループにまとめて整理する
1 タブグループを作成する
2 グループ名を付ける
3 グループにタブを追加する
これまでのウェブブラウザに欲しい不満をすべて解消してくれる次世代アプリ

「ベスト・テクニック」では、多数の人気のアプリ、Webサービスなどから選んだ、今もっとも使うべきテクニックを紹介しています。一般的なアプリの使い方の紹介とは違い、複雑な工程を必要とするツールや、AIを使ったワザなど、やや難しいテクニックも含まれていますが、今流行りの便利ワザは、いったいどういうテクニックなのか？のような関心を持って読んでいただけるといいと思います。

実戦テクニック!!

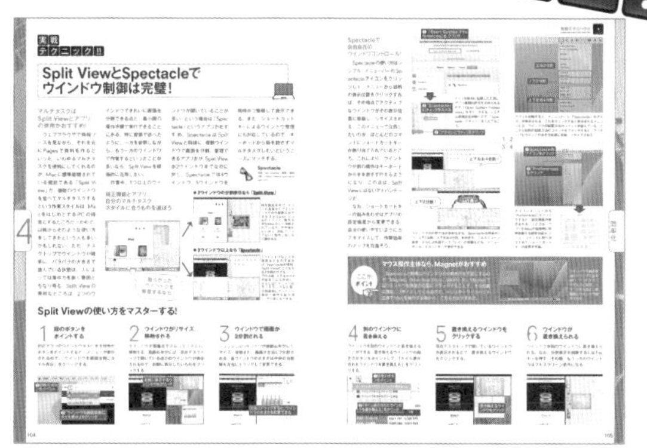

実戦テクニック!!
Split ViewとSpectacleでウインドウ制御は完璧!
Split Viewの使い方をマスターする!

「実戦テクニック」では、この本のベースとなっている『MacBook仕事術！』から引き継いだ記事などを含めて、さまざまな観点から、今Macを使うなら知っておくと便利なテクニックを選んでいます。Macを使う上での基本や、有名なアプリのテクニックも入っていますが、ピンポイントの便利ワザなど、ほかの本、サイトの記事などではあまり触れられていないテクニックも入っています。

ベストなテキストエディタ、
PDF注釈ツール、
Mission Cotrol
などを紹介!

実戦
テクニック

現在のMacのラインナップは？

新しいMacの購入を考える人にとって、モデルの数が多すぎると、どのモデルが最適か判断しづらい。新しいMacを選ぶ際には、十分な情報収集と比較検討を行い、自分自身に最適なモデルを選ぼう。

持ち運びに便利なノート型か大画面とパフォーマンス重視のデスクトップ型か

2023年6月13日に、新たなMac Book Air、Mac Studio、Mac Proが発売され、ついにMacのラインナップからインテル製チップが消え、Appleシリコンのチップで統一された。このタイミングでラインナップを見ていこう。Macシリーズは6種類用意されているが、大まかにノート型とデスクトップ型に分けることができる。Macを購入する際には、まずノート型かデスクトップ型のどちらが自身の環境に合っているか判断しよう。

Macシリーズで最も人気の高いMacBookはノート型で、薄く軽量で持ち運びや場所の移動がスムーズにできるのが最大の特徴だ。カフェや車の中など、外出先でパソコンを使う機会が多い人は、ノート型を選択するのがおすすめだ。

一方、デスクトップ型は一般的に固定された場所で使用され、持ち運びには適していない。しかし、ノート型よりもパフォーマンスを重視した設計となっている。大容量のメモリを搭載しており、動画編集やゲームを楽しむ際もスムーズに動作する。iMacを例とすれば、大型のディスプレイを備えており、古いモデルも含めればサイズは21.5インチから27インチまでである。高解像度で鮮明な画質を求めているユーザーにもおすすめだ。

ノート型Mac

MacBook Air

ノート型Macの中で最も軽量で価格も低め。初めてノート型Macを検討している人におすすめのモデル。M1チップとM2チップの2つのモデルがあり、M2の方がパフォーマンスは高いが、価格も3万ほど高くなる。

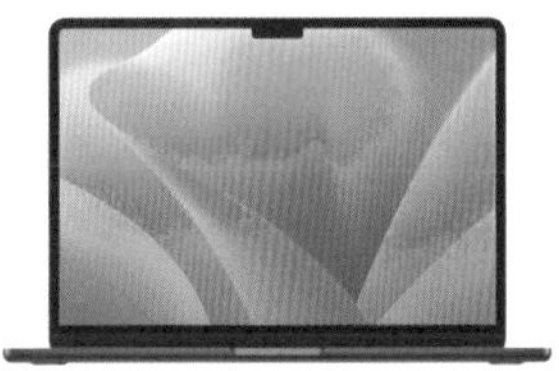

MacBook Air M2モデル

MacBook Pro

ノート型Macであるものの、デスクトップ並のパフォーマンスを持つ。ただし、Airに比べて価格が一回り高くなるため（16インチMacBook Proは348,800円）、プロフェッショナル向けのモデルとなる。

MacBook Pro M2 Pro 14インチモデル

デスクトップ型Mac

iMac

高解像度のディスプレイを備えたオールインワンモデル。初めてデスクトップ型Macを購入する人におすすめ。

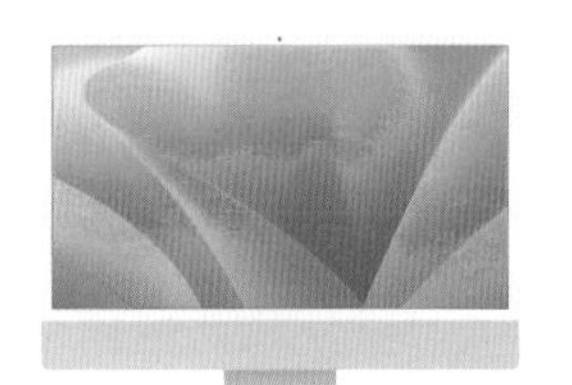

iMac M1 24インチモデル

Mac mini

ディスプレイがない小型の筐体で、外部ディスプレイや周辺機器などを自身で選択できる。価格はかなり安めの設定だ。

Mac mini M2モデル

Mac Studio

Mac miniと同じく小型の筐体で、周辺機器は付属しない。非常に処理速度が速く、パフォーマンス重視の設計となっている。

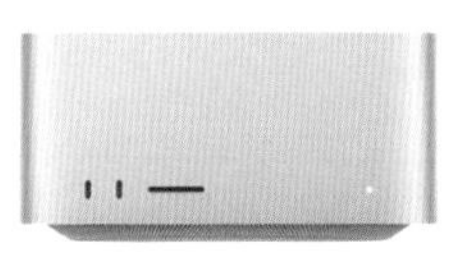

Mac Studio M2 Maxモデル

Mac Pro

Macモデルの最上位で、M2 Ultraチップを搭載し、圧倒的なパフォーマンスを誇るが、価格は100万円を超える高さとなっている。業務用向け。

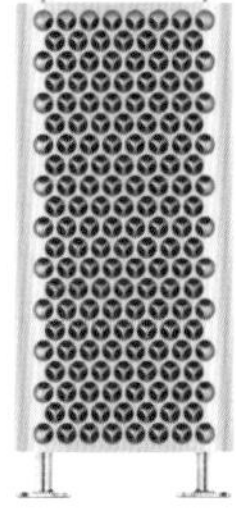

Mac Pro

MacBook Air

軽量でコスパ最高のノート型Mac！

MacBook Airと MacBook Proの違いは？

初めてMacを購入する人やノート型Macを購入する人におすすめなのは「MacBook Air」モデルだ。MacBook AirはMacシリーズの中でも比較的手頃な価格帯（M1モデルは134,800円～）で購入できる。薄型・軽量デザインを重視しており、サイズは13インチで重量は1.2kgで持ち運びしやすく、カフェや新幹線、飛行機のテーブル上でも気軽に開いて作業することができる。15時間以上駆動するバッテリーを備えているので、移動しながらMacを使いこないしたいビジネスマンにおすすめのモデルといえるだろう。カラーは、スペースグレイやシルバーに加えて、ミッドナイト、スターライトなどProよりもバリエーションが豊富なのも特徴だ（M2モデル）。

メール、テキスト作業、ブラウジング、ビデオ会議、シンプルな動画編集など一般的なタスクには充分な性能を発揮するが、凝った4Kビデオの編集やゲームなど、重い作業にはあまり向いていない点に注意したい。高性能なプロセッサとグラフィックスが必要な場合は、上位モデルのMacBook Proにするのもよいだろう。

M1モデルとM2モデルが用意されている

MacBook Airには、M1チップ搭載モデルとM2チップ搭載モデルの2種類がある。2022年以降に発売されたM2モデルは、2020年に発売されたM1モデルよりも高性能なパフォーマンスを発揮でき、最大24GBまでのメモリを搭載できる（M1は最大16GBまで）。ただし重い作業を行わない場合は、現在でもM1モデルを購入してもまったく問題ないだろう。

なお、充電方法もM1とM2では異なり、M1はUSB-Cによる給電のみに対して、M2はMagSafe 3を利用した給電方法になっており充電時にポート類を塞ぐことがないので、2つのThunderbolt 3ポートをフルに活用することが可能だ。

2023年6月に15インチの新型Airが登場

2023年6月13日、15.3インチのMacBook Airが発売された。この新しいモデルは、M2のAir 13インチモデルよりも25%大きな画面を備えているが、それ以外のスペックはほぼ同じであり、iPhone 14とiPhone 14 Plusの関係に似ているといってよい（細かいことをいえば、GPUは10コア、スペーカーも6スピーカーになっているので、微妙にバージョンアップはしている）。価格は198,800円からとなり、Airシリーズの中で最も高額だが、大型のディスプレイを求める人にはおすすめできる。

MacBook Air（M1）は、2020年発売のモデルながら、現在でも重い作業をしない人には問題なくおすすめできる製品だ。

M2モデルはThunderbolt 3（USB-C）ポート2つに加え、MagSafe電源コネクタが搭載されている。

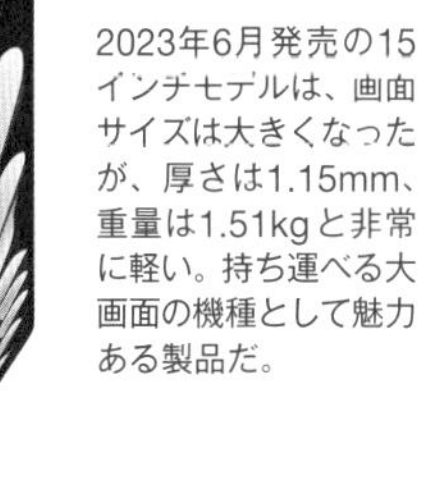

2023年6月発売の15インチモデルは、画面サイズは大きくなったが、厚さは1.15mm、重量は1.51kgと非常に軽い。持ち運べる大画面の機種として魅力ある製品だ。

MacBook Air（M2）は、スペースグレイ、シルバー、スターライト、ミッドナイト、の4種類のカラーが用意されている。黒に近いミッドナイトは新鮮だ。

● MacBook Airのスペック

	13インチMacBook Air(M1)	13インチMacBook Air(M2)	15インチMacBook Air(M2)
発売日	2020年	2022年	2023年6月13日
チップ	M1	M2	
カラー	スペースグレイ、シルバー、ゴールド	ミッドナイト、スターライト、スペースグレイ、シルバー	
ディスプレイ	13.3インチ Retina	13.6インチ Liquid Retina	15.3インチ Liquid Retina
ストレージ	256GB(最大2TB)		
メモリ	8GB(最大16GB)	8GB(最大24GB)	
端子	Thunderbolt 3/USB-Cポート x 2	Thunderbolt 3/USB-Cポート x 2、MagSafe 3	
重量	1.29kg	1.24kg	1.51kg
価格	134,800円(税込)から	164,800円(税込)から	198,800円(税込)から

MacBook Pro

最高のパフォーマンスと省電力性が最大の特徴！

14インチモデルと16インチモデルがおすすめ！

動画編集やグラフィック作成など、処理の重い作業を行なうユーザーには、高性能なノート型MacであるMacBook Proがおすすめだ。Proモデルには、おおまかに13インチ、14インチ、16インチの3種類のモデルが販売されているが、パフォーマンスを重視する場合は14インチか16インチを選ぶのがおすすめだ。

これらのモデルは、MacBook Airに搭載されているM1チップやM2チップよりも、さらに高性能なM2 Proチップ、またはM2 Maxチップが搭載されているのが特徴だ。最大で12コアのCPU、38コアのGPU、96GBのメモリを搭載することが可能であり、ストレージの上限も最大8TBに達する。さらに、バッテリー効率も良く、18時間以上駆動することができる。価格は288,800円からとなり、コストは高めになってしまうが、毎日負荷の高い作業を行なうユーザーにとっては、納得のいく価格だ。

サイズだけでなくディスプレイも最高

14インチと16インチのMacBook Proはサイズだけでなく、ディスプレイの種類が13インチと異なる。「史上最高のノートブックディスプレイ」と呼ばれているLiquid Retina XDRディスプレイを採用しており、現実の世界に近い鮮やかな色で映し出してくれる。特に黒と白などコントラスト比の高いイメージを表示するときに能力を発する。一般的なモニターの2倍の最大120Hzのリフレッシュレートに対応しているので、激しい動きのスポーツやゲームの映像ももたつくことなくなめらかに再生できる。

側面のポート数が多くカスタマイズ性が高い

側面のポートの種類が多く、カスタマイズ性が高いのもProのメリットだ。14インチと16インチのMacBook Proでは、USB-C（Thunderbolt 4）が3ポートに加え、外部ディスプレイへの映像出力ができるHDMI端子や、デジタルカメラなどから画像を取り込む際に利用するSDXCカードスロットを搭載しているので、別途、変換コネクターやUSBハブを購入しなくても拡張できる。また、給電方法は、電源専用で磁石が吸い付くMagSafe電源ポートを採用しているので、USB-Cポートを塞いでしまうことがない。側面にUSB-C（Thunderbolt 3）が2ポートしかないMacBook Airに不満がある人は、Proを選ぶのが賢明だ。

MacBook Pro 14インチモデル

M2 Proを搭載した14インチモデル。筐体デザインはM1 Pro、M1 Maxの前モデルとまったく一緒だ。

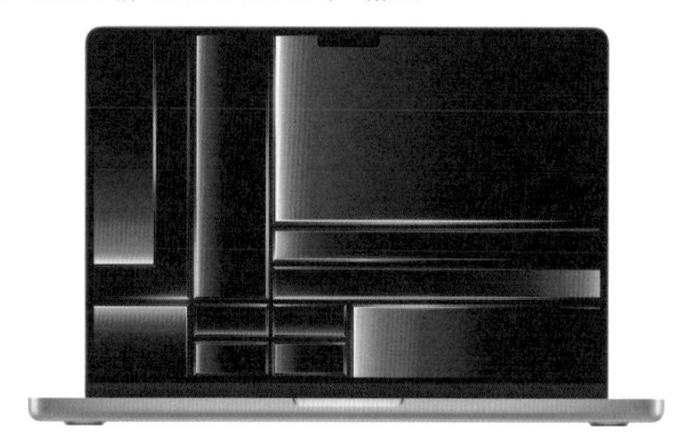

妥協なきスペックのプロフェッショナルマシン！

3 2 1
HDMI
SDXC
USB-C（Thunderbolt 4）

3 2 1
MagSafe 3
ヘッドフォンジャック
USB-C（Thunderbolt 4）

M2 Pro チップ

最大12コアのCPU
最大19コアのGPU
最大32GBのユニファイドメモリ
200GB/sのメモリ帯域幅

M2 Max チップ

12コアCPU
最大38コアのGPU
最大96GBのユニファイドメモリ
400GB/sのメモリ帯域幅

●MacBook Proのスペック

	13インチMacBook Pro	14インチMacBook Pro	16インチMacBook Pro
発売日	2022年	2022年	
チップ	M2	M2 Pro、もしくはM2 Max	
ディスプレイ	Retinaディスプレイ	Liquid Retina XDRディスプレイ	
ストレージ	256GB（最大2TB）	512GB（最大8TB）	
メモリ	8GB（最大24GB）	16GB（最大96GB）	
端子	Thunderbolt 3 USB 4ポート x 2	Thunderbolt 4/USB 4ポート x 3 HDMIポート SDXCカードスロット	
価格	178,800円（税込）から	288,800円（税込）から	348,800円（税込）から

現在のiMacはこの機種だけ！

iMac

オールインワンデザインが特徴の初心者用Mac

デスクトップ型Macの購入を検討していて、初めてMacを使うなら、現状、やや仕様は古くなっているが、iMacがおすすめだ。iMacは、ディスプレイ、コンピュータ本体、キーボード、トラックパッド／マウスが一体化したオールインワンデザインを採用しているモデルで、別途ディスプレイやキーボードを用意する必要がなく購入後すぐに操作を始めることができる。現在のiMacは24インチのディスプレイサイズが提供されており、デザイン作業やグラフィック作業に最適だ。パフォーマンスや価格についてはMacBook AirのM1モデルとほぼ同等と考えてもらえばよいだろう。

高精細ディスプレイと本体が一体化！

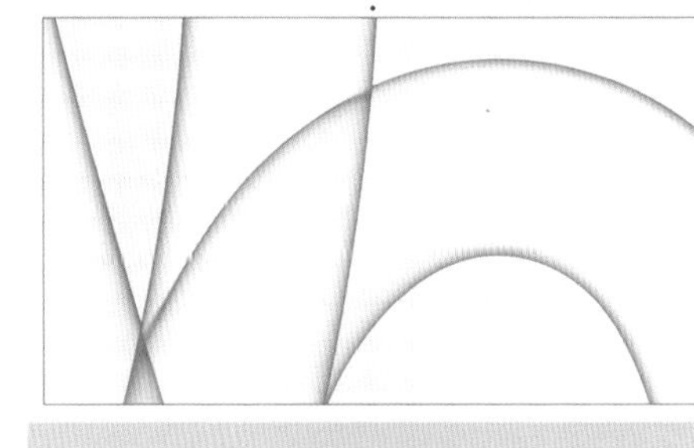

●iMacのスペック

	24インチiMac(2つのポート)	24インチiMac(4つのポート)
発売日	2021年	
チップ	M1	
カラー	ブルー、グリーン、ピンク、シルバー	ブルー、グリーン、ピンク、シルバー、イエロー、オレンジ、パープル
ディスプレイ	4.5K Retinaディスプレイ	
ストレージ	256GB(最大1TB)	256GB(最大2TB)
メモリ	8GB(最大16GB)	
端子	Thunderbolt 3/ USB 4ポート x 2	Thunderbolt 3/ USB 4ポート x 2 USB 3ポート x 2
キーボード	Magic Keyboard	Touch ID搭載Magic Keyboard
マウス	Magic Mouse	
価格	174,800円(税込)から	202,800円(税込)から

カスタマイズ性の高いデスクトップ型Mac

Mac mini

周辺機器は自分で選べるので独自のMac環境ができる

iMacのスペックに不満があるユーザーは、2023年2月に発売されたMac miniがおすすめだ。Mac miniはiMacと同じくデスクトップ型のMacモデルだが、ユーザーは自分でディスプレイ、キーボード、マウスなどの周辺機器を用意する必要があり、カスタマイズ性を重視した設計になっている。そのため、プロセッサ、メモリ、ストレージなどパフォーマンスに関わる部品の構成も細かくカスタマイズでき、独自のMac環境を構築することが可能だ。それなりのパソコン知識があり、Windowsのように自分で周辺機器を選びたい人におすすめだ。本体だけのため、価格も84,800円からとiMacよりもはるかに低コストな上、現在のMac miniは、「M2」または「M2 Pro」チップが搭載されているのでパフォーマンスも高い。さらに、Mac miniはとてもコンパクトで持ち運びやすいため、場所を取らずに利用できる。

本体だけなのでコストがかからない！

最新の「M2」または「M2 Pro」チップ搭載にも関わらず価格は抑えられている。

●Mac miniのスペック

	Mac mini(M2)	Mac mini(M2 Pro)
発売日	2023年	
チップ	M2	M2プロ
カラー	シルバー	
ストレージ	256GB(最大2TB)	512GB(最大8TB)
メモリ	8GB(最大24GB)	16GB(最大32GB)
端子	Thunderbolt 4ポート x 2 USB-Aポート x 2 HDMIポート ギガビットEthernetまたは10Gb Ethernet	Thunderbolt 4ポート x 4 USB-Aポート x 2 HDMIポート ギガビットEthernetまたは10Gb Ethernet
価格	84,800円(税込)から	184,800円(税込)から

選択した構成に応じて、最大2台（M2）または最大3台（M2 Pro）のディスプレイに対応（ディスプレイは別売り）。Mac純正のディスプレイ「Studio Display」との相性は抜群だ。

Mac Studio

最強パフォーマンスのコンパクトMac

コンパクトながらMac最高のM2 Ultraを搭載

Mac Studioは2022年に登場した、これまでのMacとは異なる新しいMacのモデル。Mac miniと同じように部屋のスペースを取らず、コンパクトな本体が特徴だ。しかし、現在のMacモデルの中で最高のパフォーマンスを発揮する「M2 Max」や「M2 Ultra」を搭載しており、最大192GBのメモリーや最大76コアのGPUに拡張可能だ。そのため、グラフィックデザイン、音楽制作、高画質なビデオ編集などのクリエイティブな作業に最適だ。

周辺機器を接続するための端子も豊富で拡張性も高い。背面にはUSB-C(Thunderbolt 4)が4ポート、USB-Aが2ポート、HDMIポート、10Gb Ethernetがあり、さらに前面にはUSB-C(M2 Ultraモデルの場合はThunderbolt 4)ポートやSDXCカードスロットも備えている。価格はMac miniの3倍以上になってしまうが、負荷の高い作業をしていてもストレスを感じることなく、高いパフォーマンスを求めるユーザーにおすすめだ。

Mac Studio 前面

Mac Studio 背面

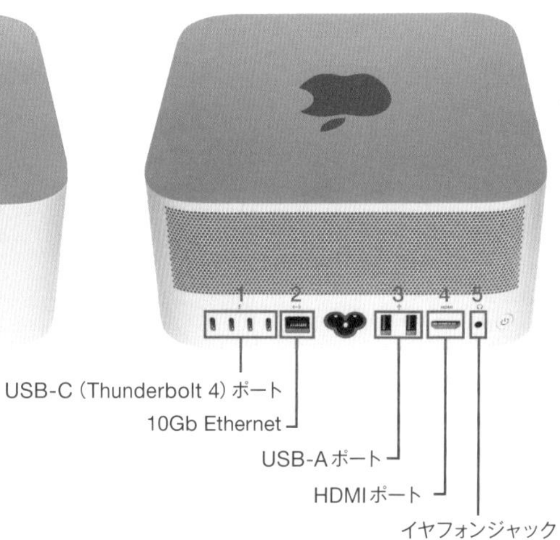

Mac miniを厚くした形状から、脅威のパワーを放出！

● Mac Studioのスペック

	Mac Studio
発売日	2023年
チップ	M2 Max、またはM2 Ultra
カラー	シルバー
ストレージ	512GB(最大8TB)
GPU	30コア(最大76コア)
メモリ	32GB(最大192GB)
端子	【前面】 USB-C(M2 UltraはThunderbolt 4)ポート SDXCカードスロット 【背面】 USB-C(Thunderbolt 4)ポート×4 10Gb Ethernet USB-Aポート HDMIポート イヤフォンジャック
価格	298,800円(税込)から

Mac Pro

最高性能のデスクトップモデル

現行Macで唯一の100万超えモデル！

Mac ProはMacモデルの中で最高のパフォーマンスを発揮する業務用モデルで、最高のパフォーマンスを発揮するM2 Ultraチップを搭載し、そのほかのスペックや拡張性も圧巻だ。ただし価格は標準で100万を超えるため、対象は完全に業務用ユーザーとなり、一般ユーザー向けとはいえない機種である。クリエイティブな作業やビデオ編集、3Dレンダリングなどの高負荷なタスクに最適だ。

ほかのMacよりも奇抜なデザインなのも特徴！

● Mac Proのスペック

	Mac Pro
発売日	2023年
チップ	M2 Ultra
カラー	シルバー
ストレージ	1TB(最大8TB)
GPU	60コアGPU(最大76コア)
メモリ	64GB(最大192GB)
端子	Thunderbolt 4(USB-C)ポート x 8 USB Aポート x 3 10Gb Ethernet PCI Express拡張スロット x 7
価格	1,048,800円(税込)から

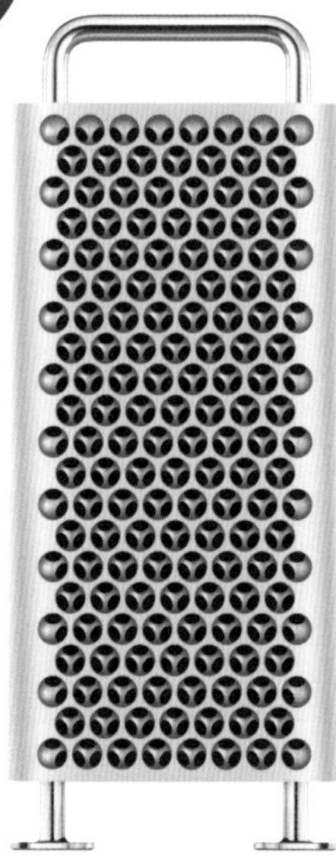

古いMacもまだまだ使える!?

鈴木文彦さん（写真家・編集者）
撮影：山本春花

対応OSと セキュリティアップデートで、期限を推測する

一度購入したMacはもちろん長く使いたいもの。Macは最新OSが毎年秋に発表され、新機能が追加され、ワクワクさせてくれるが、特に最新OSに関心がなく、ただ長期的に1つのマシンを使い続けたい人も多いだろう。そこで、Apple公式の発表ではないが、セキュリティアップデートが配布される期間から、およそいつまで古いMacを使い続けられるかを目安として紹介しよう（Appleでは、製品の修理可能／不可能を分ける区分としてビンテージ製品、オブソリート製品を設けているが、ここでは対応OSとの関係についてのみ述べる）。

長年の傾向から、最新のOSが配布されてから、丸3年間はアップデートが続く状態となっている。最後のセキュリティアップデートを仮にサポート終了期限と考えると、次の表の右端の時期がそのOSの機種の期限と思ってもらっていいだろう。自分の使っているMacの最終対応OSで、表を見てもらえば、使用期限の目安が判明する。

MacOS名称	配布開始	最終セキュリティアップデート（予想）
Ventura	2022年10月	2025年10月
Monterey	2021年10月	2024年10月
Big Sur	2020年11月	2023年11月
Catalina	2019年10月	2022年7月

「Catalina」は、2022年7月に実施されたセキュリティアップデートが最終と思われるので、事実上サポート終了と考えてよい。

サポートの切れたOSを使い続けると、ネットからウィルスが侵入し、個人情報漏えいなどのリスクが格段に高まってしまうので、この表はあくまで目安だが、期限には注意しておこう。

写真の鈴木文彦さん（写真家・編集者）の、愛用しているMacは、ユーザーが非常に多く、画面の大きさもあって人気も高いiMac Retina 5Kモデル（2019）。Venturaに対応しているので、まだまだ長期的に利用可能だ。27インチの5Kディスプレイは素晴らしく作業効率がよいので、M1のiMacに買い替えたくない人も多いと思われる（M1のiMacは24インチの4.5Kディスプレイとなる）。

一時代のMacBookを象徴する、リンゴマークの光るMacBook Pro（最終型は2015モデル）も、最終の対応OSがMontereyなので、2024年いっぱいで使用期限を迎えると考えてよいだろう。

サポート終了のおよその目安

2023年いっぱいで終了期限を迎える主なMac
（Big Surが最終OSのMac）
- MacBook Air 2013～2014
- MacBook Pro 2013～2014
- iMac 2014

2024年いっぱいで終了期限を迎える主なMac
（Montereyが最終OSのMac）
- MacBook Air 2015～2017
- MacBook Pro 2015～2016
- iMac 2015～2016

本書の使い方

アプリの入手方法について

本書で紹介しているアプリには、Mac App Storeで扱っているアプリと、外部のサイトからダウンロードするタイプのアプリの2種類があります。Mac App StoreのアプリはMacのApp Storeで検索窓にアプリ名を入力して該当のアプリをインストールしてください。外部サイトのアプリは掲載してあるURLより、ダウンロード→インストールが可能になります。

Mac App Storeのアプリ

Foxit Reader
作者／Foxit Corporation
価格／無料
カテゴリ／仕事効率化

外部サイトのアプリ

mi
作者／上山大輔
価格／無料
URL／https://www.mimikaki.net/

サイトからアプリのURLにアクセスできます

https://www.standards.co.jp/book/book-7502

外部サイトにあるアプリについては、スタンダーズのサイトの本書のページに、アプリのダウンロード先へのリンクを用意しています。左のURLにアクセスして、ページを下にスクロールさせるとリンクがまとめられています。そこからアクセスできますのでご利用ください。

もっと基本的なことを知りたい場合は

本書は、Macの初心者・入門書に向けて編集しておりますが、スペースの都合上、Macの基本の操作法をすべて解説できているわけではありません。Macの扱い方の基本は、Apple社のWebで閲覧できるマニュアルを読むのがおすすめです。また、弊社で発売している「はじめてのMac」を読んでいただくのもおすすめです。以下のURLにアクセスし、自分の機種に合った「○○の基本」を選びましょう。

https://support.apple.com/ja_JP/manuals

「MacBookの基本」など、クイックスタートガイドやそれぞれの機種の基本を読むことができます。

弊社刊行の初心者向けMacマニュアル誌を読むのもオススメです。初めてMacをさわる人でも最短時間で使いこなせるようになることを目標にした本です。電子書籍でも読むことができます。

はじめてのMac
パーフェクトガイド 2023
価格：1,000円（税込み）
（発売・発行：standards）

WARNING!!

本書掲載の情報は、2023年6月12日現在のものであり、各種機能や操作方法、価格や仕様、WebサイトのURLなどは変更される可能性があります。本書の内容はそれぞれ検証した上で掲載していますが、すべての機種、環境での動作を保証するものではありません。以上の内容をあらかじめご了承の上、すべて自己責任でご利用ください。
本書は、オリジナルの記事の他に、2022年4月に発売した「MacBook仕事術！2022」（スタンダーズ発行）の一部を改訂し、加筆修正した記事を含んでいます。

INPUT

Chapter……01

入力

MacBook Air
15インチモデル

標準アプリの便利テクニック

メモ

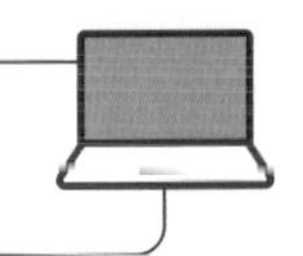

一見シンプルだが、実際はものすごく多機能な便利アプリ!

ちょっとしたことを書きとめておくときに便利なのが「メモ」アプリ。一見するとシンプルだが非常に多機能。文書作成アプリのように入力したテキストのフォントやカラーを編集したり、写真や表を入力することができ、ただのメモにとどまらない。また、作成したメモはフォルダを使ってカテゴリ分類したり、重要なメモはピン留めできるなど整理機能も豊富。さらに、ほかのユーザーとメモを共有して編集することもできる。「入力」「整理」「共有」の三拍子そろったアプリだ。

メモ
作者/Apple
標準アプリ

1

入力したテキストに対して太字や下線で装飾したり、見出し、小見出し、本文などを設定することができる。

スマートフォルダを作成すると、メモアプリは指定した条件に基づいて、自動的にその条件を満たすメモを検索して表示する。

Safariやマップの情報を共有メニューを使ってかんたんに貼り付けることができる。

iPadやiPhoneのメモアプリやほかのアプリとの連携性も抜群

メモアプリは、Apple純正アプリだけあって、iPhone、iPadなどのデバイスとの連携性が高いのが最大の特徴だ。iPhoneやiPadに搭載されている「メモ」アプリと同じものなので、入力した内容をスムーズにほかのデバイスと同期できる。Macで作成したメモを外出先からiPhoneで確認したり、逆に外出先で思いついたアイデアをiPhoneのメモで書き留めMacで確認するときに便利だ。

ほかのMacアプリとの連携性が抜群に高いのも特徴だ。Safariやマップなどで閲覧中の画面を「共有」メニューから、「メモ」アプリに書き留めることができる。書き留めた内容をクリックするとすぐにそのページや場所を対応のアプリで開くことができる。

作成したメモの管理もフォルダを作って分類でき、キーワード検索にも対応している。macOS Montereyから追加されたスマートフォルダ機能を使えば、指定した条件に基づいて、メモアプリが自動的にその条件を満たすメモを検索して表示してくれる。検索ボックスからキーワード入力したり、手動で指定したフォルダにメモを分類する必要がなく、条件に基づいて自動的に整理できて便利だ。

01 マスト 基本

フォルダを作ってメモをカテゴリ別に整理しよう

作成したメモはそのままでもよいが、数が増えてきたらフォルダを使って分類していこう。フォルダはいくつでも作成でき、また好きな名前をつけることができる。メモリストにあるメモを分類したいフォルダにドラッグ&ドロップで移動することが可能だ。

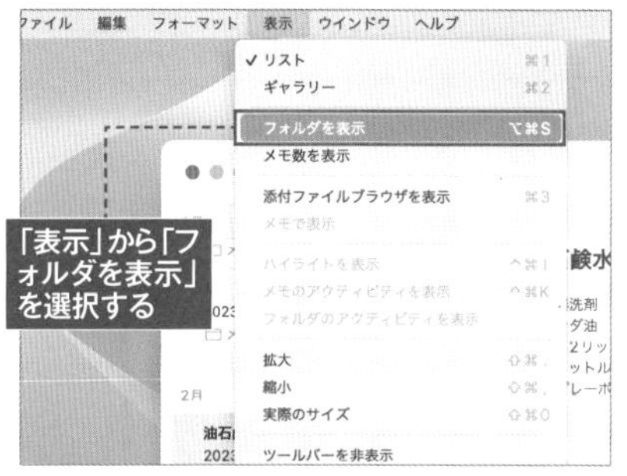

1 フォルダを作成、利用するにはフォルダリストを表示させる必要がある。メニューの「表示」から「フォルダを表示」を選択する。

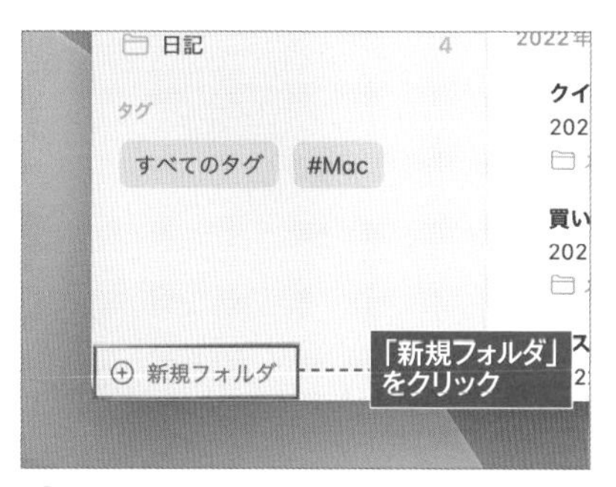

2 フォルダリストが表示される。左下の「新規フォルダ」をクリックしよう。

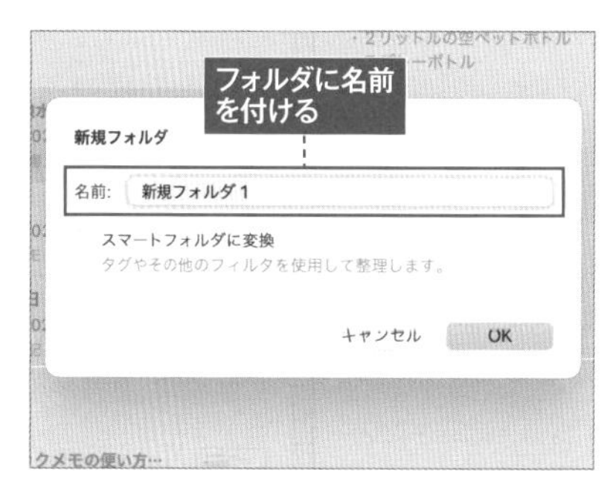

3 新規フォルダが作成される。フォルダに名称を付けよう。作成したフォルダがフォルダリストに追加される。

4 メモリストから作成したフォルダにメモを分類していこう。ドラッグ&ドロップで簡単に移動できる。

5 複数のメモをまとめて移動する場合は、commandキーを押しながら複数のメモを選択してフォルダにドラッグ&ドロップする。

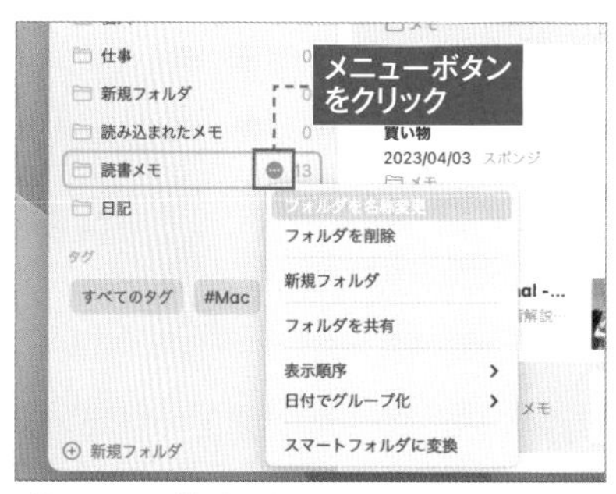

6 フォルダ名横にあるメニューボタンをクリックすると、メニューが表示され、名称を変更したり、スマートフォルダに変更するなどさまざまなことができる。

ここがポイント

メモアプリのフォルダは階層構造にすることができる。フォルダリストにあるフォルダをドラッグし、ほかのフォルダに重ね合わせよう。フォルダ内にフォルダが移動するはずだ。フォルダの数が増えてきたら、上位フォルダと下位フォルダを作成し、さらにメモを細かく分類していこう。逆に下位フォルダを解除したいときは上位フォルダの仕切り線にドラッグすればよい。

02 文字の装飾

フォントやカラーを変更してWordのように使う

メモアプリは、Mac版とiOS・iPadOS版とでは機能が異なり、Mac版の方が多機能だ。Mac版ではテキストに対して、ボールド、アンダーラインなどの基本的な装飾に加えてフォントパネルを使ってカラーを変更することができる。またフォントサイズやフォントの種類も変更することが可能だ。なお、変更した内容はiPhoneやiPadのメモアプリにも反映される。

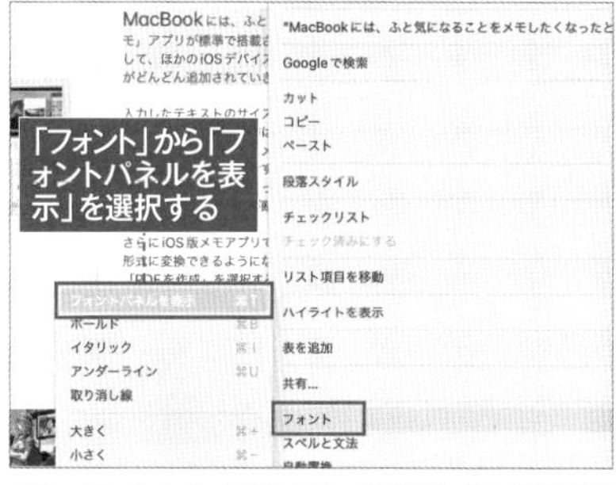

1 フォントサイズやカラーを変更したい箇所を範囲選択して右クリックする。「フォント」から「フォントパネルを表示」を選択する。

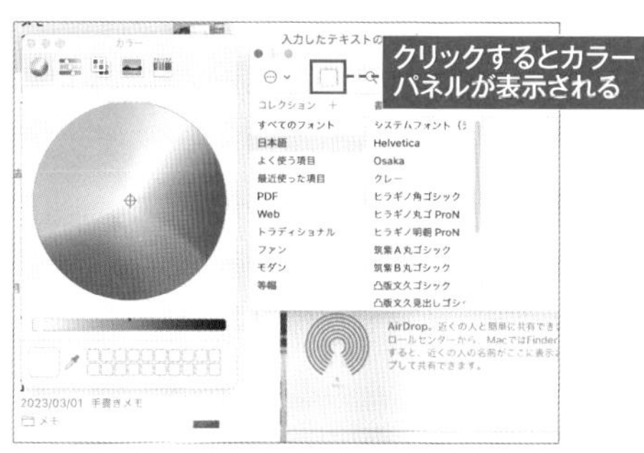

2 フォントサイズやフォントの種類を変更できる。メニューから「カラー」をクリックするとカラーパネルが表示され、カラーをカスタマイズできる。

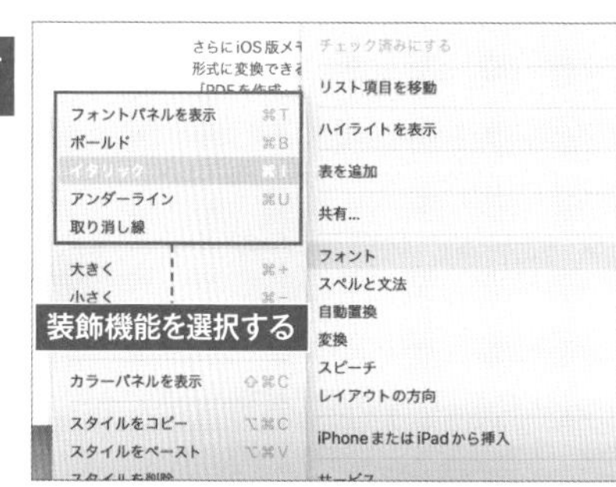

3 範囲選択した箇所に対して、右クリックメニューからボールド、イタリック、アンダーライン、取り消し線などの装飾もできる。

03 表を作成

表を使って データを整理しよう

メモアプリでは、ExcelやNumbersのような表作成機能を搭載している。数字などのデータは表でまとめよう。作成した表のセル間はTabキーや矢印キーを使って素早く移動できる。また、iWorkで作成した表や、ExcelやSafariで表示している表をコピー&ペーストできる。なお、ペーストした際、セル内の等幅や小見出しなど一部が崩れることがある。

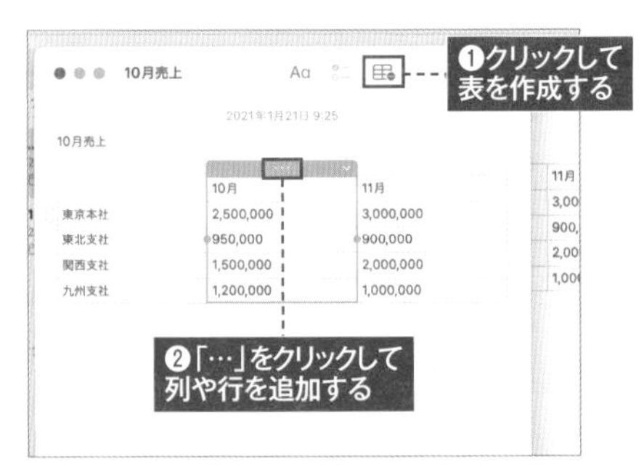

1 表を作成するにはツールバーから表作成ボタンをクリック。2つの行と列の表が作成される。列や行を追加するには表の端にある「…」をクリックしよう。

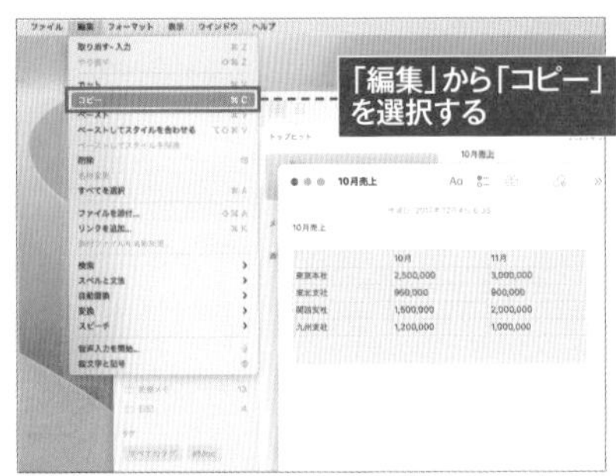

2 作成した表をコピー&ペーストするには、表全体を範囲選択してメニューの「編集」から「コピー」を選択しよう。クリップボードに表がコピーされる。

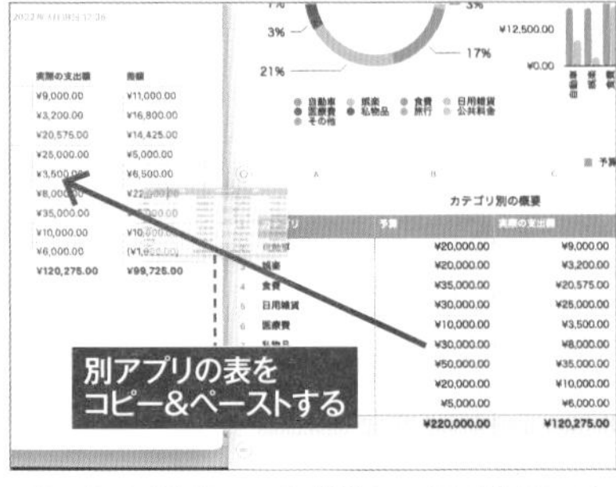

3 SafariやPagesなど別のアプリで表示している表をコピーしてメモアプリに貼り付けることもできる。ただし、一部のフォーマットはサポートされておらず、書式は削除される。

04 チェックリスト

チェックリスト機能と リマインダーとの連携

メモアプリは、タスクリスト機能はあるが通知機能がないのが不便。そこで「リマインダー」アプリと連携させよう。作成したメモを「リマインダー」と共有することで期限時に通知をしてくれるようになる。メモの内容にタスクや期限のあるToDoがあれば、リマインダーに登録しておけば安心だ。ただ、チェックマークとリマインダーの完了済みは連動しないので注意。

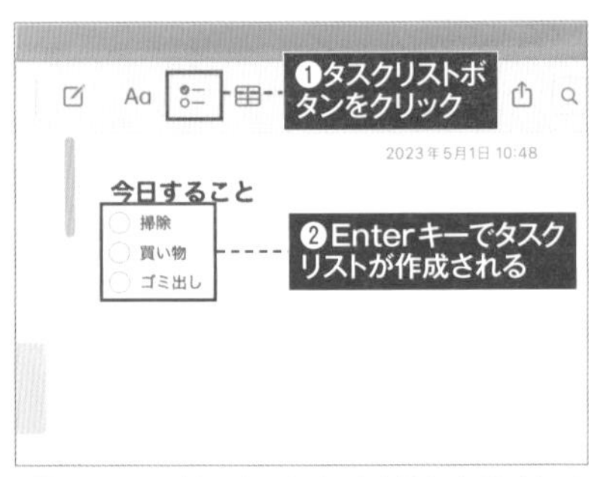

1 メモアプリでタスクリストを追加するには、ツールバーからタスクリストボタンをクリック。Enterキーを押すごとに自動的にタスクリストが作成される。

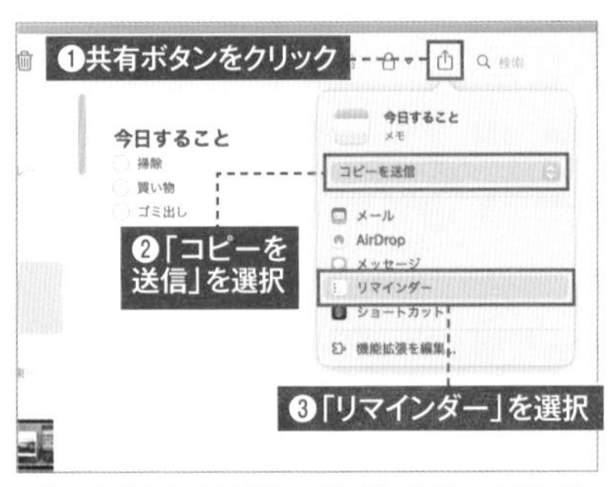

2 作成したメモをリマインダーと共有するには、右上の共有ボタンをクリックし、「コピーを送信」を選択して、「リマインダー」をクリックしよう。

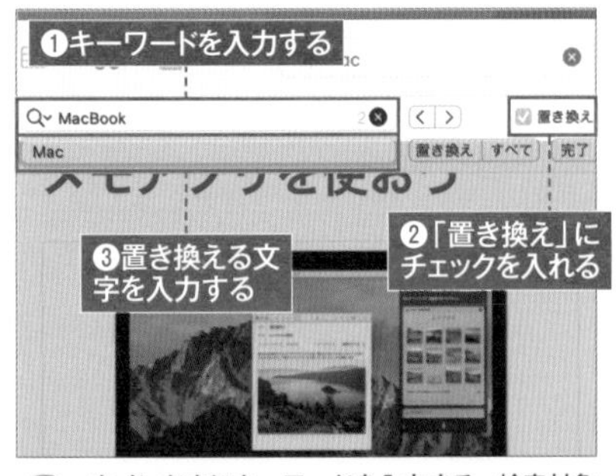

3 「リマインダー」アプリを起動する。作成したメモが登録されているので右にある「i」をクリックして、通知の設定をしよう。

05 校正機能

文字列一括変換や誤字の修正など 校正機能を活用しよう

Mac版メモアプリにはWordやGoogleドキュメントなど文書作成アプリには欠かせない校正機能も豊富だ。スペルミスと思われる箇所があった場合は、該当する単語の下に赤線を引いてくれクリックすると変換してくれる。また、メモ内の特定の単語を別の単語にまとめて変換したい場合は一括変換機能を利用しよう。

1 スペルミスがあった場合はこのように単語の下に赤い線が引かれる。クリックすると変換候補が表示され、クリックすると変換してくれる。

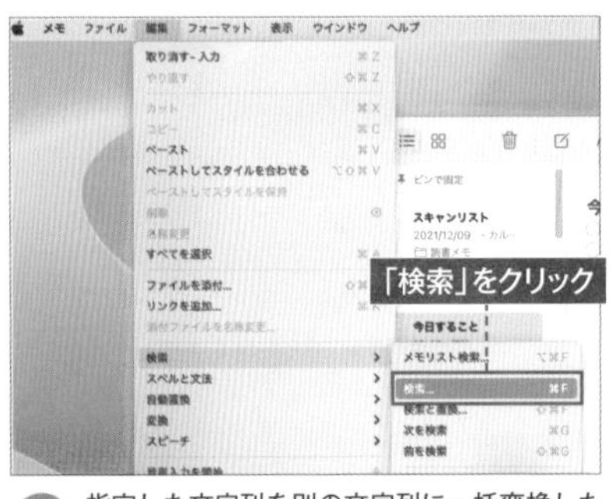

2 指定した文字列を別の文字列に一括変換したい場合は、メニューバーの「編集」から「検索」→「検索」をクリック。

3 ウインドウにキーワードを入力する。検索対象文字を別の文字に一括変換したい場合は「置き換え」にチェックを入れる。下に表示される検索窓に置き換えたい文字列を入力しよう。

06 マスト 基本

Safariやマップから有用な情報を貼り付ける

メモアプリは、ほかのアプリとの連携性が非常に高い。「マップ」で閲覧中の地図情報を素早くメモに添付したり、Safariで閲覧中のページの情報をメモに添付することが可能だ。ページのURL情報だけでなく、ページ内の範囲選択した部分を切り取ってメモにスクラップできる。元のページが消失してしまった場合でも、「メモ」アプリ内に情報を残すことができる。

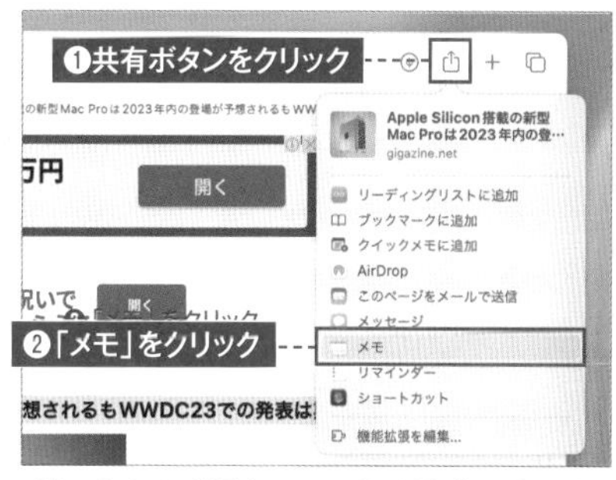

1 Safariで閲覧しているページを「メモ」に貼り付けるには、右上の共有ボタンをクリックして「メモ」をクリック。

2 メモへの追加画面が表示される。保存するフォルダ、または既存のメモを選択して「保存」をクリックしよう。

3 サイトのURLが貼り付けられ、クリックするとブラウザでページを開くことができる。右クリックからほかのアプリにURLを共有することもできる。

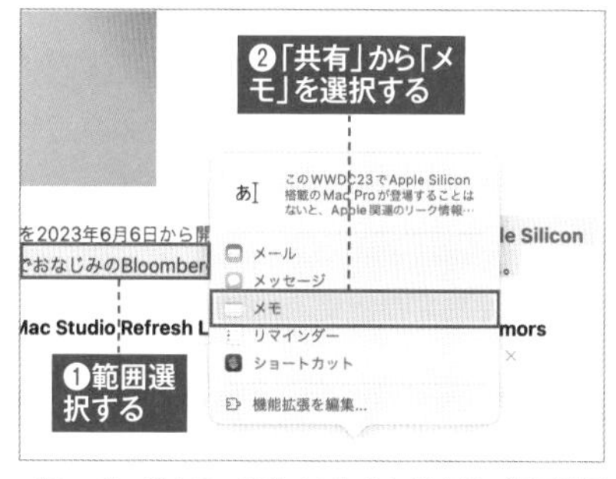

4 ページ内の一部をメモしたい場合は、範囲選択して右クリックし、「共有」から「メモ」を選択しよう。

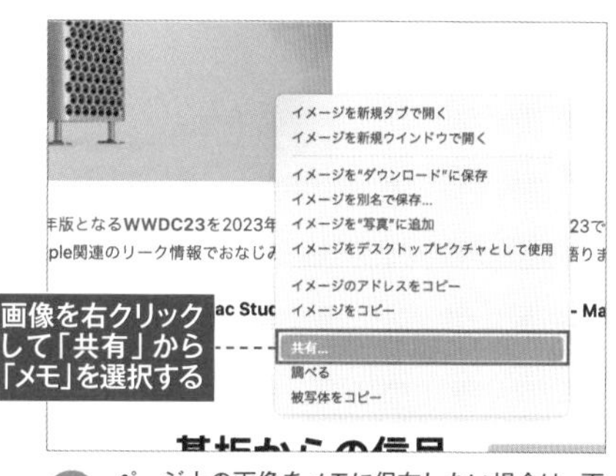

5 ページ上の画像をメモに保存したい場合は、画像を右クリックして「共有」から「メモ」を選択しよう。

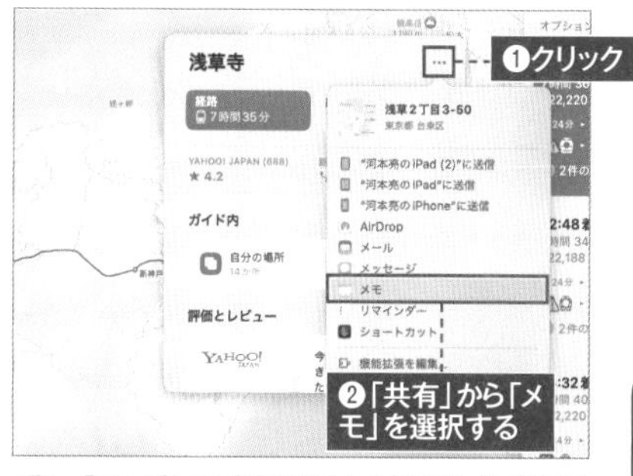

6 「マップ」アプリで表示中の場所をメモに貼り付けるには、右上の「…」をクリックして「共有」から「メモ」を選択しよう。

Safariで表示しているページ内で、範囲選択ができないテキストがある場合は、Macのスクリーンキャプチャ機能「command+shift+5」を利用しよう。スクリーンキャプチャして写真として保存したあと、プレビューアプリで開いてみよう。最新のプレビューアプリはOCR機能を搭載しており、画像上にある文字を範囲選択してコピーすることができる。

07 マスト iPad併用

iPadを併用して手書きのメモを作成する

iPadユーザーなら手書きでメモを作成しよう。iPad版「メモ」アプリでは、入力画面にApple Pencilで直接手書き入力ができ、iCloud経由でMacの「メモ」と素早く同期できる。また、Mac版「メモ」アプリのメニューの「ファイル」→「iPhoneまたはiPadから読み込む」からiPadのスケッチ画面を表示させ、素早く手書きメモを作成することもできる。

1 iPadで「メモ」アプリを起動したら、入力画面にApple Pencilで手書きしよう。

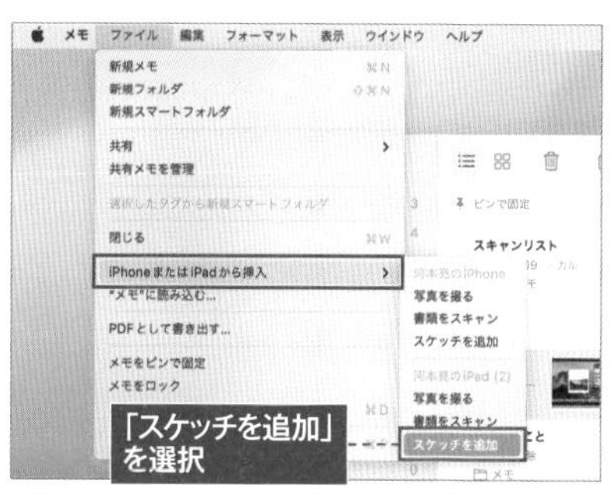

2 MacからiPadのスケッチを呼び出すには、メニューの「ファイル」→「iPhoneまたはiPadから読み込む」から対象のiPadの「スケッチを追加」を選択する。

3 するとiPadの画面が自動的に「メモ」アプリのスケッチ画面に切り替わる。手書き入力すればそのままメモに反映される。

08 整理

タグを使って作成したメモを整理する

メモアプリではタグを使って作成したメモを整理することができる。メモ内に「#○○」というタグを追加すれば、タグを使ってメモを探したり、同じタグが入力されているメモを一覧表示させることができる。作成したタグはフォルダメニュー下にある「タグ」に自動的に追加されていく。タグはメモ内にいくつでも追加できる。

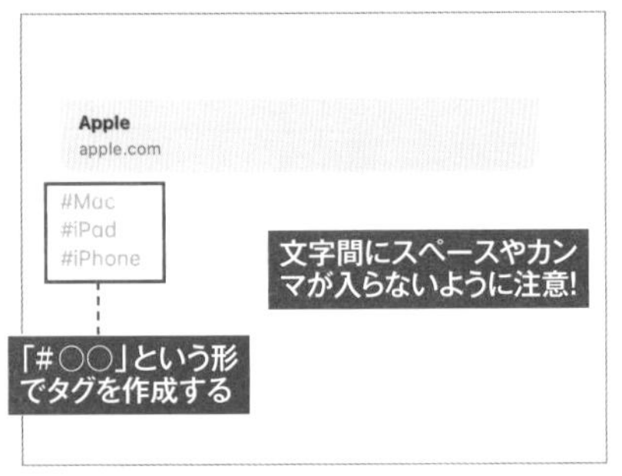

1 メモ内の好きな場所に頭に「#」(半角)を付け、その後にキーワードを入力しよう。テキストが自動的にリンクカラーになりタグが作成される。

2 作成したタグはフォルダメニュー下にある「タグ」エリアに追加される。タグをクリックするとそのタグが付けられたメモだけを一覧表示してくれる。

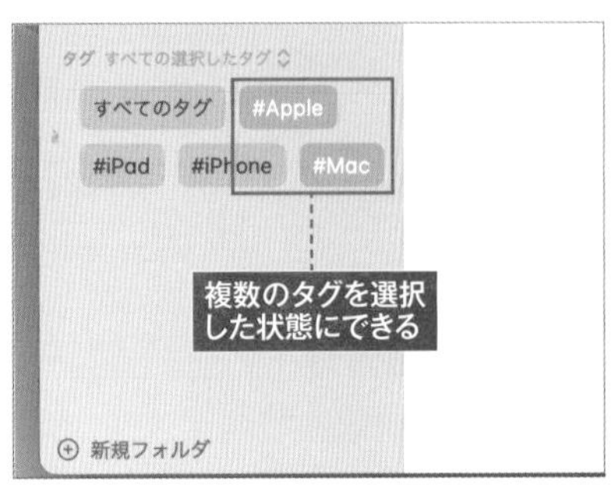

3 タグからメモを検索する際、複数のタグを選択することができる。その場合、選択したタグがすべて含まれるメモをフィルタリング表示してくれる。

---

09 整理

スマートフォルダを作って作成したメモを自動で整理する

スマートフォルダ機能は、設定した特定の条件に基づいて作成したメモを自動的に分類してくれる整理機能だ。条件は、タグ、作成日、編集日、共有など、さまざまなものが用意されており、複数の条件を組み合わせることができる。一度作成してしまえば、自動的に条件に合致するメモを一覧表示してくれるため、ファイル整理をする手間を大幅に減らすことができる。

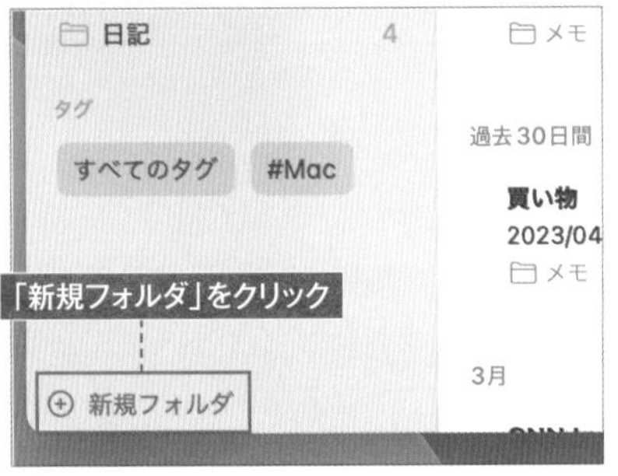

1 スマートフォルダは新規フォルダ作成画面から作ることができる。フォルダ一覧画面下の「新規フォルダ」をクリック。

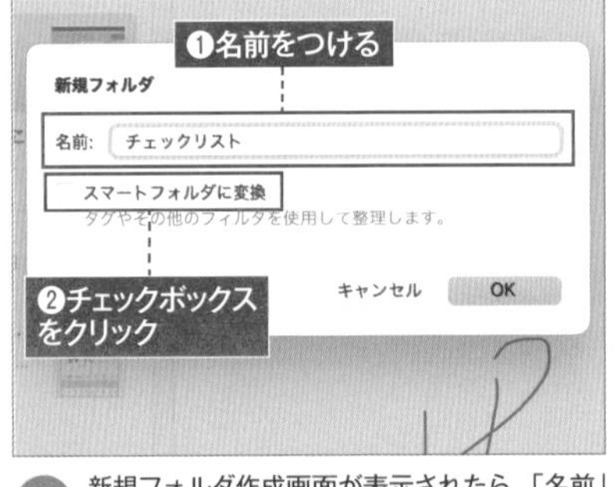

2 新規フォルダ作成画面が表示されたら、「名前」にスマートフォルダ名をつけて、「スマートフォルダに変換」横のチェックボックスをクリック。

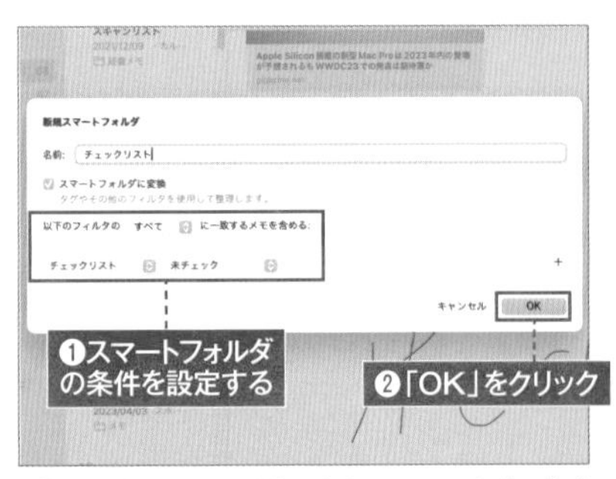

3 条件設定画面が表示されるので、タグ、作成日、編集日、共有などの設定を指定しよう。設定が終わったら「OK」をクリック。

4 作成したスマートフォルダは、フォルダ一覧画面にフォルダと一緒に表示される。クリックすると指定した条件にあてはまるメモが一覧表示される。

5 スマートフォルダの条件を編集したい場合は、名称横の「…」をクリックして「スマートフォルダを編集」をクリック。

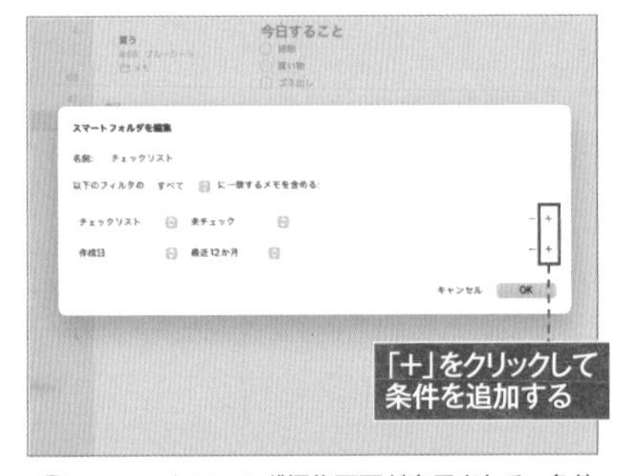

6 スマートフォルダ編集画面が表示される。条件指定の右側にある「+」をクリックすると、条件を追加することができる。

既存のフォルダをスマートフォルダに変換することもできる。スマートフォルダに変換したいフォルダ名横の「…」をクリックして「スマートフォルダに変換」をクリックすると、そのフォルダ内にあるメモすべての「#フォルダ名」が追加され、スマートフォルダに変換され、メモはすべて「メモ」フォルダに移動する。ただし、一度スマートフォルダに変換すると元のフォルダに戻すことができないので注意しよう。また、共有フォルダ、サブフォルダのあるフォルダ、ロックされたメモが入っているフォルダは変換できない。

10 メモを共有

メモの内容を知人と共有する

「メモ」アプリで作成したメモはほかのユーザー（Apple IDを利用しているユーザー）と共有することができる。共有状態になったメモは閲覧できるほか、共同で編集することもできる。編集の権限はオーナー側で設定できる。また、メモ単位だけでなくフォルダ単位でほかのユーザーと共有することも可能だ。

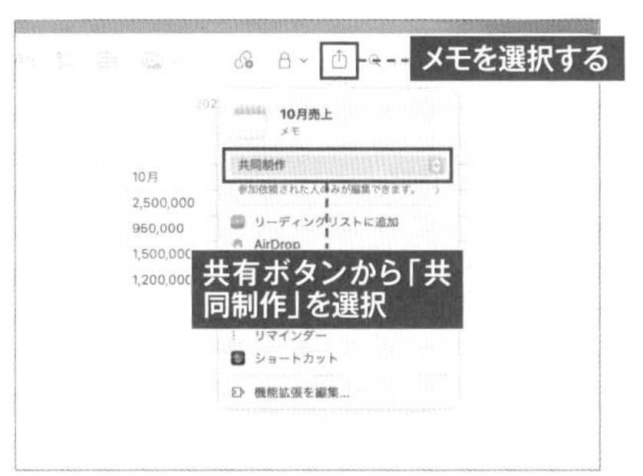

1 共有したいメモやフォルダをクリックし、共有ボタンをクリック。メニューから「共同制作」をクリックする。

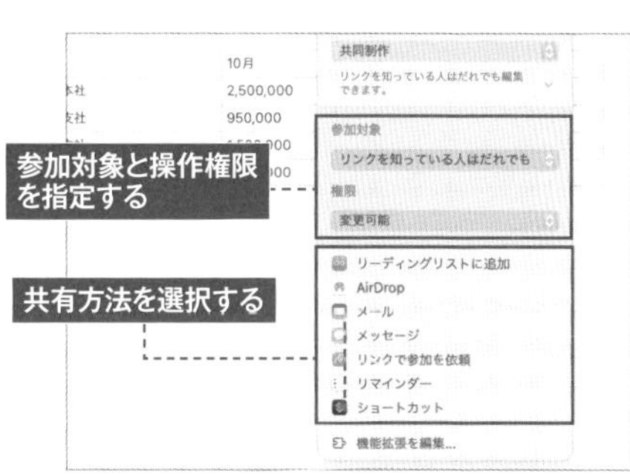

2 共有画面が表示される。参加対象と参加するユーザーの操作権限を指定して、共有方法を指定しよう。

3 共有状態にあるメモは、共有アイコンが付く。共有を解除する場合は、ツールバーの共有ボタンをクリックしよう。

ピンポイントテクニック早見表

テクニック 1
登録したメモを検索する

画面右上の検索フォームに検索ワードを入力する。

テクニック 2
ツールバーをカスタマイズする

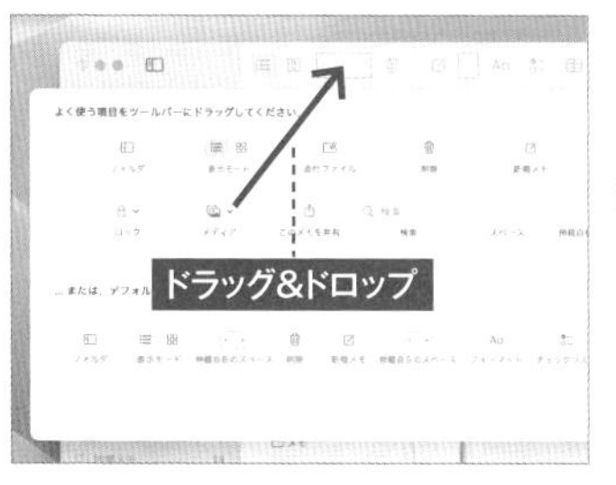

メニューの「表示」から「ツールバーをカスタマイズ」をクリック。よく使う項目をツールバーにドラッグ&ドロップ。

テクニック 3
メモをロックする

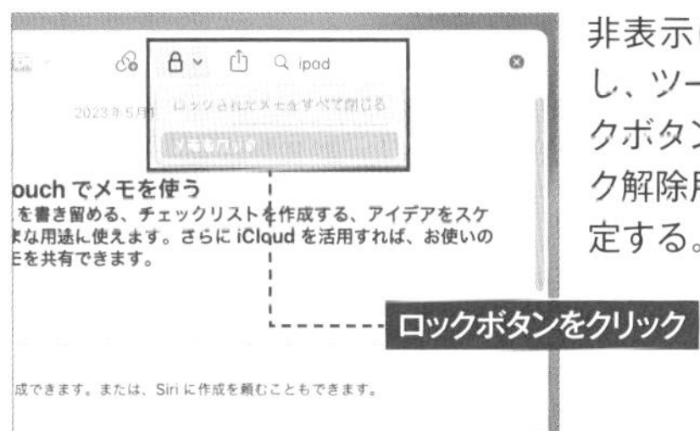

非表示にするメモを選択し、ツールバーにあるロックボタンをクリック。ロック解除用のパスワードを設定する。

テクニック 4
メモをピンで固定

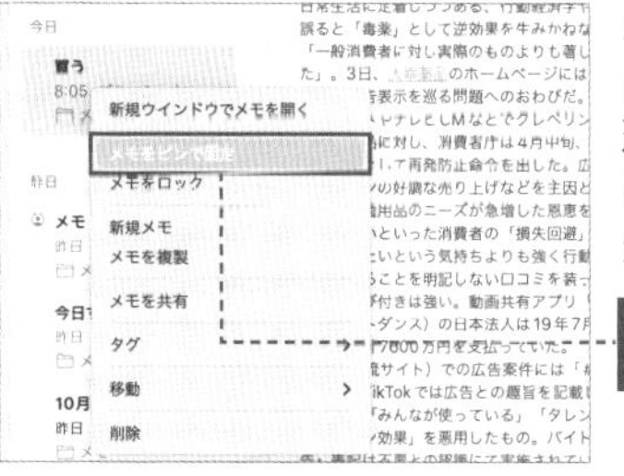

メモを右クリックし、メニューから「ピンで固定」を選択するとリスト表示で常に一番上に表示させることができる。

テクニック 5
ブラウザからメモを利用する

SafariやChromeなどのブラウザで「https://www.icloud.com/」にアクセスしてログインし、「メモ」を開く。

テクニック 6
トラックパッドで二本指で操作する

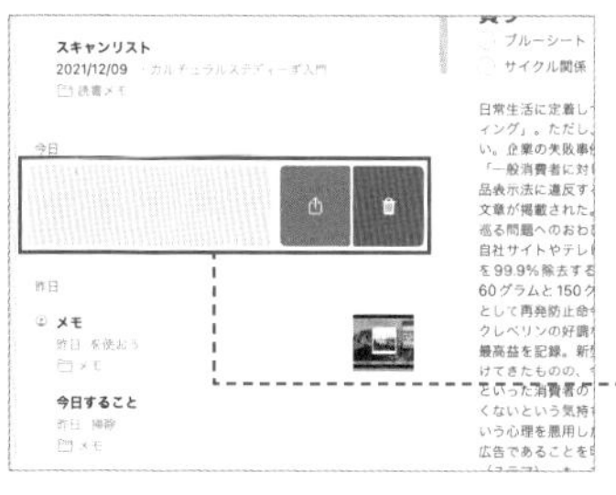

リスト表示時にトラックパッドで二本指で左にスワイプするとゴミ箱か、または共有、右にスワイプするとピン留めができる。

ベスト・テクニック!!

1

高機能なテキストエディタを真剣に考えるなら?

文章を書くことが多い人にとって欠かせないテキストエディタだが、数が多くてどれがいいのか困る。おすすめは多機能で高度な機能を備えた「Ulysses」(ユリシーズ)だ。

作成したテキストを独自のライブラリに自動で保存してくれる

Macには標準で「テキストエディット」というエディタが搭載されているが、その使い勝手はあまり良くはない。そのため、多くのMacユーザーは別のテキストエディタを利用していると思われる。しかし、テキストエディタの種類が多くて、どれが最適かわからない人も多いのではないだろうか。そこで、おすすめしたいのが、高度な機能を備えた「Ulysses」だ。

Ulyssesは、年間プラン5,500円(月額650円)のサブスクリプション制のテキストエディタだが、その価格に見合った機能を備えている。見た目や使い方はMac標準の「メモ」アプリやEvernoteと同じ3つのパネル構造(ライブラリ、シート列、エディタ)になっており、初めてでも迷うことなく操作できる。作成したテキストは「シート」として自動的にライブラリに保存されるので、従来のテキストエディタのように、1つずつ名前を付けて保存する必要がない。ファイルの保存場所を忘れてしまったり、強制終了などで書いていた文書が台無しになるという心配はなくなるだろう。

文章作成時に便利な補助機能も多数備えている。シートに入力した文字数をカウントして右上に自動で表示してくれる。統計情報を開けば、文字数、単語数、読み終える時間など、より詳細な入力情報がわかる。校正機能も備えており、入力したテキストを分析し、文法に誤りがあったり誤字脱字がある場合は、その場所を教えて校正案を提示してくれる。1万字を越えるような文書でも効率よく校正できるので文章を書くことを仕事にしている人にとって非常に役立つ機能だろう。

Ulysses
作者:Ulysses GmbH & Co. KG
価格:年間プラン5,500円(月額650円)/1週間無料トライアルあり
カテゴリ:仕事効率化

Ulyssesのインターフェースを理解しよう!

❶ ライブラリ
作成したシートはライブラリに保存され、細かく分類できる。

❷ シート列
作成したシートやライブラリから選択したセクション内のシートが一覧表示される。

❸ エディタ
実際にテキストを入力する画面。

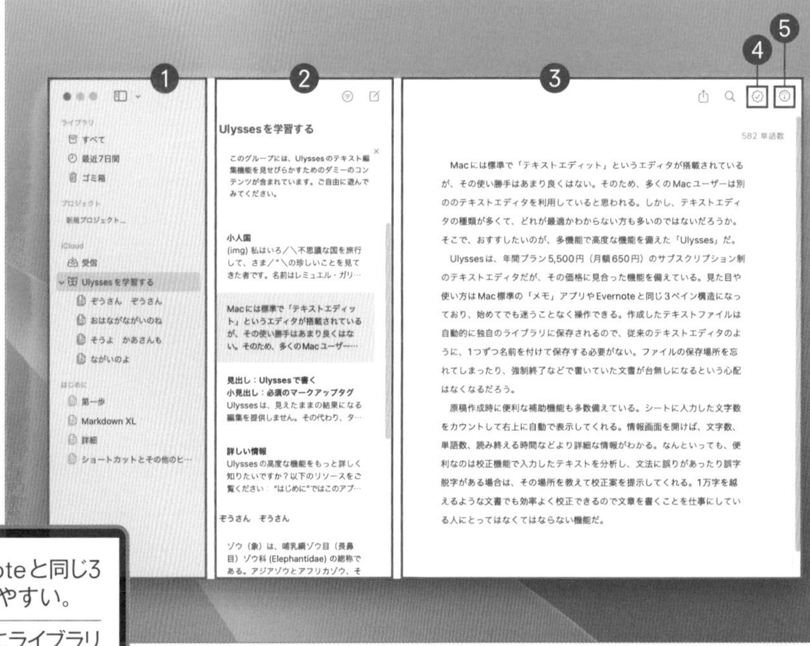

❹ リビジョン
入力した文章を分析して校正箇所の提案をしてくれる。

❺ ダッシュボード
文字数、単語数、文の数、行数、ページ数、読むときにかかる時間などさまざまな情報を一覧表示できる。また、注釈やアウトラインなどを確認することができる。

このテクニックのポイントは?

- 「メモ」アプリやEvernoteと同じ3つのパネル構造で使いやすい。
- 作成した文書は自動的にライブラリに保存される。
- 便利な補助機能が多数備わっている。

テキスト入力時に便利な基本機能を使いこなそう

1 マークダウンを追加する

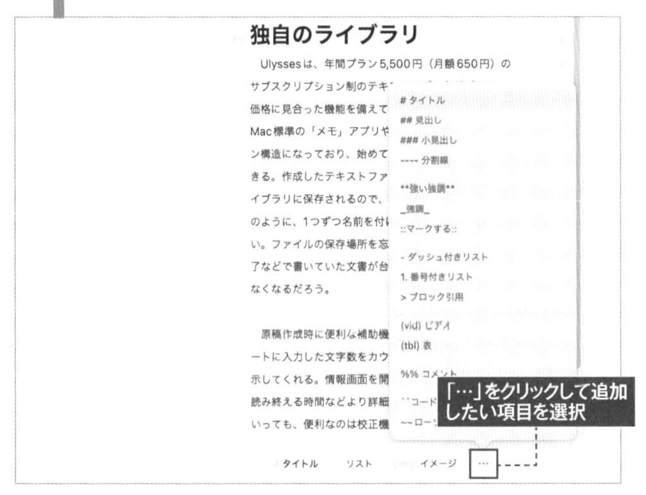

見出しやタイトルなどのマークダウンを追加したい場合は、追加したい場所をクリックし、下部の「…」をクリックして追加したい項目を選択しよう。

2 ダッシュボードからアウトラインを確認する

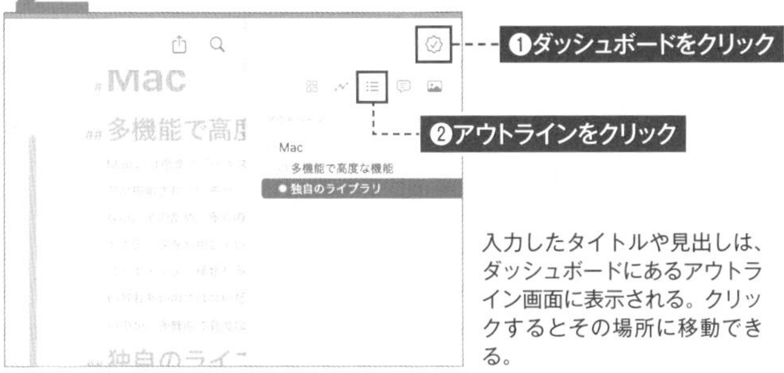

入力したタイトルや見出しは、ダッシュボードにあるアウトライン画面に表示される。クリックするとその場所に移動できる。

3 折り返し文字数を指定する

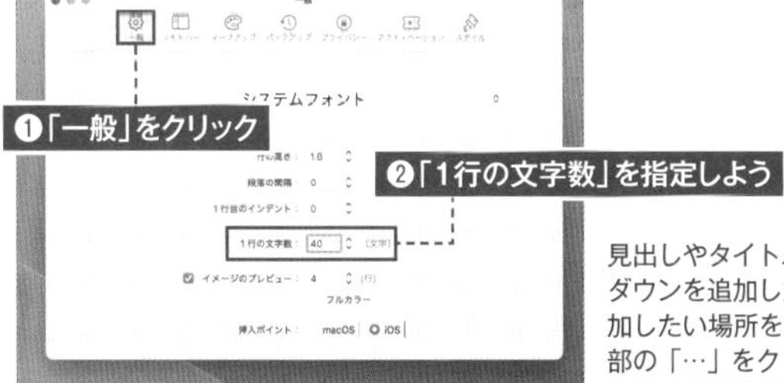

見出しやタイトルなどのマークダウンを追加したい場合は、追加したい場所をクリックし、下部の「…」をクリックして追加したい項目を選択しよう。

Ulyssesの高度な編集機能を使いこなそう

1 ライブラリを使って文書を整理する

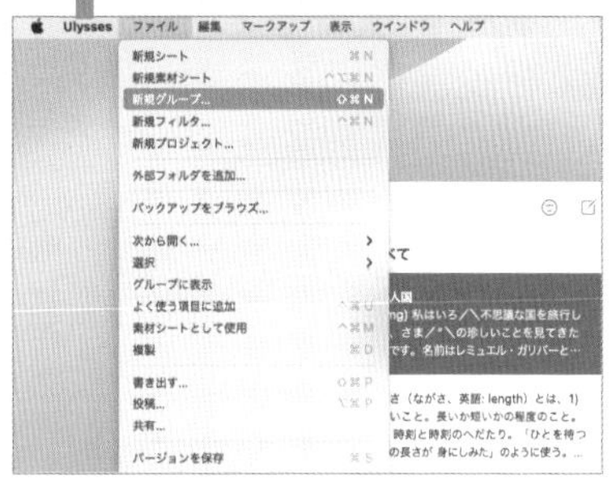

作成したシートをカテゴリ別に分類したい場合は、メニューの「ファイル」を開く。「新規グループ」もしくは「新規プロジェクト」を選択しよう。

2 ドラッグ&ドロップでシートを分類する

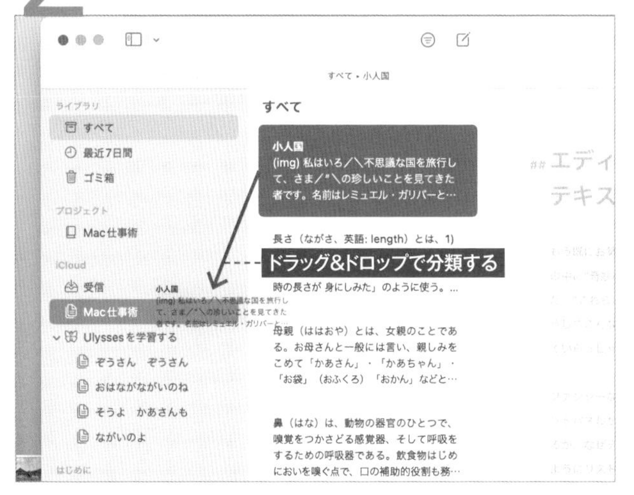

作成したシートをライブラリにあるグループやプロジェクトにドラッグ＆ドロップで分類していこう。

POINT
「第2のエディタ」を使ってテキストを編集する

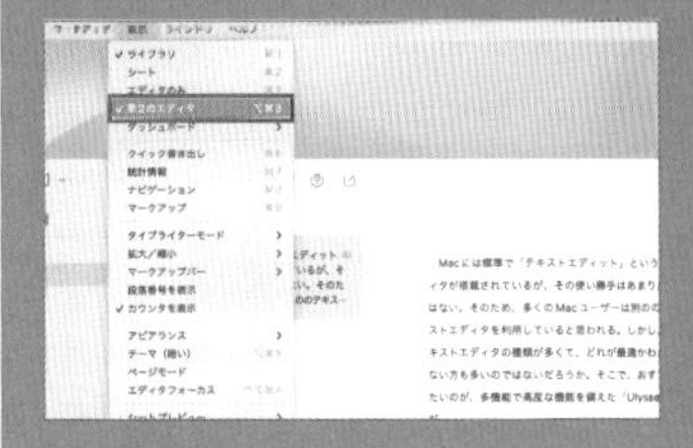

メニューの「表示」から「第2のエディタ」にチェックを入れるとエディタが2つ表示される。文章を比較したり、複数の文章を同時に書きたいときに便利だ。

まとめ ライター、ブロガー、電子書籍など文筆業者に特におすすめ

一見するとUlyssesはメモアプリと似ているが、紛れもなく高機能なテキストエディタだ。豊富なエクスポート機能があり、書いた文書を、さまざまな形式のファイルに変換することができる。PDFやWord、HTML、ePub、Markdownなど、多彩な形式に変換できるので、その後の出版作業やWeb公開にも大変役立つ。さらに、Ulyssesは直接WordPressやGhostといったブログサービスに投稿することもできる。Ulyssesで文章を書き、そのままブログに投稿することができるため、作業効率を大幅にアップできるだろう。

入力

実戦テクニック!!

無料のテキストエディタで便利なものは？

多機能で原稿作成に最適なテキストエディタ「mi」がおすすめ

無料のテキストエディタであれば、Macに標準搭載されている「テキストエディット」を使えばよいが、本格的な原稿を書くのには物足りないかもしれない。Macで無料で高機能なテキストエディタを使うなら、「mi」がおすすめだ。

miはシンプルで直感的な使いやすいインターフェースが特徴で、操作方法もわかりやすく設計されている。タブ機能を備えており、1つのウインドウ内で複数の原稿の作業が可能だ。また、1つのウインドウに2つのファイルを左右に並べて表示、編集することもできる。左に参考ファイル、右に本文ファイルなどのように並べて比較したり、ほかのテキストファイルからコピー＆ペーストしたいときに役立つ。

また、原稿作成中にトラブルにありがちなものといえば強制終了による作成中のデータの消失だろう。しかし、miでは保存せずに何らかのトラブルで強制終了してしまったときでも未保存の時点のデータを一時的に保存しており、復元することが可能。これは非常にうれしい機能だ。

mi
作者／上山大輔
価格／無料
URL／https://www.mimikaki.net/

miのインターフェースを把握しよう

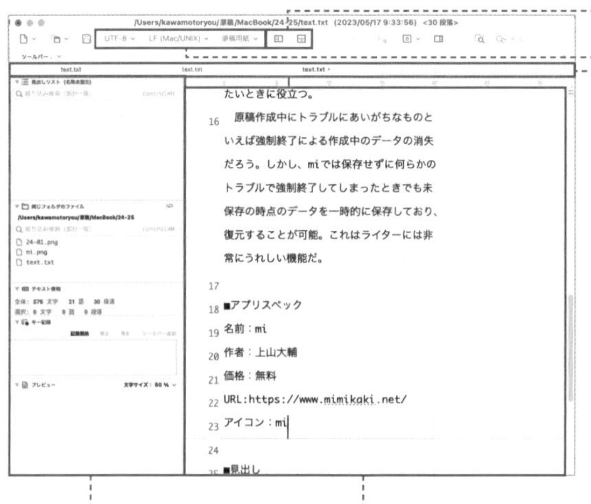

縦分割・横分割
クリックするとウインドウ内に2つのタブやファイルを並列表示できる。

モード設定
HTML、C/C++などのテキストの種類を変更できる。

タブ
作成したファイルはタブごとに管理できる。

左サイドバー
開いているファイルのテキスト情報やファイルの保存場所のパス情報が表示される。

メインテキスト
開いているタブのファイル内容が表示される。テキスト編集作業はここでおこなう。

強制終了しても復元できる

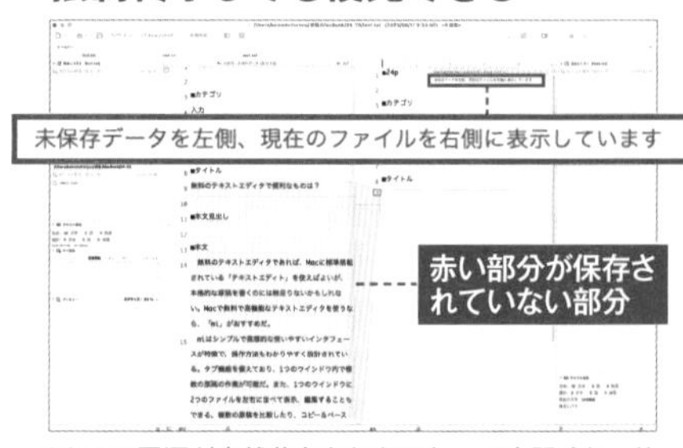

Macの電源が突然落ちたときでも、miを開くと、サブテキスト画面に保存していなかったテキストを表示してくれる。

miを使いやすくカスタマイズしよう

1 モード設定を指定する

上部メニューのモード設定からHTML、CSSなど作成するテキストファイルにあわせてモードを指定しよう。

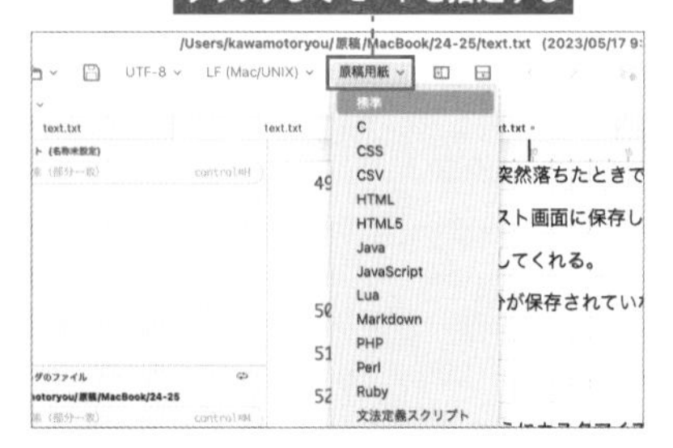

2 文字のサイズを変更する

文字のサイズを変更したい場合は、メニューの「ドキュメント」から「フォント」を選択して、文字サイズを指定しよう。

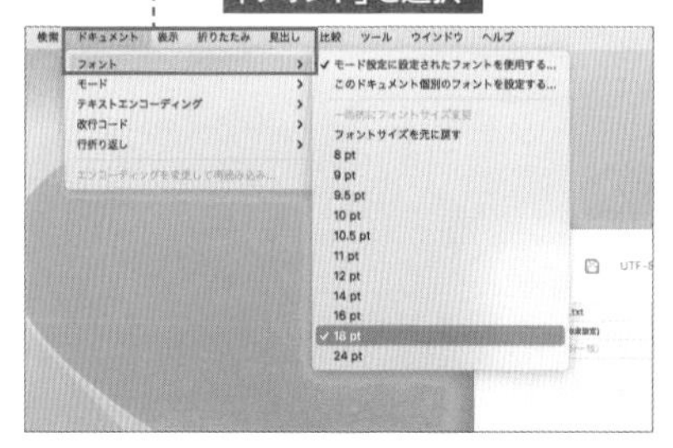

3 行の文字数を指定して折り返す

指定した文字数で改行するには、メニューの「ドキュメント」から「行折り返し」と進み、「文字数指定折り返し」にチェックを入れ、折り返しする文字数を指定しよう。

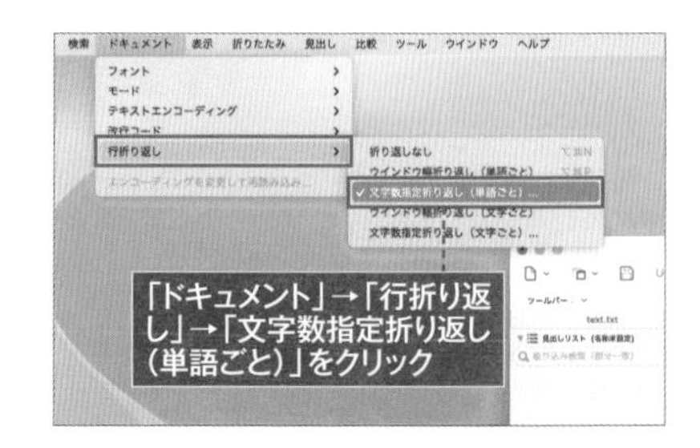

とにかく軽快! 使いやすいテキストエディタ

CotEditorは、miと並んでMacユーザーに人気の高いテキストエディタで、タブ機能や画面分割など、miと同様の機能を備えている。CotEditorには独自の魅力があり、まず使いやすいことが特徴だ。起動が速く、テキストの作成や編集がスムーズに行える。また、シンプルなインターフェースで直感的な操作が可能だ。一方で、CotEditorは高度なカスタマイズも可能で、シンタックスハイライトやカラーテーマ、キーバインディングなどを自由に設定することができる。自分の好みに合わせた編集環境を構築したい人におすすめだ。

CotEditor
作者／Mineko IMANISHI
価格／無料
カテゴリ／仕事効率化

1

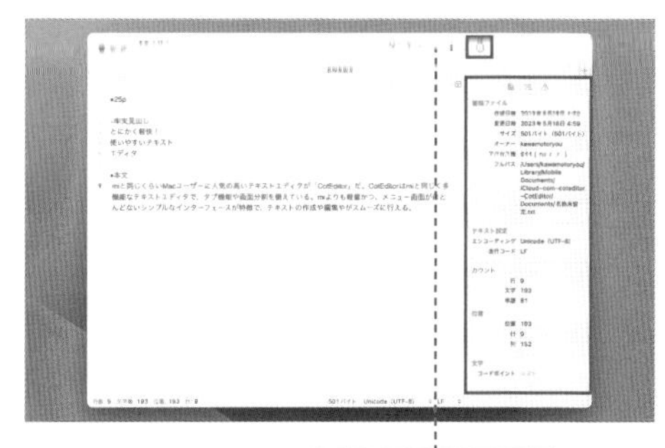

入力しているテキストの文字数や行数などの情報を知りたい場合は、右上の「i」ボタンをクリックしよう。右サイドバーが表示され、さまざまな入力情報が表示される。

2

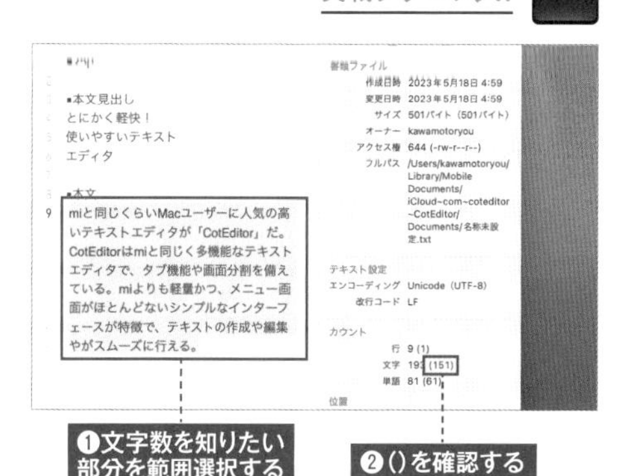

範囲選択した部分の文字数を知りたい場合は、右サイドバーの「カウント」の「文字」に表示される()の数字を確認しよう。

3

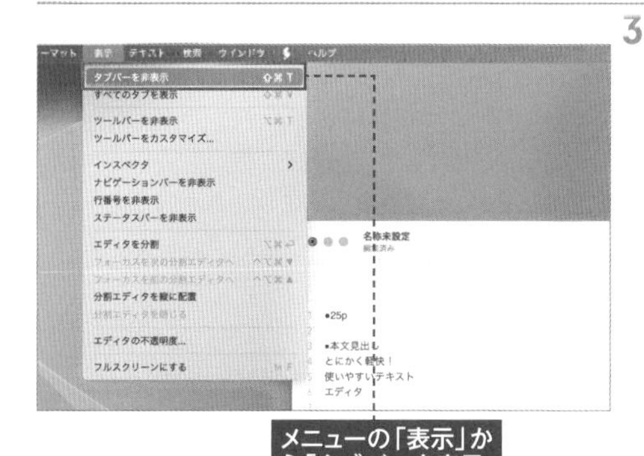

標準ではタブが表示されていない。表示するにはメニューの「表示」から「タブバーを表示・非表示」を選択しよう。

4

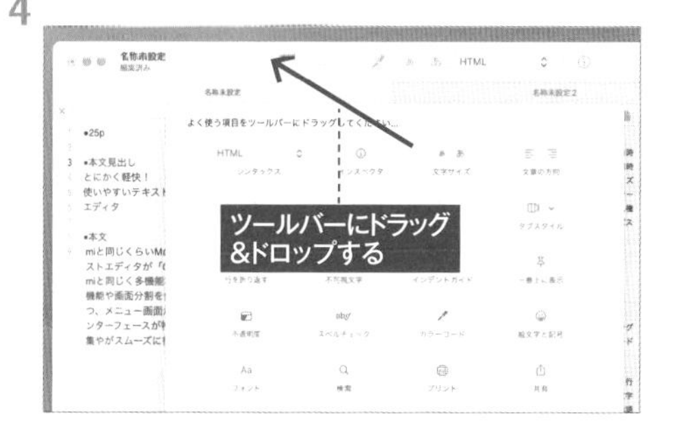

ツールバーも標準では何もない。カスタマイズするにはメニューの「表示」から「ツールバーをカスタマイズ」を選択し、よく利用する機能をドラッグ&ドロップで追加していこう。

ここがポイント 初期設定を変更する

CotEditorを利用する場合、いつも同じフォーマットを利用するならば、メニューの「CotEditor」から「環境設定」を開き、「デフォルトスタイル」でフォーマットを指定しておこう。毎回、フォーマットメニューを開く必要がなくなる。なお、環境設定の「表示」では背景色や文字色などカラーを自由にカスタマイズすることができる。

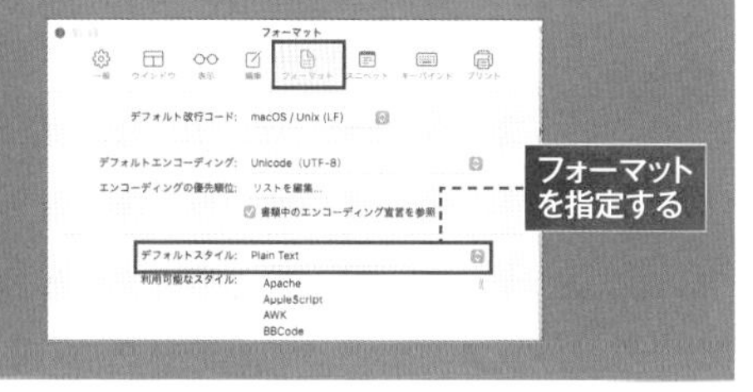

4 ツールを使って効率的に入力する

「ツール」メニューを使えばテキスト入力が楽になる。モードによってメニューが変化し、たとえばHTMLファイルの場合は、よく使われるHTMLタグを指定するだけで素早く入力できる。

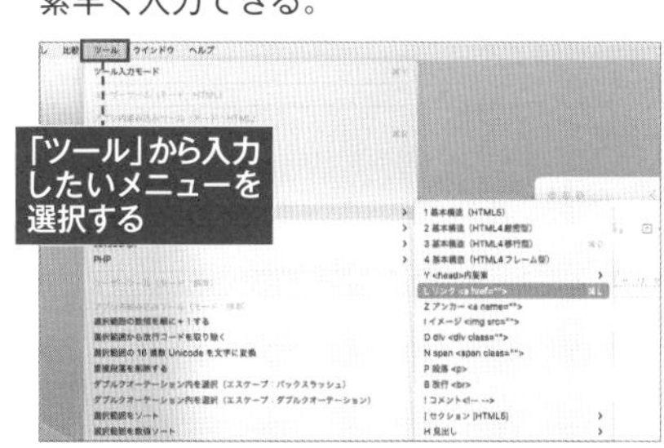

5 ウインドウを分割する

2つのファイルを並べて表示したい場合は、縦分割ボタンをクリック。テキスト作成画面がもう1つ表示される。

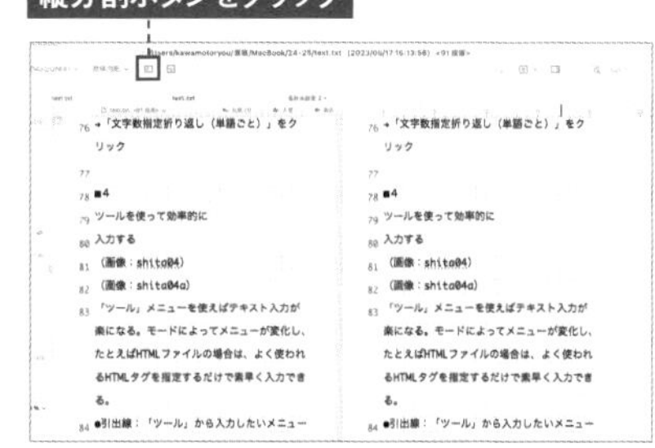

6 ファイルの並びを入れ替える

表示している2つのファイルの並びを入れ替えたい場合は、タブの下にある「入替」ボタンをクリックしよう。

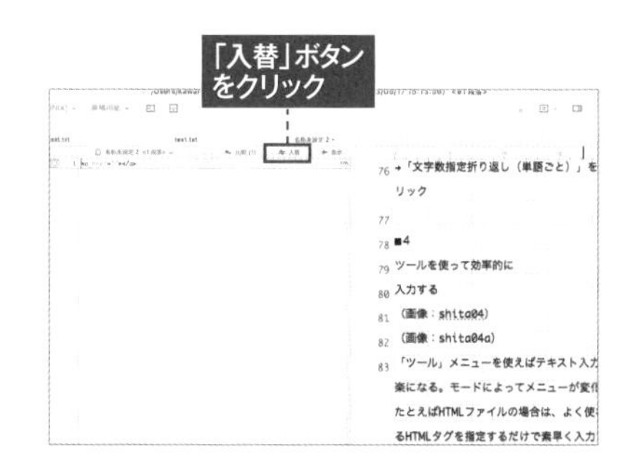

ベスト・テクニック!!

「ChatGPT」の機能を原稿執筆に有効利用する!

ChatGPTを使えば、手軽に記事を作成できるが正確性には注意が必要。校正補助ツールとして使うのが最適で、上手く使えば魅力的で読みやすい記事を効率的に作成できる。

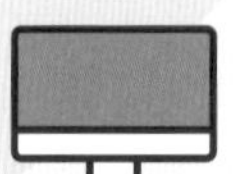

自分自身のアイデアや知識を活かしつつChatGPTをうまく使おう

文章作成は、手間暇がかかる作業であり、日常的に執筆する場合はかなり重荷となる。最近注目を集めている「ChatGPT」を使えば、キーワードを入力するだけで手軽に文章を作成でき、非常に楽だが、ChatGPTが提供する情報は正確であるとは限らないため、最終的なチェックは自分自身で行う必要がある。

つまり、ChatGPTを使った原稿作成においては、オリジナルの文章を作成させるよりも、ベースとなる原稿を自分で作成したあと、文法ミスや誤字脱字をチェックするなど、校正補助ツールとしての利用が最適だ。

読者の興味を引く美しい日本語にリライトする際にも、ChatGPTは役立つ。入力した文章を分析し、的確な表現や魅力的な見出しや導入文を提案してくれる。結果として、より魅力的で読みやすい記事が生まれるだろう。

書く内容は決まっているが、文章全体の構成を考えるのが難しいときにもChatGPTは便利だ。ChatGPTに文章を入力すると、論理的かつ組織的な構成を提案してくれ、自分で構成を考える手間を省くことができるだろう。

ほかにも、作成した文章を元にタイトル、リード、小見出し、要点を作る際にもChatGPTは役立つ。例えば、タイトルやリードの作成では、本文やキーワード入力することで、自動で提案してくれる。以下に基本的な入力プロンプト（動作を促す指示）を紹介するので試してみよう。

ChatGPT
作者:OpenAI
Webサービス
URL:https://chat.openai.com

1

ChatGPTにさまざまな処理をしてもらう!

文章の校正に便利なプロンプト集

編集内容	ChatGPTへの入力プロンプト
文章を要約する	以下の入力文を要約して「入力文」
文章を指定した字数におさめる	以下の入力文を○○字にして「入力文」
文章から見出しを作成する	以下の入力文から見出しを作成して「入力文」
短文を長文にする	以下の入力文を長文にアレンジして「入力文」
リードを作成する	以下の入力文からリードを作成して「入力文」
文章から要点をまとめる	以下の入力文から要点を○個にまとめて「入力文」
文章を翻訳する	以下の入力文を○語に翻訳して「入力文」
文章から目次を作成する	以下の入力文から目次を作成して「入力文」
キャッチコピーを作成する	以下の入力文からキャッチコピーを作成して「入力文」
入力した文章を校正する	以下の入力文を校正して「入力文」

文章に与えたい処理を選んで処理をさせてみよう。

このテクニックのポイントは?

- ChatGPTを使えば文章作成の負担が低減される。
- 提供される情報の正確性には注意が必要。
- 現状では校正補助ツールとしての利用が最適である。

文章を校正する

次の文章をわかりやすい美しい日本語に校正してください

iPadOS 16で追加された新機能「フリーボード」は、思いついたアイデアを手軽にメモするための最高の手書きノートアプリだ。キャンバス（ボード）上ならどこでも指先で描画でき、またApple Pencilを使って自由自在に描くことができる。
このアプリの最大の特徴は、キャンバスのサイズに制限がないことだ。通常のノートアプリでは、書き足す余地がなく、新しいページを作る必要があったり、文字全体を縮小して余白を作らないといけないことがある。しかし、フリーボードではキャンバスのサイズに制限がなく、左右上下に自由自在に拡大できるため、マインドマップやブレーンストーミングなどアイデア展開に最適なツールだ。iCloudでデバイス間の同期も可能なので、MacやiPhoneでも手軽にアイデアをメモすることができる。
手書きメモ以外にも、写真、ビデオ、オーディオ、書類、PDF、Webリンク、付箋なども追加できる。また、700以上の図形ツールを含む豊富なブラシツールが用意されており、思い通りの図が作れ、配置ガイドを使って外観を整えることができる。
さらに、このアプリには共有機能もあり、友達や同僚に招待して最大100人までリアルタイムで共同作業ができる。共同作業中はメッセージやFaceTimeでやり取りできるから、アイデアを出し合うのも楽しくなるだろう。

❶「次の文章をわかりやすい美しい日本語に校正~」と入力する

❷校正したい文章を入力する

「次の文章をわかりやすい美しい日本語に校正~」と入力し、Controlキーを押しながらEnterキーを押して改行して、校正したい文章を入力しよう。

文章を要約する

次の文章から要点を3点でまとめて

iPadOS 16で追加された新機能「フリーボード」は、思いついたアイデアを手軽にメモするための最高の手書きノートアプリだ。キャンバス（ボード）上ならどこでも指先で描画でき、またApple Pencilを使って自由自在に描くことができる。
このアプリの最大の特徴は、キャンバスのサイズに制限がないことだ。通常のノートアプリでは、書き足す余地がなく、新しいページを作る必要があったり、文字全体を縮小して余白を作らないといけないことがある。しかし、フリーボードではキャンバスのサイズに制限がなく、左右上下に自由自在に拡大できるため、マインドマップやブレーンストーミングなどアイデア展開に最適なツールだ。iCloudでデバイス間の同期も可能なので、MacやiPhoneでも手軽にアイデアをメモすることができる。
手書きメモ以外にも、写真、ビデオ、オーディオ、書類、PDF、Webリンク、付箋なども追加できる。また、700以上の図形ツールを含む豊富なブラシツールが用意されており、思い通りの図が作れ、配置ガイドを使って外観を整えることができる。
さらに、このアプリには共有機能もあり、友達や同僚に招待して最大100人までリアルタイムで共同作業ができる。共同作業中はメッセージやFaceTimeでやり取りできるから、アイデアを出し合うのも楽しくなるだろう。

❶「次の文章から要点を3点でまとめて」と入力する

❷要約したい文章を入力する

「次の文章から要点を3点でまとめて」と入力し、Controlキーを押しながらEnterキーを押して改行して、文章を入力しよう。

ChatGPTの校正作業がより便利になるプラグイン

1 editGPTをインストールする

editGPTはChatGPTで校正された箇所を教えてくれるChromeの拡張プラグイン。公式サイトで無料でダウンロードできる。

2 editGPTを有効にする

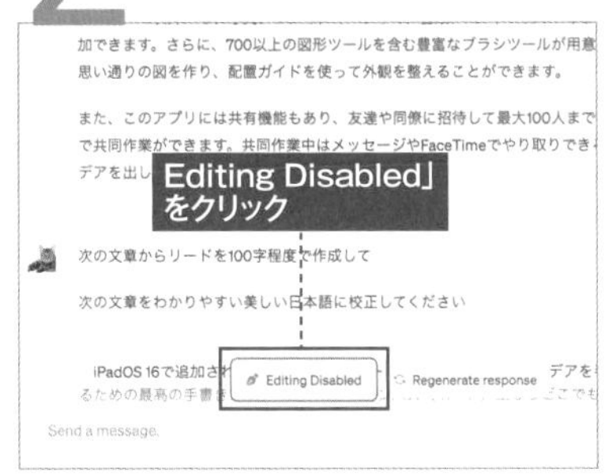

インストール後、ChatGPTにアクセスするとテキスト入力ウインドウ上に「Editing Disabled」というボタンが表示されるので、これをクリックする。

3 校正箇所を教えてくれる

校正箇所は赤色、校正案は緑色

~~次の文章をわかりやすい美しい日本語に校正してください~~

~~iPadOS 16で追加された新機能「フリーボード」は、思いついた~~「フリーボード」という新機能がiPadOS 16で追加されました。この機能は、~~手軽に~~アイデアを~~手軽に~~メモするための~~最高の~~素晴らしい手書きノートアプリ~~だ~~です。キャンバス（ボード）上なら、どこでも指先で描画でき~~、また~~ますし、Apple Pencilを使って自由自在に描くことが~~が~~もでき~~る~~ます。

—

このアプリの最大の特徴は、キャンバスのサイズに制限がない~~ことだ~~という点です。通常のノートアプリでは、書き足す余地がなく、新しいページを作る必要があったり、文字全体を縮小して余白を作らないといけないことがある~~。しかし~~りますが、フリーボードではキャンバスのサイズに制限がなく、左右上下に自由自在に拡大できるため、マインドマップやブレーンストーミングなどアイデア展開に最適なツール~~だ。~~となっています。また、iCloudでデバイス間の同期も可能なので、MacやiPhoneでも手軽にアイデアをメモすることができ~~る~~ます。

—

手書きメモ以外にも、写真、ビデオ、オーディオ、書類、PDF、Webリンク、付箋なども追加でき~~る。また~~ます。さらに、700以上の図形ツールを含む豊富なブラシツールが用意されており、思い通りの図~~が作れ~~を作り、配置ガイドを使って外観を整えることができ~~る。さらに~~ます。

また、このアプリには共有機能もあり、友達や同僚に招待して最大100人までリアルタイムで共同作業ができ~~る~~ます。共同作業中はメッセージやFaceTimeでやり取りできる~~から~~ため、アイデアを出し合うのも楽しくなる~~だろ~~ことでしょう。

有効にすると校正箇所は赤色で、校正案のテキストは緑色で表示してくれる。どこが校正されたかすぐに確認できるので、より校正作業も効率化できる。

文章作成に便利なプロンプトを探す

1 ChatGPTの文例集にアクセスする

文章作成や校正に利用するChatGPTで入力するプロンプトを探すなら「ChatGPTの文例集（https://prompt.quel.jp/）」にアクセスしよう。

2 タスクから「修正・要約して」を選択する

タスクカテゴリから「修正・要約して」を選択すると、文章の校正や要約に関するプロンプトを表示してくれる。

3 プロンプトをコピーする

プロンプトが表示されるのでコピーしよう。あとはプロンプト以下の部分に自分の文章を追加すればよい。

まとめ プロンプトの使い方で校正内容が大幅に変わる

ChatGPTは、プロンプトの使い方によって、生成される文章や校正内容に大きな影響を与える。例えば、プロンプトに「Appleの新製品」と入力すると、ChatGPTはAppleの新しい製品に関する情報を提供する文章を生成する。しかし、同じキーワードでも「Appleの新製品について批評する」というような具体的な指示を与えると、生成される文章の方向性が大きく変わる。校正に関しても同様で、プロンプトによって生成される校正内容は大きく異なる。生成したい文章の方向性や目的を明確にし、それに応じた校正を行うことが、ChatGPTを使った文章作成において重要なポイントとなる。

利便性で選ぶか、キータッチで選ぶか、それとも？

MacBookや、iMacに付属しているAppleのキーボードは非常にキータッチも心地よく、音も静かで使いやすいが、もっとキーストロークのあるタイプや、違ったタイプのキーボードを使ってみたい人も多いだろう。ここではタイプ別に、Macと併せて使ってみたいキーボードを紹介しよう。

1つめのは、安心のApple純正キーボードだ。MacBookでは、外部ディスプレイと接続し、MacBook本体を閉じて使用する「クラムシェルモード」という使い方が存在するが、その際はキーボードやマウスを別で接続する必要がある。そんなときにTouch IDが装備されたApple純正キーボードは非常に快適に利用できる。各種Webサービスへのログインや、スリープからの復帰も快適に行える。Mac miniやMac Studioなどのデスクトップ機でももちろん使用可能だ。

次に紹介したいのは、深いストロークでのキータッチを楽しむことができるメカニカルキーボード。Keychronや、東プレの「REALFORCE」シリーズなど、人気の高い製品も多く、国産、海外製を問わず、凄まじく多くの製品がある。キーのスイッチにも青軸、茶軸、赤軸など細かい種類があり、好みで選ぶことができる。使用時の音の大きさも特徴で、オフィスで使うには問題になるかしれないが、快感を促す音でもあり、YouTubeで見られるASMRの動画には、メカニカルキーボードを扱ったものも多い。

最後に紹介したいのは、左右に分割できるキーボードだ。ここ最近ラインナップが充実してきているジャンルで、左右に開かれた独立のキーボードを使うことで、肩が開かれ、肩こり改善や手首への負担も減らすことができる。左、右で使うキーが完全に分かれているため、入力スピードも速くなるだろう。トラックパッド派のユーザーなら、中央にトラックパッドを置くことで、MacBookのような操作感を実現することもできる。

1 Apple純正キーボード

用途は万能！テンキーつきやTouch IDつき、などを好みで選ぼう

Apple純正のMagic Keyboardは用途は万能で、クラムシェルモードのMacBook用に使ったり、Mac miniやMac Studioなどのデスクトップマシンで快適に使うことができる。Touch IDつきを選べば、Macで使う際の利便性は非常に高い。ワイヤレスでの使用となるが、充電とペアリングには付属のLightning・USB-Cケーブルを使う。また、Apple純正ではないが、ロジクール製のMac用キーボードは人気が高く、種類も豊富なので、Apple純正以外が欲しいけど、安心感のある製品を選びたい人には向いているだろう。

シンプルでコンパクト！
持ち運びもしやすい

Apple Touch ID搭載
Magic Keyboard
価格：17,700円（Amazon）

日本語仕様だけでなく、USモデルも選択できる。テンキーつきは23,000円前後、Touch IDなしは13,000円前後の価格となる。この機種を使うなら、マウスやトラックパッドもApple純正を選びたい。

Mac周辺機器紹介 **Mac Gadgets!!!**

キーボードを考える

キータッチ、操作感を一新できる外部キーボードにも、いろいろな種類がある

Appleの純正キーボードは非常に使いやすいが、長期的な作業時間を考えると、違うタイプのキーボードも気になってくるだろう。好みのキータッチのものや、新たな感覚を与えてくれるキーボードも考えてみよう！

こららはCherry MXの青軸スイッチを採用したメカニカルキーボードの「MIYA PRO」(Ducky×Varmilo)。Mac用・US仕様のキーボードで、軽すぎない青軸のキータッチと、人の多い職場では確実に使用不可な、うるさすぎる打鍵音が快感を催す! 渋くオシャレな配色も飽きない。海外製のメカニカルキーボードは非常に多彩で、ネットを漁っていると、さまざまな驚きの製品に出会うことができる。

Ducky×Varmilo MIYA PRO
(実勢価格:2~3万円前後)
Varmilo(アミロ)は中国、Duckyは台湾の、それぞれメカニカルキーボードの人気ブランドで、この「MIYA PRO」のようなコラボモデルも多い。「ふもっふのお店」(https://www.fumo-shop.com/)などで購入が可能だ。

2 メカニカルキーボード

好みのデザイン、キータッチの製品を膨大な製品群の中からセレクトできる!

キーボードのキーが、1つ1つが独立した作りになっていて、細かくタッチが調整されているメカニカルキーボードは、日常的に長文を入力する人、プログラマーなどに人気のキーボード。キーのタッチは、クリック感、キーストローク、作動点、音などで細かく選ぶことができるが、ごく大ざっぱにいえば、クリック感がカッチリとあり音がうるさい青軸、タッチはやや重め、音はやや大きめな万能タイプの茶軸、クリック感が少なく音も静かな赤軸……というように分けることができる(そのほかにピンクや銀、黒などがある)。タッチや音は実際に触らないとわからないため、できればお店で試してから購入したい。

ラインナップの多い、Keychronの人気製品!

Keychron K3 V2(コンパクト75%レイアウト)
価格:16,830円(Amazon)

Mac用メカニカルキーボードを多数発売しており評価の高いKeychronのテンキーレスキーボード。有線、無線の両方で利用可能。赤軸と青軸が選択できる。

ロジクールの低価格なメカニカルキーボード!

ロジクール SIGNATURE K855GR
価格:11,500円(Amazon)

ロジクールのコンパクト、テンキーレスの人気製品。TTC製赤軸スイッチで心地よい打ち心地を実現している。無線接続でタブレットやスマホにも使える。

3 分割キーボード

人気急上昇!身体への負担もやさしく、快適な入力環境を実現!

キーボードが中央から左右に分離し、離して設置できるキーボード。傾斜をつけて、より身体への負担を下げられる製品も多く出ており、注目のカテゴリーだ。Dygma Raiseの製品など、キーの配置には個性が出ており、特に親指の操作性をどう考えるかなどに独自の工夫が凝らされている。カスタマイズを考えるだけでも楽しいだろう。キーボードに触れる時間が長い人は一度検討してみてはいかがだろうか。難点としては、基本、有線接続となっており、さらに左右がケーブルでつながれているので、ケーブルの存在感が目立つことだ。

さまざまにカスタマイズ可能な分割キーボード!

キネシス Freestyle2 for Mac
価格:21,380円(Amazon)

USB接続の分割型キーボードで、表記は英語。標準では平らな設置となるが、オプションのアクセサリで手首に合わせた角度をつけることができる。

デザインが最高すぎる! 分割ゲーミング・キーボード

Dygma Raise 分割型ゲーミングキーボード
価格:50,000円前後

ゲーミングツールのメーカー、Dygmaによる分離型のキーボード。Windows用ではあるが、ユーティリティで設定すればMacでも利用できる。メカニカルキーボードで軸の選択も可能だ。

フリーボード

アイデアやメモを視覚化できるMacの新しいメモツール

Macに新しく追加された「フリーボード」は、アイデアやメモを視覚的に整理するための便利なアプリだ。黒板やホワイトボードのように、好きな場所にメモが書けるだけでなく、付箋、写真、ウェブページ、図形などを自由に配置することができる。これにより、アイデアや概念を視覚的に把握できる。また、書いた内容を自由に編集できるため、創造的な発想にも適したツールだ。

フリーボード
作者／Apple
標準アプリ

1

ボードは拡大縮小したり360度方向に自由に拡大できる。

利用できる図形の種類は豊富。線や図形を使いこなせば入力したアイデアやメモを視覚的に把握できるようになる。

ウェブページのURLを貼りつけるとリンク先を読み込んでサムネイル表示してくれる。

メモアプリとグラフィックアプリを融合した新しいアプリケーション

Macのフリーボードは、メモアプリとグラフィックアプリを一つにしたような感覚を持つ。通常のメモアプリは、シンプルなテキストの入力に特化しており、上から下に向かって文章やリスト形式で情報を整理することが主な用途となっている。一方、フリーボードは、PhotoshopやIllustratorのように、画面上の好きな場所に自由にテキストを配置することができ、付箋や図形、アイコンなどを挿入して、アイデアや概念を視覚的に表現することができる。

また、入力した情報ごとにレイヤー化することが可能だ。レイヤーはグループ化することができるので、複数の情報を一度に操作することができる。

さらに、フリーボードには、入力した内容から発想を広げるさまざまなツールが用意されている。たとえば、iPadと連携することで手書きで情報を入力することができる。また、リアルタイムでのコラボレーション機能があり、複数のユーザーが同時に利用して、アイデアを共有し合うことができる。この点でも、通常のメモアプリとは大きく異なる新しいアプリケーションで、これらのツールを使えば、よりクリエイティブ発想が期待できる。

01 マスト! 付箋

付箋を使って情報を整理しよう

フリーボードに入力した情報を整理する基本は付箋を使うことだ。たとえば、複数のアイデアがある場合に、それぞれのアイデアを別々の付箋に書き込んでボードの好きな場所に貼りつけよう。付箋は画面上で移動させることができるので、アイデアやメモを並び替えて整理できる。また付箋は、色や形を変え、視覚的に区別することができる。

1 付箋を追加するには、ボード上部メニューから付箋ボタンをクリック。付箋が追加されたらクリックしよう。テキストが入力できる。

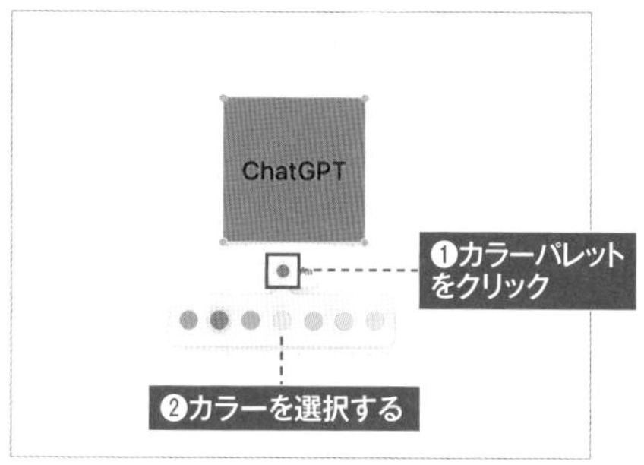

2 付箋の色を変更するには、付箋をクリックする。メニューが表示されるのでカラーパレットを選択して使用したいカラーを選択しよう。

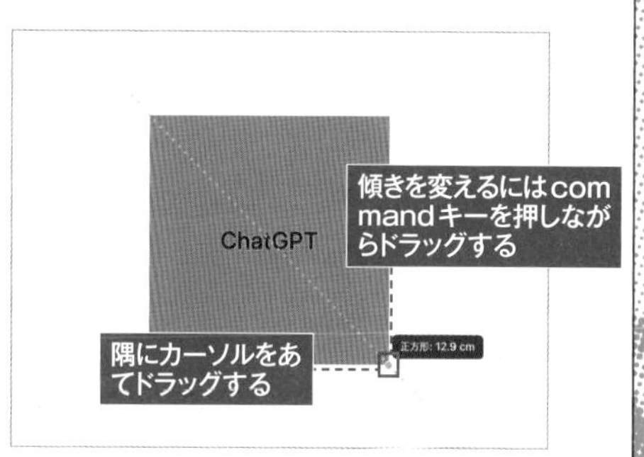

3 付箋の隅にカーソルをあて、カーソルが変更したらドラッグしよう。付箋のサイズが変更される。commandキーを押しながらドラッグすると傾きを変更できる。

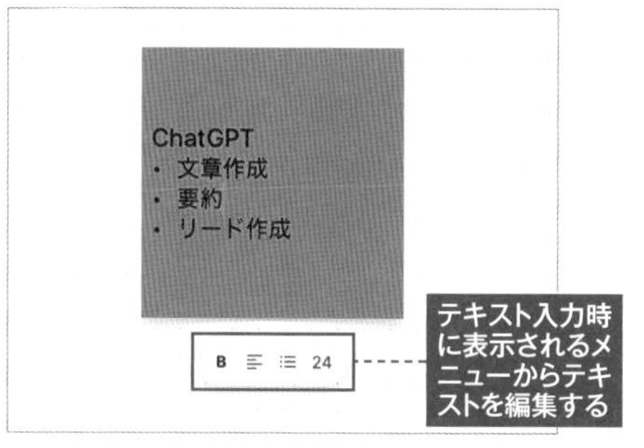

4 テキスト入力時に表示されるメニューから、リストを追加したり、フォントサイズや位置を調節することもできる。

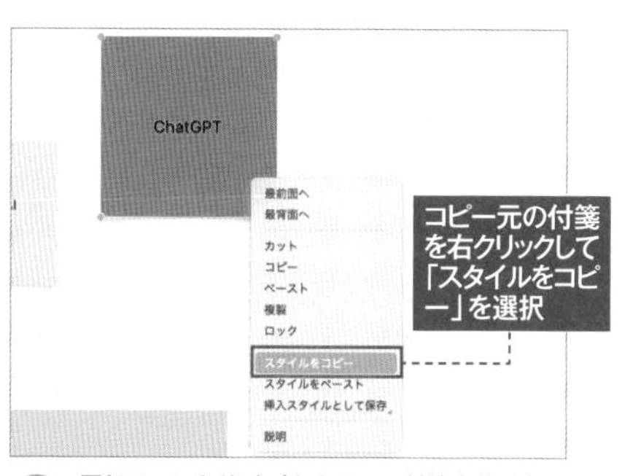

5 同じフォントサイズやカラーの付箋を作りたい場合は、コピー元の付箋を右クリックして「スタイルをコピー」を選択する。

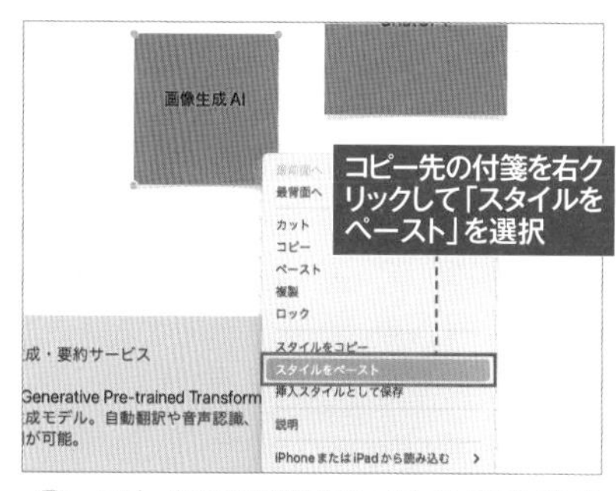

6 コピー先の付箋を右クリックして「スタイルをペースト」を選択すると、フォントサイズやカラーをコピーしてくれる。

ここがポイント

レイアウトを崩さずに、別の場所に作成した付箋やメモを移動する場合、1つずつ移動するのは手間がかかる。そこで、グループ化することでレイアウトを固定し、複数の情報をまとめて移動しよう。グループ化したい情報をマウスカーソルで範囲選択すると表示されるメニュー、または右クリックメニューから「グループ化」を選択すると、グループ化することができる。グループ化した状態でドラッグすればレイアウトは崩れずにすむ。なお、グループ化を解除したい場合は右クリックから「グループ解除」を選択しよう。

02 マスト! 図形

図形ツールを使って情報を視覚化しよう

フリーボードには、簡単に線や四角、矢印などを描くことができる図形ツールが搭載されている。これらを利用してアイデアや付箋を整理しよう。図形やアイデアを説明するための図やチャートを簡単に作成できる。線端をドラッグすると実際の線の長さや角度が表示されるため、複数の線を組み合わせて指定したサイズや角度の図形を作成できる。

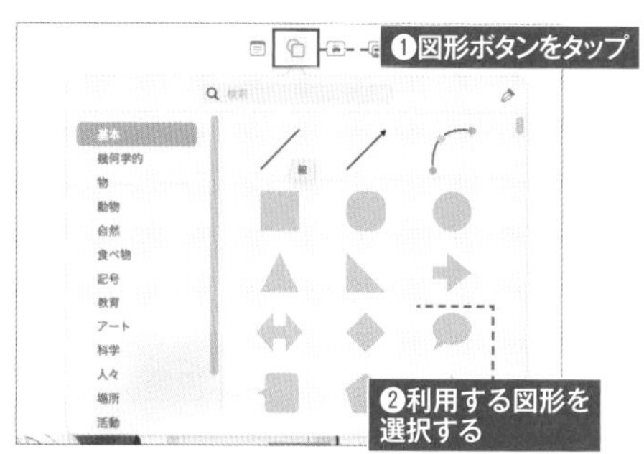

1 ボード上部メニューにある図形メニューをタップ。利用したいカテゴリと実際に利用する図形を選択しよう。ここでは「基本」から線ツールを選択する。

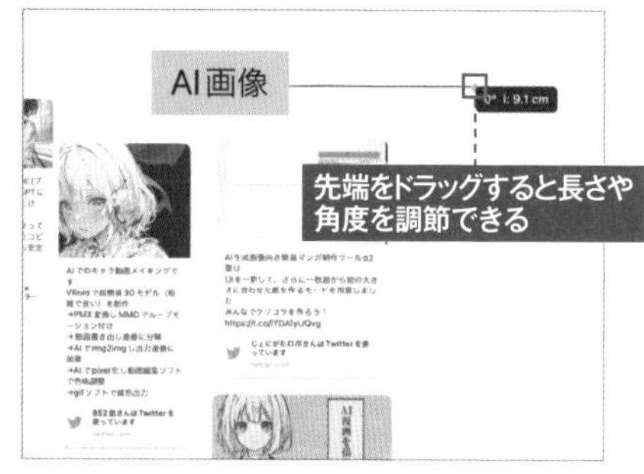

2 線の中心をドラッグすると移動、先端をドラッグすると長さや角度を調節でき、調節中に線の角度や長さを表示してくれる。

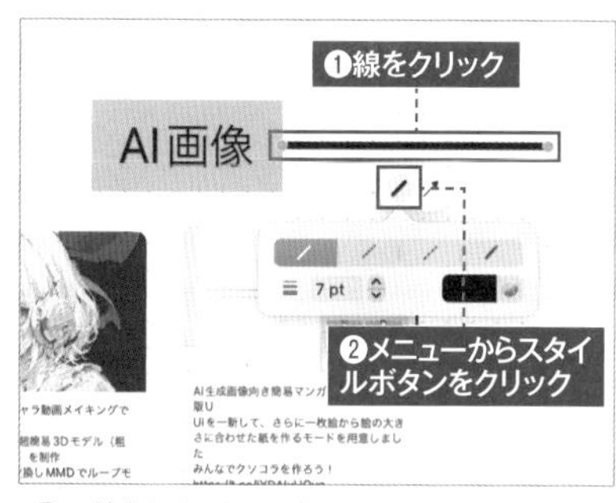

3 線をクリックして表示されるメニューからスタイルボタンをクリック。線の種類、太さ、カラーなどを変更できる。

03 挿入

画像やウェブページを挿入しよう

フリーボードは、写真やビデオを直接貼りつけることができる。ボード上部にある挿入メニューから操作を行おう。挿入した写真やビデオに対する操作が豊富だ。写真であればトリミングしたり、フルスクリーン表示することができ、ビデオの場合は、サムネイルにある再生ボタンをタップするとボード上でそのまま再生することが可能だ。

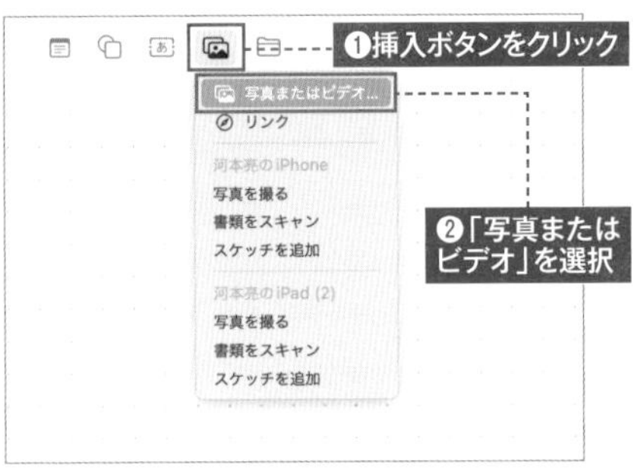

1 写真やビデオを挿入する場合は、ボード右上の挿入ボタンをクリックして表示されるメニューから「写真またはビデオ」を選択しよう。

2 挿入した写真をクリックするとメニューが表示される。左端は写真の編集、左から2番目はトリミング、左から3番目はフルスクリーン表示だ。

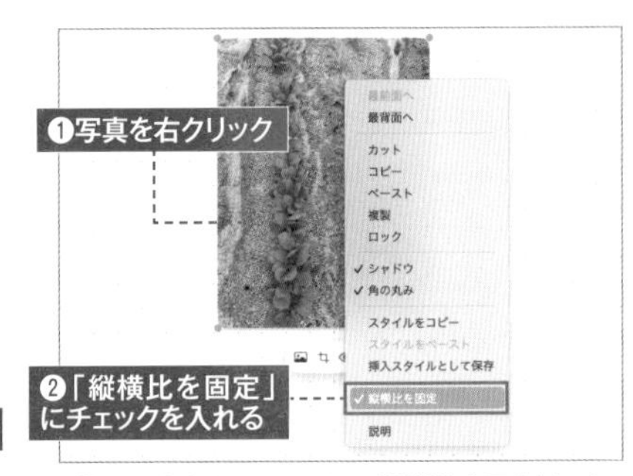

3 写真を右クリックして「縦横比を固定」にチェックを入れておけば、拡大縮小時に写真が崩れてしまうことはない。

4 ビデオを挿入することもできる。サムネイル右下にある再生ボタンをクリックするとボード上でそのまま再生できる。

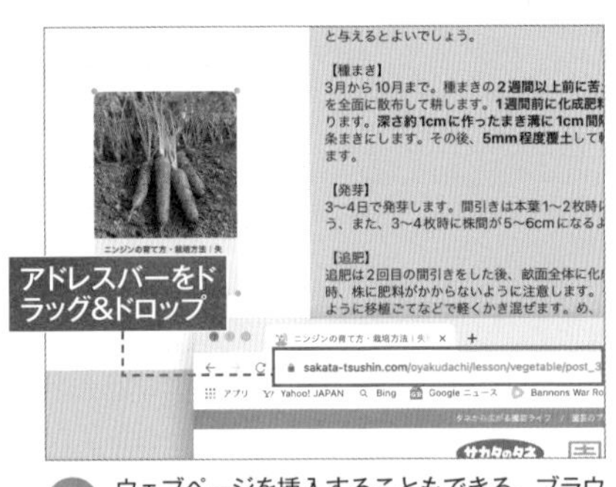

5 ウェブページを挿入することもできる。ブラウザで開いているページを挿入する場合は、アドレスバーをドラッグ＆ドロップしよう。

6 YouTube動画も挿入できる。直接再生することはできないが、タイトルと内容をサムネイル化して表示してくれる。

ここがポイント

フリーボードは入力した個々の情報をレイヤーとして、それぞれ独立して編集することができる。グラフィックアプリほどのレイヤー編集機能はないが、重なり順は変更することができる。図形の下にテキストが隠れてしまったときはレイヤーの重なり順を変更しよう。レイヤーの順番を変更するには、右クリックメニューから「最前面へ」または「最背面へ」を選択しよう。また、複数のレイヤーを選択し、右クリックして、メニューから「オブジェクトを整列」を選択するとレイヤーを整理してくれる。

04 手書き

iPadと同期して手書きでメモをとる

iPhoneやiPad版フリーボードにはMac版にはないペンメニューが搭載されている。ペン機能を使うことで、指やApple Pencilで手書きでメモをとることが可能だ。なお、作成した手書きメモはiCloud経由でMac版と同期することができるので、iPadで手書きメモを始めて、Macで作業を続けるという使い方もできる。

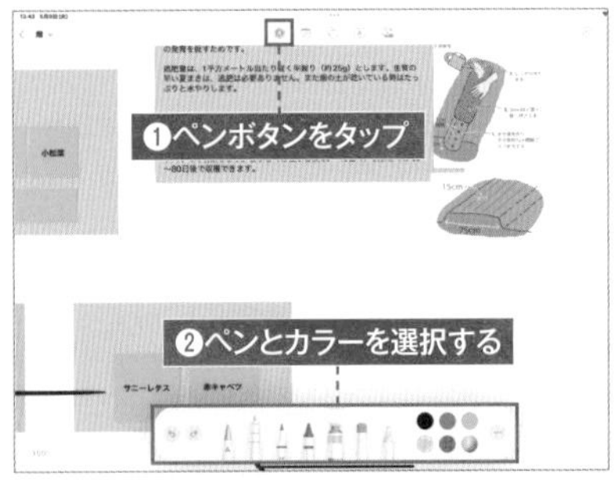

1 iPadでペン機能を使うには、上部メニュー左端にあるペンボタンをタップ。下からさまざまなペンが表示されるので、使いたいペンと色を選択しよう。

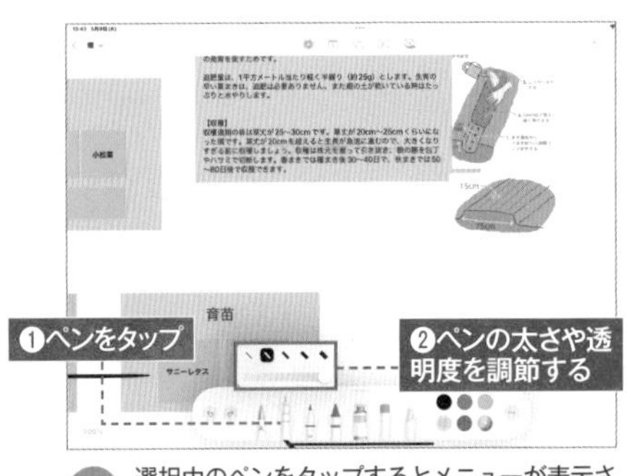

2 選択中のペンをタップするとメニューが表示される。ここでは、ペンの太さと透明度を調節できる。

3 MacとiPadのHandoff機能を有効にしていれば、Dock右下からフリーボードのアイコンが表示される。クリックするとiPadで作成したボード内容を反映してMac上に表示してくれる。

05 共有

ボードを共有して複数の人と共同作業をする

フリーボードを共有状態にすると、Apple IDを所有しているユーザーに限り、複数人で共同作業ができるようになる。編集している場所をリアルタイムで表示してくれ、ほかのユーザーが編集した場所を確認することもできる。なお、ボードはオーナーのiCloudアカウントのみに保存され、参加者のiCloudストレージが影響を受けることはない。

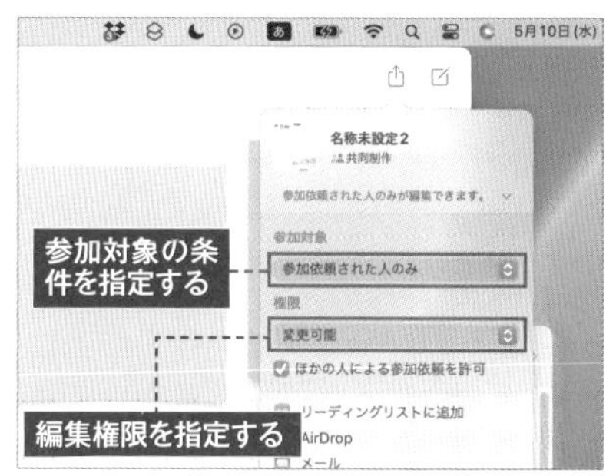

1 右上の共有ボタンをクリックして「参加対象」の条件と参加者の編集権限を指定しよう。

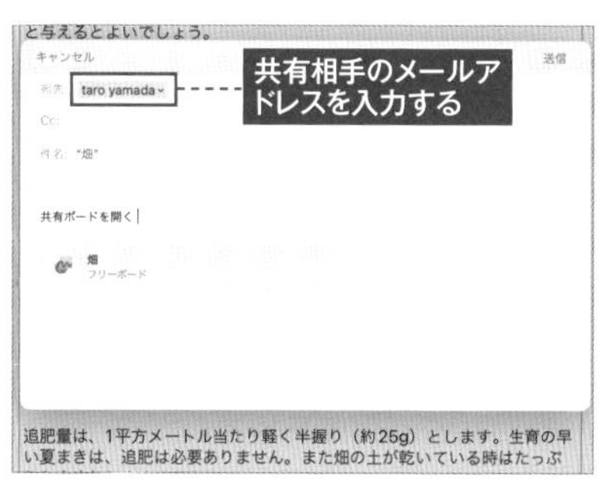

2 続いて共有方法を選ぶ。今回は「メール」を選択して、相手のメールアドレスを入力する。相手のApple IDがわかれば「メッセージ」でも共有できる。

3 共有状態になると右上に共有アイコンが表示される。クリックするとメニューが表示され、「現在の参加者」で現在参加している相手がわかる。

ピンポイントテクニック早見表

テクニック 1
ロックをする

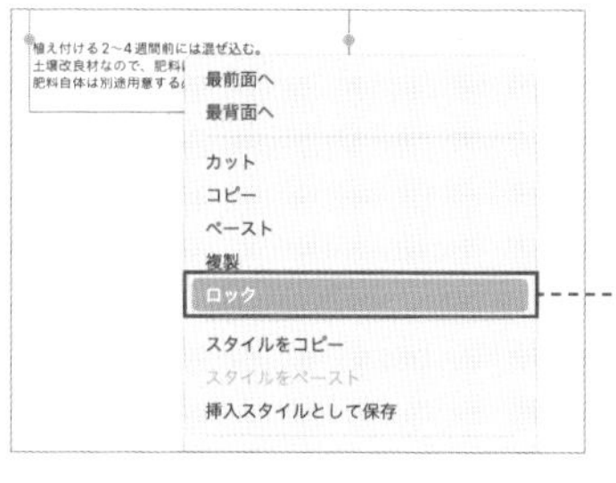

右クリックから「ロック」を選択すると、その情報が固定され移動や編集ができなくなる。

テクニック 2
線の種類を変更する

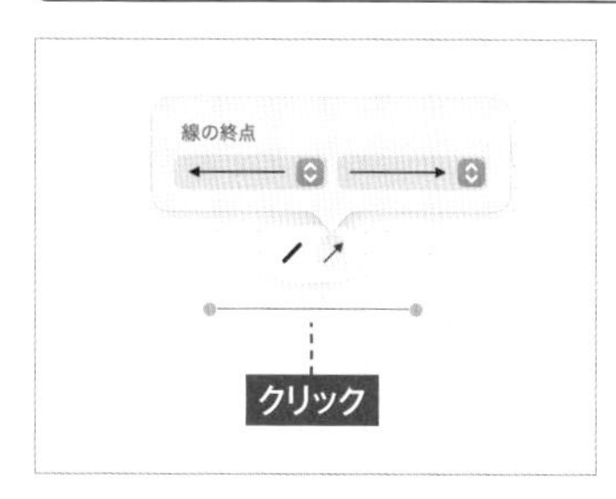

図形で追加した線をクリックして表示されるメニューから、線の種類を変更できる。

テクニック 3
方眼を表示・非表示にする

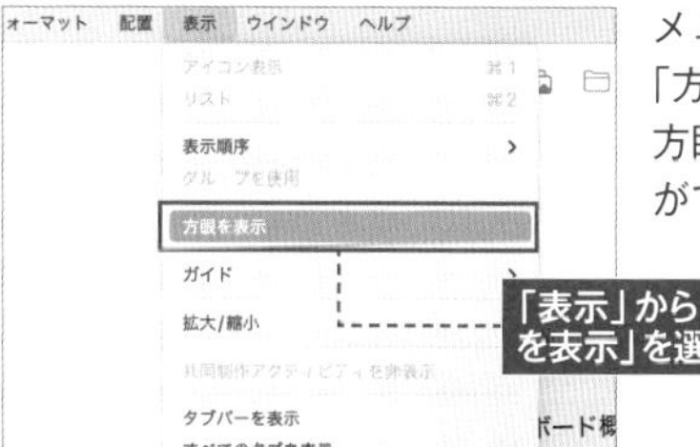

メニューの「表示」から「方眼を表示」でボードに方眼を表示・非表示の設定ができる。

テクニック 4
PDFとして書き出す

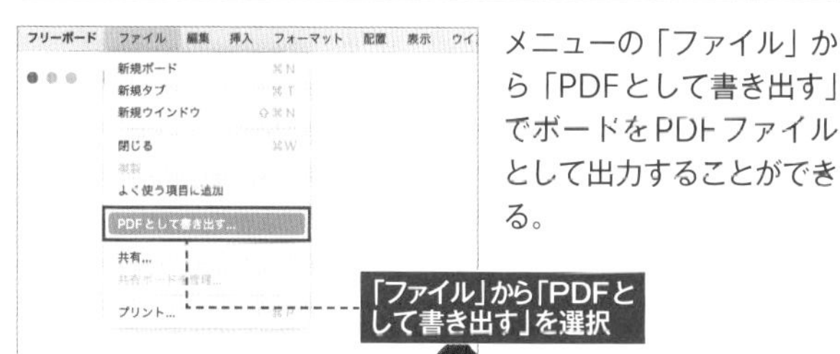

メニューの「ファイル」から「PDFとして書き出す」でボードをPDFファイルとして出力することができる。

テクニック 5
よく使う項目に追加する

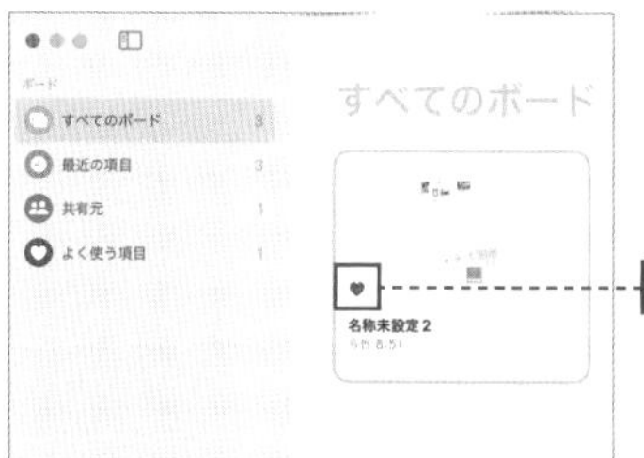

すべてのボード画面で、ボード左下にあるハートマークをクリックすると「よく使う項目」に登録できる。

テクニック 6
画像の背景を削除する

画像をクリックして写真ボタンをクリックし「背景を削除」で画像の背景を削除できる。

ベスト・テクニック!!

コピペの効率を飛躍的に上げる! 絶対必須の「Clipy」

あらゆるアプリに備わる「コピペ」機能を利用した作業の効率を劇的に向上してくれるのが「Clipy」。今や定番ツールだが、改めてその便利さを紹介する!

コピー履歴をたどれるだけじゃなく、定型文やよく使うフレーズもOK!

あらゆるアプリに備わる、いわゆる「コピペ」機能。これは選択したテキストやファイルのアイコンなどを「コピー」し、それを別のところに「ペースト」するという一連の作業を実行するもので、「コピー」された元データは、一時的に「クリップボード」と呼ばれる領域に保管される。

と、難しく説明してきたが、通常は一度のコピーの操作では1種類のデータしかペーストできないところを、クリップボードを拡張してコピーの履歴を最大30個までたどってペーストできるようにしてくれるのが、「Clipy」だ。これにより、そのつどコピーの操作をすることなく、複数種類のデータを連続してペーストできるようになり、作業効率は劇的にアップする。

またClipyには「スニペット」と呼ばれる機能も備わっている。これは定型文やよく使うフレーズなどをClipyに登録しておき、それをすばやく入力するための機能。一見、「辞書登録とかテンプレと何が違うの？」と思ってしまうが、辞書登録と違いシステムに負荷がかかることはなく、テンプレのようにファイルを増やす必要もないことがスニペットの利点だ。ビジネス文書をよく書く人であればそのひな形を、ビジネスメールの書き方がある程度定型化している人ならその文面をスニペットに登録しておけば、文章やフレーズをメニューから選択するだけで入力できるので、劇的な省入力が実現するのだ。ぜひおすすめしたい。

Clipy
作者:Clipy Project
価格:無料
URL:https://clipy-app.com

1

とにかくショートカットキーが便利! Clipyはこう使う

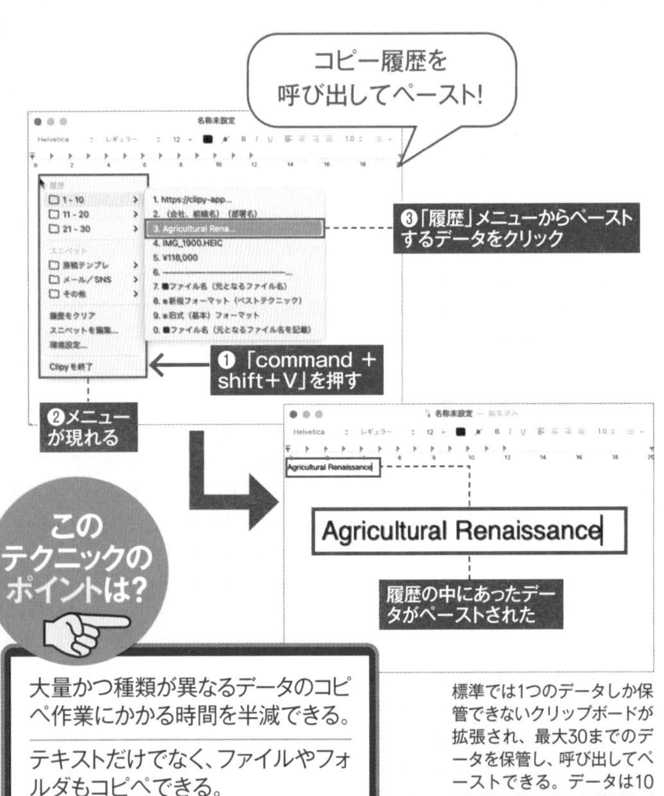

標準では1つのデータしか保管できないクリップボードが拡張され、最大30までのデータを保管し、呼び出してペーストできる。データは10ごとに自動でフォルダ分けされ連番が振られるが、直近でコピーしたデータが連番の先頭になる。

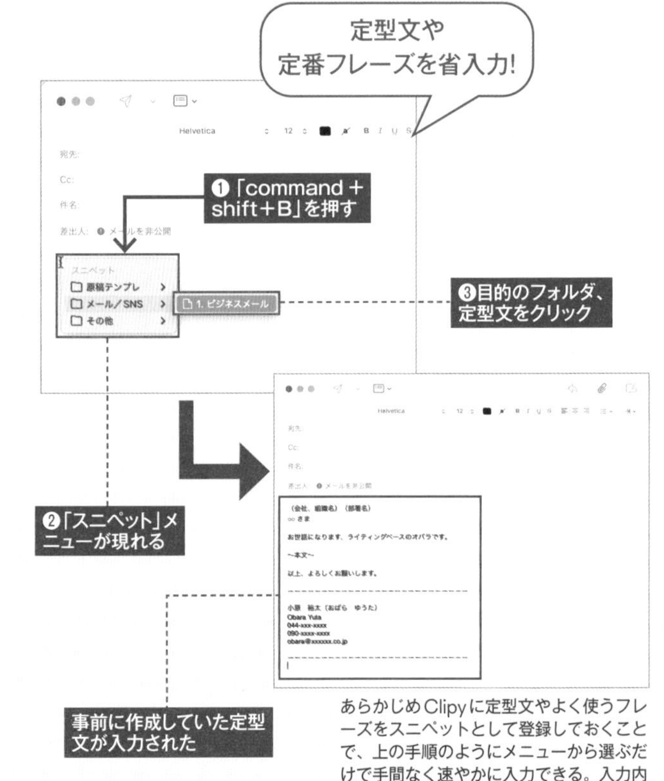

あらかじめClipyに定型文やよく使うフレーズをスニペットとして登録しておくことで、上の手順のようにメニューから選ぶだけで手間なく速やかに入力できる。入力内容ごとに、仕事用、プライベート用、さらにはSNS用といったようにフォルダ分けして管理できるのも便利。

データをコピーする

1 データを選択してコピーする

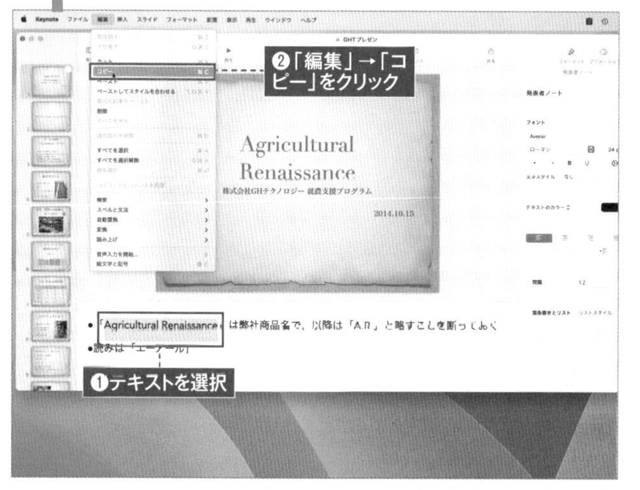

どのアプリでもかまわないので、目的のテキスト（データ）を選択して、「編集」メニューの「コピー」をクリックするか、「command＋C」を押す。

2 履歴にデータが登録される

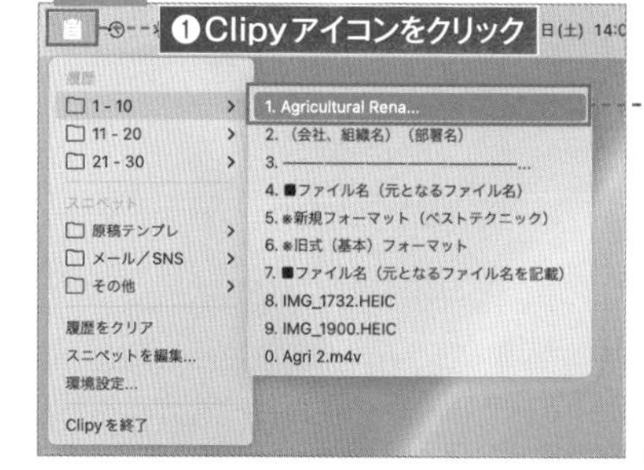

メニューバーのClipyアイコンをクリックし、「履歴」メニューの連番「1」として、直前にコピーしたテキストが登録されていることが確認できる。なお、Finderの操作で同様にファイルやフォルダをコピーしても、履歴に登録される。

POINT
Clipyによるペーストを許可する

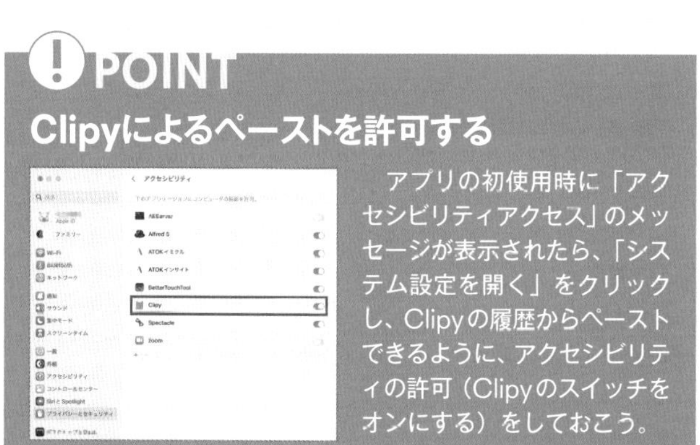

アプリの初使用時に「アクセシビリティアクセス」のメッセージが表示されたら、「システム設定を開く」をクリックし、Clipyの履歴からペーストできるように、アクセシビリティの許可（Clipyのスイッチをオンにする）をしておこう。

定型文をスニペットに登録する

1 「スニペットを編集」をクリックする

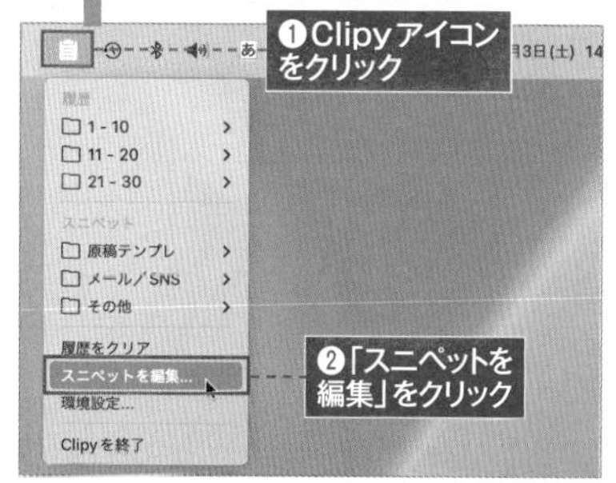

メニューバーのClipyアイコンをクリックして、メニューから「スニペットを編集」をクリックする。

2 フォルダを選択する

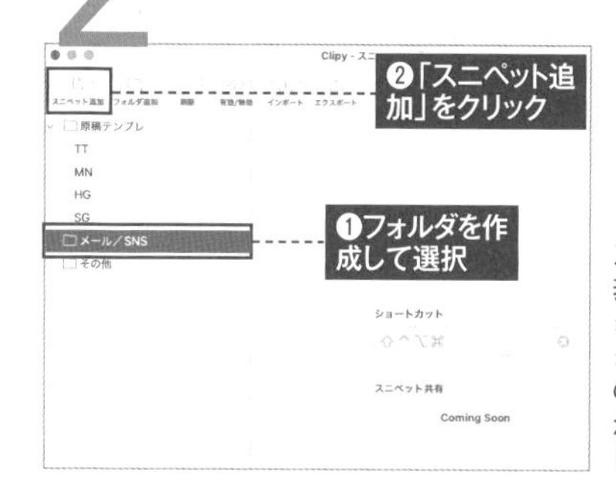

スニペットの編集ウインドウが表示される。ここではまず、「フォルダ追加」をクリックしてフォルダを作成しておき、画面左のペインでフォルダを選択してから、「スニペット追加」をクリックする。

3 定型文を入力する

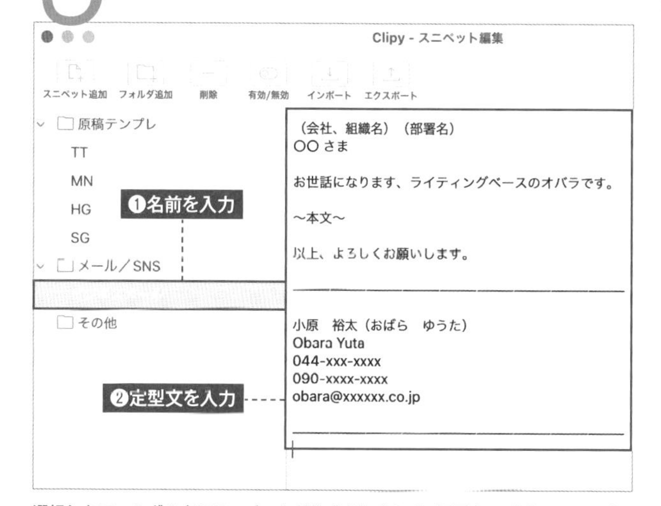

選択したフォルダの中にスニペットが作成されるので、画面左のペインでスニペット名を入力する。続けて、画面右のペインで定型文や定型フレーズを入力する。

まとめ
入力や編集の作業をとにかく効率化、省力化したい人は必携のツール!

Macがどれだけ世代を重ねても、クリップボードに格納できるデータはずっと1つ。そのため、コピペ作業の頻度が高いユーザーは、クリップボード拡張ツールが手放せない。その中でもClipyはシンプルで、自動フォルダ分けと連番によってコピーしたデータを把握しやすいことに加え、スニペット機能の搭載で、特にプログラマやライターなど、入力や編集作業をとにかく効率化したい、省力化したいというユーザーを中心に人気を博している。ショートカットキー主体の操作で、キーボードから手を放さずに済むのも愛される理由だ。

実戦
テクニック!!

ショートカットで文字列をサクサク操作できる「Copyless2」

テキストも、画像も、書式も、ファイルも自由自在にコピーしよう

人気ジャンルであるクリップボード拡張ツールの中でも注目株なのが「CopyLess2」だ。クリップボードの機能を拡張し、コピーした複数データを保管することで、コピペ作業を効率化できる点は、前ページで紹介したClipyと同様だが、CopyLess2はより自由度が高く、Clipyが基本的にテキストとファイル、フォルダにしか対応しないのに対し、CopyLess2はテキストや画像といった文書内のオブジェクトはもちろん、テキストに設定された書式など、オブジェクトのコンテクストデータも含めてコピーし、クリップボードに複数保管しておくことができる。

また、肝心のデータをペーストする操作も直観的。CopyLess2ではコピーしたデータの履歴をメインウインドウに表示するが、この履歴の中から目的のものをダブルクリックすれば、現在アクティブになっているアプリのウインドウに、そのデータがペーストされる。このとき、通常はコピー元に書式やコンテクストが設定されていれば、ペースト先にもそれが反映されるが、これらの付帯データを省いて、テキストであればプレーンテキストとしてペーストすることもできる。

また、Clipyのスニペット機能のように、登録したフレーズや定型文をすばやく入力するための機能として「お気に入り」が利用できる点も覚えておきたい。なお、CopyLess2は有料版へのアップグレードが用意されているが、無料版でも最大100個までのデータをクリップボードに保管できる。

CopyLess 2
作者／Maksim Bauer
価格／App内課金(Pay Once 1,200円) カテゴリ／仕事効率化

メインウインドウを介してコピペを効率化!

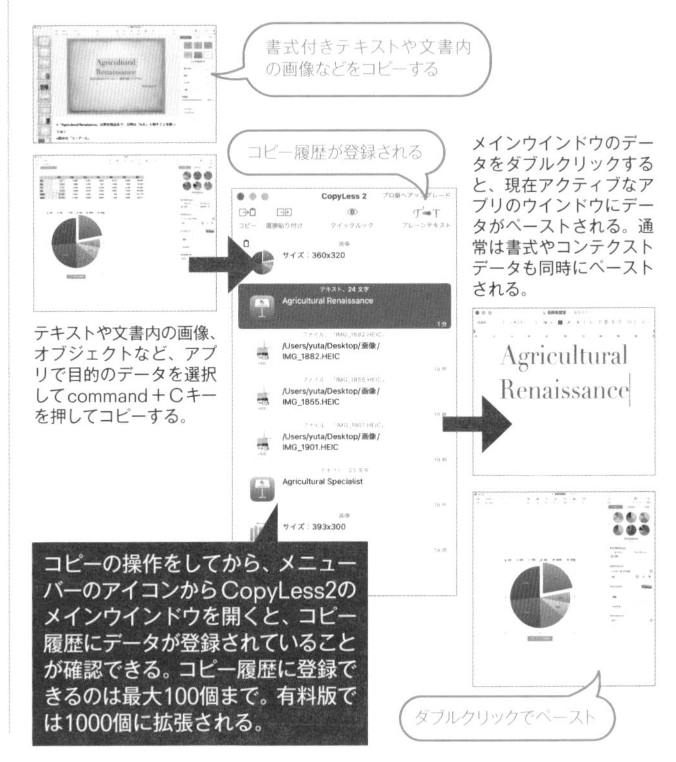

テキストや文書内の画像、オブジェクトなど、アプリで目的のデータを選択してcommand＋Cキーを押してコピーする。

コピーの操作をしてから、メニューバーのアイコンからCopyLess2のメインウインドウを開くと、コピー履歴にデータが登録されていることが確認できる。コピー履歴に登録できるのは最大100個まで。有料版では1000個に拡張される。

メインウインドウのデータをダブルクリックすると、現在アクティブなアプリのウインドウにデータがペーストされる。通常は書式やコンテクストデータも同時にペーストされる。

Copyless2でできることは?

1 コピー履歴を検索できる

メインウインドウ下部の検索ボックスにキーワードを入力すると、そのキーワードを含むデータをコピー履歴からピックアップしてくれる。コピー履歴は最大100個まで保管されるので、目的のデータを見失ったときなどに便利。

2 お気に入りに登録する

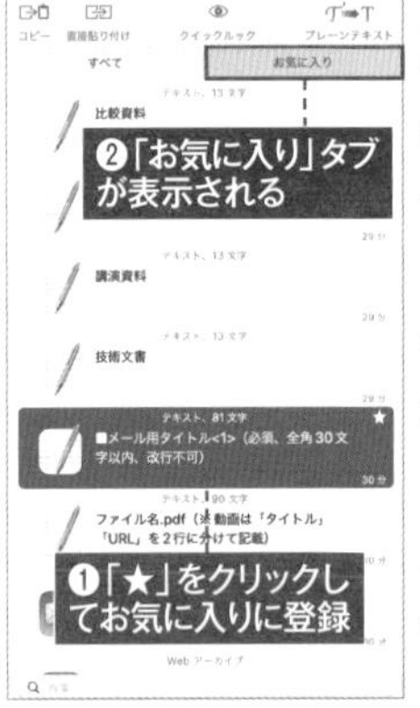

メインウインドウでお気に入りに登録したいデータ右上の「★」をクリックする。メインウインドウに「お気に入り」タブが追加され、ここから登録したデータをペーストするという、スニペット的な使い方ができる。

3 書式などを省いてペーストする

書式やコンテクストデータなどを省き、テキストだけ、データ本体だけをペーストしたい場合は、メインウインドウで「プレーンテキスト」をクリックしてから、目的のデータをダブルクリックする。「プレーンテキスト」ボタンがオンになっている間は同様の挙動になるので、再度クリックして解除することを忘れないようにしたい。

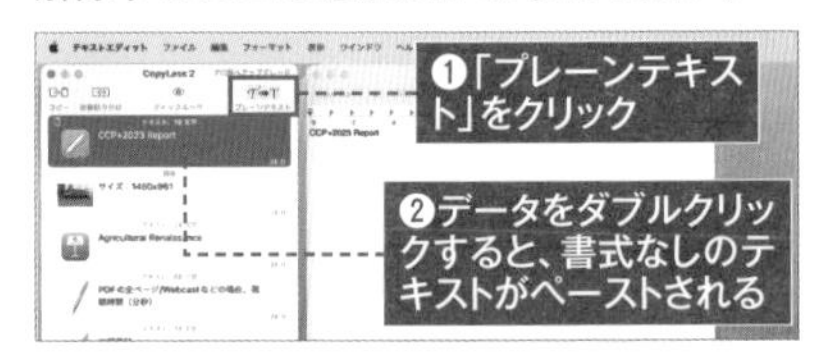

INFORMATION GATHERING

情報収集

Mac Studio

Safari

使い勝手もよく 表示も高速な標準ブラウザSafariを使う

Macに標準搭載されている「Safari」は、iPhoneやiPadといったほかのAppleデバイスとの連携性が高いことが最大の魅力だ。同じApple IDを使ってiCloudにログインしておけば、現在開いているタブ、リーディングリスト、ブックマーク、ログインパスワードなどあらゆるデータを同期できる。スマホでもPCでもいつも同じブラウザ環境を維持できる。

Safari
作者／Apple
標準アプリ

Handoff機能を利用してiPhoneやiPadのSafariで閲覧中のページをMacでも開くことができる。

スタートページではほかのAppleデバイスで開いているタブを一覧表示できるほか、お気に入り、「あなたと共有」でリンクされたURL、プライバシーレポートなどを表示できる。

メニューの「Safari拡張機能」からApp Storeで配信されているSafariのプラグインを一覧表示できる。

アップデートするたびに機能がどんどん増えていく

Safariは一見するとシンプルだが、実は非常に多機能だ。macOSがアップデートするたびに新しい機能が追加されていく。初期こそブックマークの登録やスタートページの設定といった基本機能しかなかったが、その後、リーディングリスト、タブ、リーダー表示、サイトごとの表示設定といった情報収集を快適にする機能が追加された。また、App Storeで配信されているSafariの拡張機能を導入すれば、さらに便利になる。

ここ数年では、セキュリティ周りの機能が大幅に強化されている。特に閲覧しているサイトの管理者や広告主から個人情報を盗まれないようトラッキング対策に最も力を入れている。ほかにも、強力なパスワードを自動生成してくれたり、フィッシングサイトにアクセスした際は警告を表示してくれる機能などが搭載されている。

また、複数のタブをグループにまとめるタブグループや、表示している海外のページをすぐに翻訳できる機能が追加され、ウェブ閲覧も快適になっている。メモリの負担が高いものの、Safariより多機能なChromeをずっと使っていたユーザーにこそ、乗り換えを検討してほしい。

01 マスト! 基本

Safariでサイトにアクセスしよう

Safariを起動したら、Safari上部にある「スマート検索フィールド」を使って目的のサイトにアクセスしよう。キーワードを入力してEnterキーをクリックするとGoogleの検索結果が表示される。URLを直接入力するとそのURLが表示される。

MacBookユーザーならトラックパッドを使ったSafariの操作を覚えておくと、より効率的にウェブサーフィンできる。

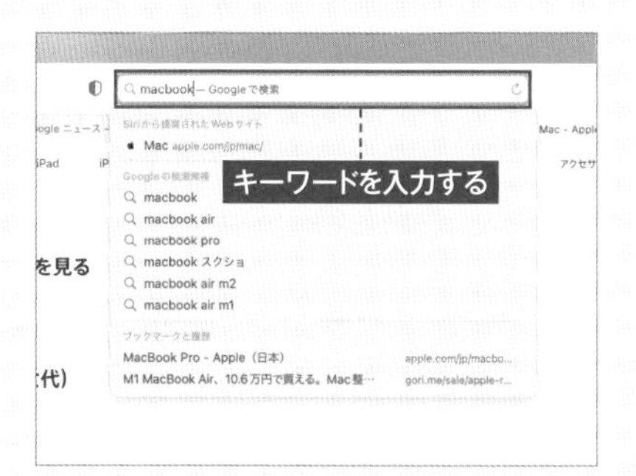

1 スマート検索フィールドにキーワードを入力すると提案されたサイトや検索候補が表示される。ブックマークや履歴から探すこともできる。

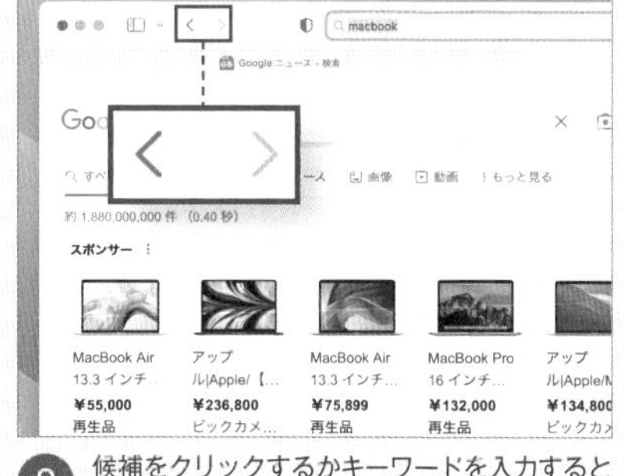

2 候補をクリックするかキーワードを入力するとGoogleの検索結果が表示される。ツールバー左上の「<」をクリックすると前のページに戻る、「>」をクリックすると次のページに進む。

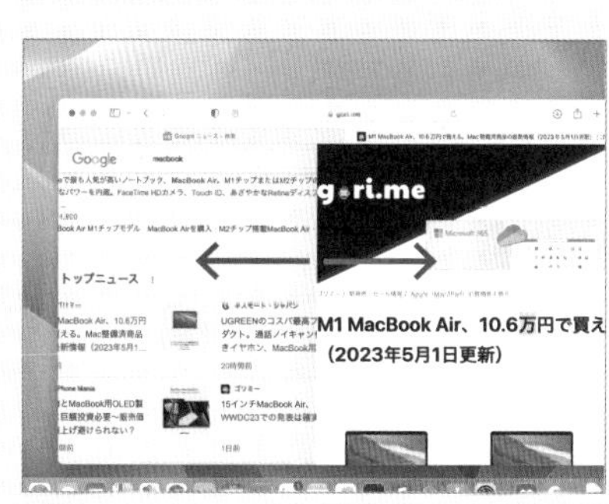

3 トラックパッドを二本指で左にスワイプすると前のページに戻る、右にスワイプすると次のページに進む。覚えておくと快適にウェブサーフィンできるだろう。

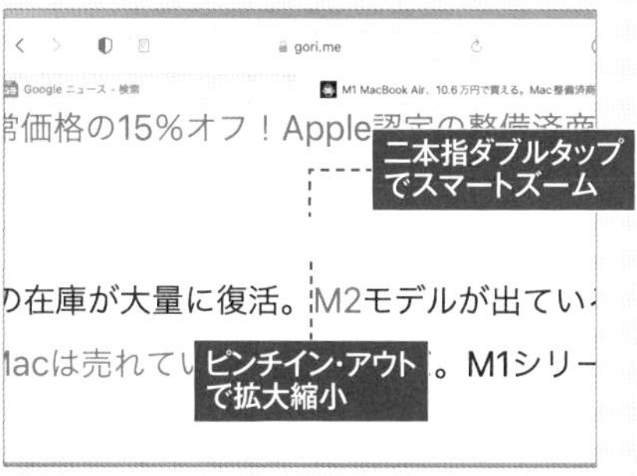

4 トラックパッドを二本指でダブルタップすると画面を拡大縮小できるスマートズームが働く。なお、ピンチイン・アウト操作でも画面を拡大縮小できる。

5 スマート検索フィールドをクリックすると、お気に入りに登録したサイトや「あなたと共有」でリンクしたURLが表示される。

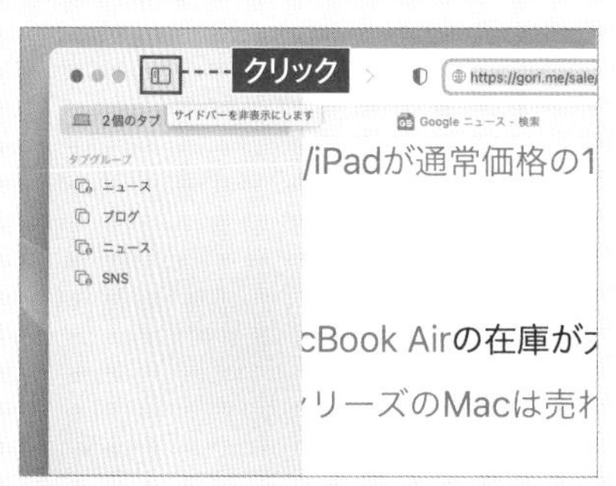

6 サイドバーボタンをクリックするとサイドバーが開く。お気に入り、タブグループ、リーディングリストなどに素早くアクセスできる。

ここがポイント

スマート検索フィールドは、標準ではGoogleで検索結果を表示してくれるが、Yahoo！、Bing、DuckDuck Goなどほかの検索エンジンに変更することもできる。メニューの「Safari」から「環境設定」→「検索」と進み、「検索エンジン」で検索エンジンを指定しよう。なお、「検索エンジン」画面では、検索候補やお気に入りの表示のオン・オフの設定も行える。

02 マスト! ツールバー

ツールバーをカスタマイズする

Safari上部に常に表示されるツールバーは、標準だとシンプルでほとんどボタンがない。しかしツールバーのカスタマイズ画面から、さまざまなツールボタンを追加することが可能だ。よく利用するボタンを追加していこう。ボタンの位置も自由に設定できる。逆にあまり使わないボタンがあれば削除することで、すっきりするだろう。

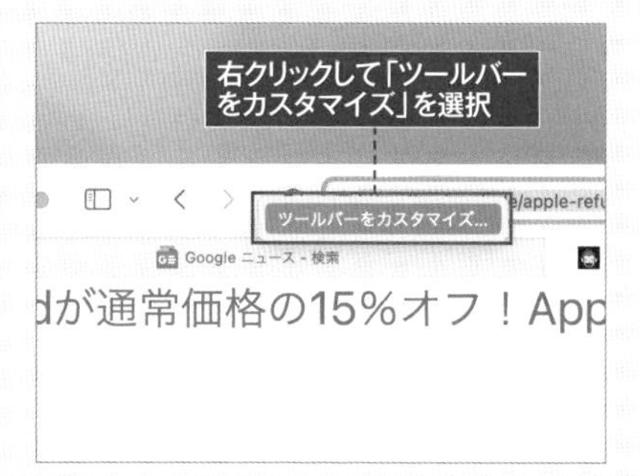

1 Safariの表示「メニュー」、またはツールバー上で右クリックして「ツールバーをカスタマイズ」を選択する。

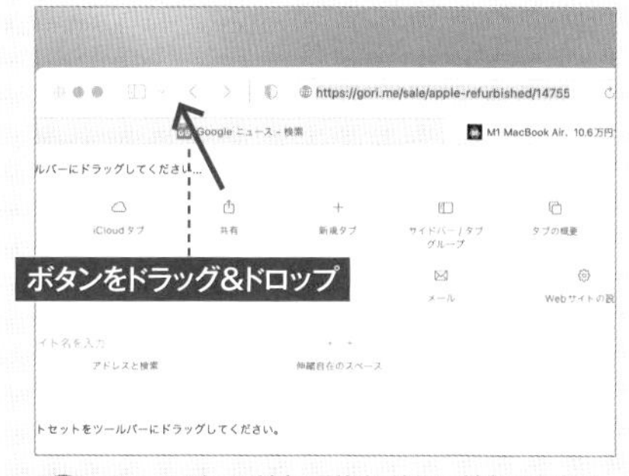

2 ツールバーに追加可能なボタンが表示される。よく使う機能のボタンをツールバーにドラッグ&ドロップして追加しよう。

3 逆にツールバーに必要のないボタンを削除したい場合は、ボタンをブラウザの外へドラッグ&ドロップすればよい。

03 マスト! 基本

スタートページを便利に使おう

Safariのスタートページは使いやすい形にカスタマイズできる。具体的には、背景に好きな画像を設定したり、保存したリーディングリスト、お気に入り、ほかのデバイスのSafariで開いているタブ、Siriからの提案、プライバシーレポートなど、さまざまな情報をまとめて一覧表示させることができる。

1 Safari右上の追加ボタンをクリックするとスタートページが開く。お気に入りのほか、プライバシーレポートやリーディングリストなどさまざまな情報が表示される。

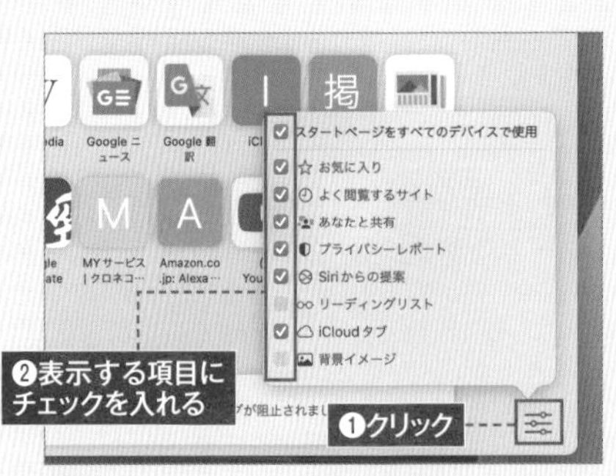

2 スタートページに表示する情報をカスタマイズする場合は、右下にあるフィルタボタンをクリックして表示する項目にチェックを入れよう。

3 スタートページに好きな画像を設定するには、フィルタ画面で「背景イメージ」にチェックを入れ、好きなイメージを選択しよう。

4 「お気に入り」登録しているサイトの各アイコンはドラッグして、好きな場所に移動することができる。

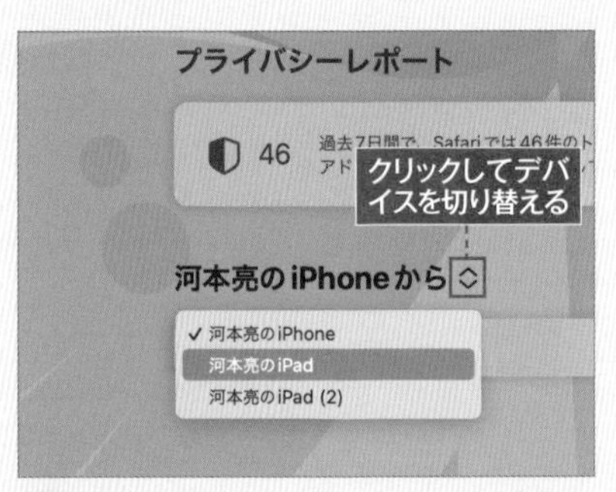

5 同じApple IDでログインしているデバイスのSafariで開いているページが確認できるほか、「○○のiPhone」横のメニューボタンからデバイスを切り替えることができる。

6 スマート検索フィールドをクリックするとスタートページがポップアップで表示される。ただし、新規タブでスタートページを開いたときと異なり、細かなカスタマイズはできない。

Safari右上にあるタブ追加ボタンをクリックするとスタートページが表示されるが、Safariメニューの「設定」→「一般」タブで、ホームページ（指定したURL）や空のページ、現在開いているページと同じページなどに変更することができる。なお、新規タブだけでなく、新規ウインドウを開いたときでもスタートページを開くことができる。

04 マスト! 基本

サイトをブックマークに登録する

毎日のようにアクセスするサイトはお気に入りに登録しておこう。毎回、検索しなくてもサイドバーにある「ブックマーク」からクリック1つでアクセスできるようになる。なおブックマーク内にある「お気に入り」フォルダに登録すれば、スタートページからでもアクセスできるようになる。よく使うサイトは「お気に入り」フォルダに登録しよう。

1 ブックマークに登録したいページを開き、右上の共有ボタンをクリックし、「ブックマークに追加」をクリック。

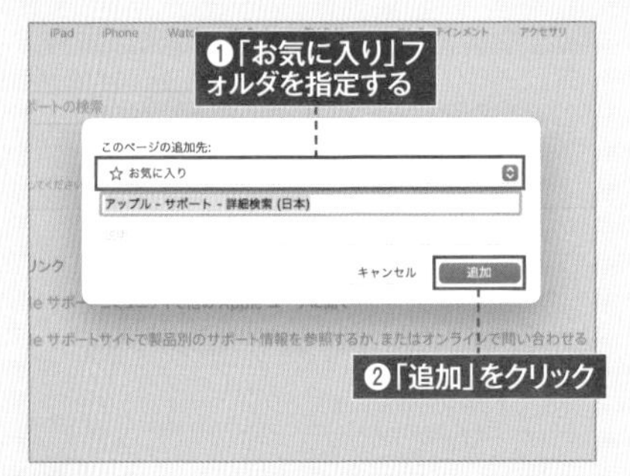

2 ブックマークの追加先を選択する。「お気に入り」フォルダに追加しておけばスタートページからでも素早くアクセスできる。

3 ブックマークを開くには、サイドバーを開こう。「ブックマーク」で登録したページが一覧表示される。クリックするとそのページを開くことができる。

05 ブックマーク

増えすぎたブックマークの整理をする

ブックマークの数が増えすぎると逆に使いづらくなってくる。定期的にブックマークの整理を行おう。整理はサイドバー、もしくはブックマークの編集画面から行える。編集画面では不要になったブックマークを削除するほか、名前を変更したり、URLを編集することができる。また、新しくフォルダを作成して登録したブックマークをジャンル別に分類することもできる。

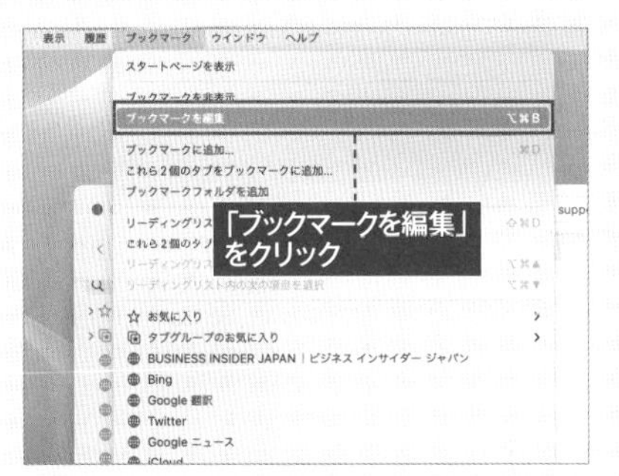

1 ブックマークを編集するには、メニューの「ブックマーク」から「ブックマークを編集」をクリックしよう。

2 ブックマークが一覧表示される。削除したいブックマークを選択して右クリックする。メニューから「削除」を選択しよう。

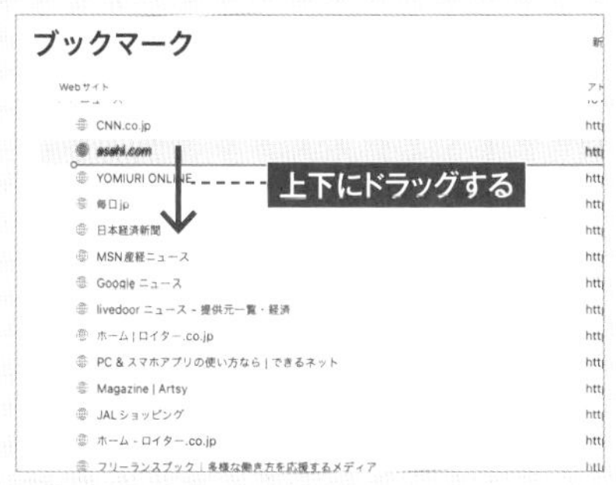

3 ブックマークの位置を変えることもできる。ブックマークを上下にドラッグしよう。

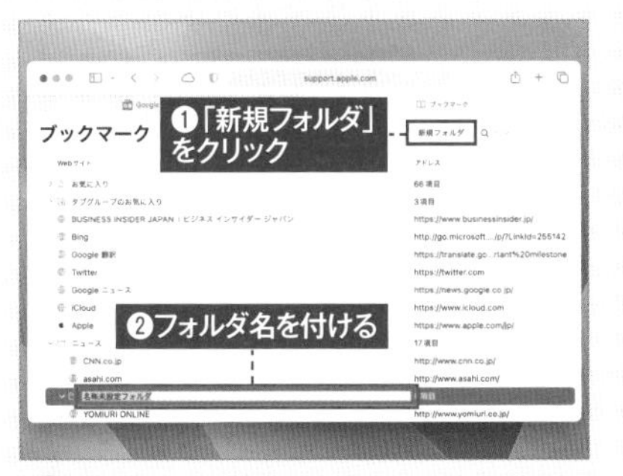

4 新規フォルダを作成するには、右上の「新規フォルダ」をクリック。フォルダが作成されるのでフォルダに名前を付けよう。

5 作成したフォルダに登録しているページをドラッグして追加していこう。なお、フォルダを右クリックして「新規タブで開く」を選択すればフォルダ内のブックマークを一度に開ける。

6 サイドバーの「ブックマーク」からでも一部編集できる。ブックマークを右クリックすると編集メニューが表示される。

ほかのブラウザで利用しているブックマークをSafariで読み込む方法は2つある。Mac上でほかに利用しているブラウザ（Chromeなど）があれば、メニューの「ファイル」から「読み込む」でブラウザを指定するだけでよい。HTMLで書き出したブックマークを読み込む場合は、HTMLファイルを指定しよう。

06 マスト！ リーディングリスト

リーディングリストでニュース記事を保存する

ブログやニュースサイトを見ていて、あとで読みたいページがある場合は「リーディングリスト」に登録しよう。保存すればiCloudで同期してiPhoneやiPad上で保存した記事を読むことができる。朝、忙しくて読む時間がない記事を保存しておいて、あとでiPhoneで読むといった使い方がおすすめだ。

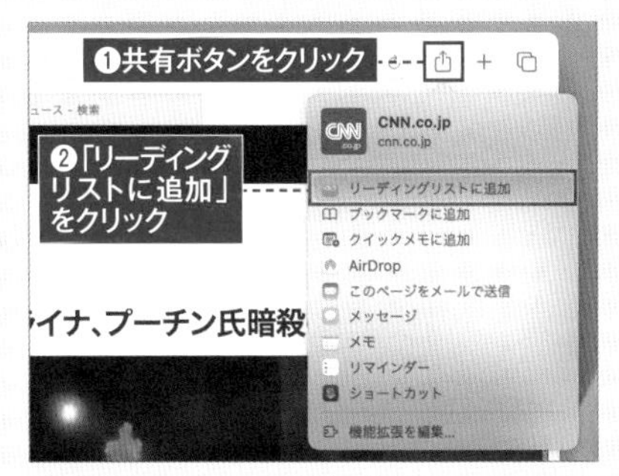

1 保存したいページを開いたら、Safari右上にある共有ボタンをクリックし「リーディングリストに追加」をクリック。

2 サイドバーをクリックし、「リーディングリスト」をクリックすると保存したページが一覧表示される。クリックするとページを開くことができる。

3 トラックパッドで記事を左右にスワイプするとメニューが表示される。オフラインで閲覧できるようにしたい場合は左にスワイプして「オフライン用に保存」を選択しよう。

07 マスト! タブ

タブの使い方を完全に理解する

タブを使いこなすことで複数のページを同時に開いて管理できる。新規ウインドウをたくさん開くよりも効率的にブラウジングできる。また、タブはドラッグで位置を移動したり、新規ウインドウとして分離させることができる。開いているタブをまとめてブックマークに登録したり、複数のブックマークをタブで一気に開くことが可能だ。

❶ 新しくタブを開くには、タブバー右上にある「+」をクリック。タブが追加される。タブは左右にドラッグして位置を自由に変更することができる。

❷ タブを新規ウインドウとして独立させたい場合は、タブをブラウザの外へドラッグ&ドロップ。タブが離れてウインドウとして独立する。

❸ 複数起動しているウインドウを1つのウインドウに結合してタブで管理したい場合は、メニューバーの「ウインドウ」から「すべてのウインドウを結合」をクリックしよう。

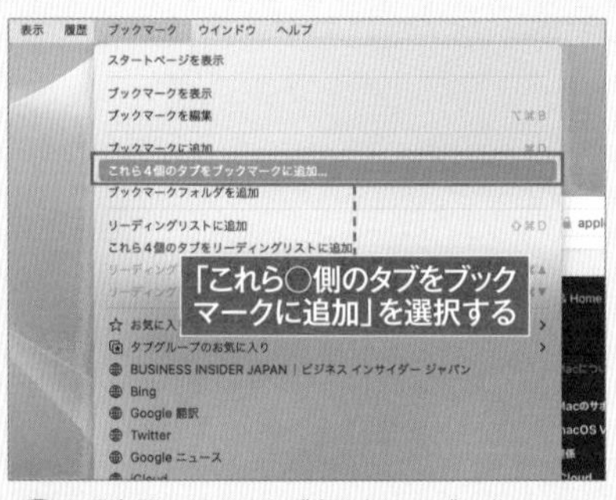

❹ 現在開いているタブをまとめてブックマークに追加するには、メニューバーの「ブックマーク」から「これら○側のタブをブックマークに追加」を選択しよう。

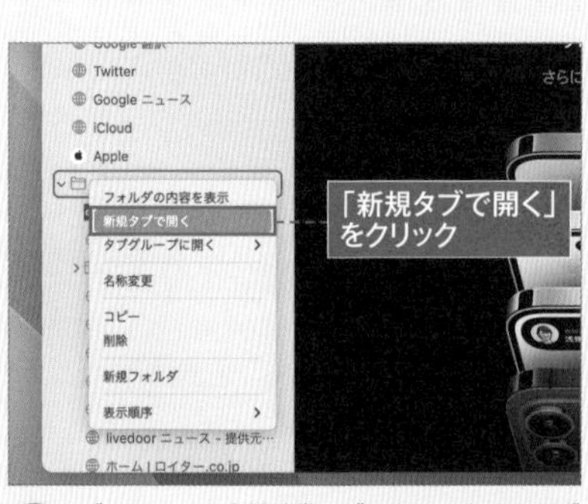

❺ ブックマークを開く際、ブックマークフォルダを右クリックして「新規タブで開く」を選択するとフォルダ内のブックマークを一気に開けて便利。

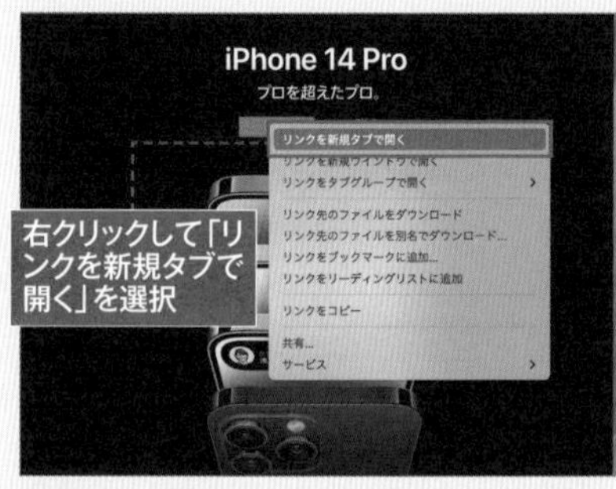

❻ ページ閲覧中、リンクを新規タブで開きたい場合は、右クリックして「リンクを新規タブで開く」を選択しよう。

タブ操作をさらにスムーズに使いこなすには、ショートカットキーを覚えておくと便利。「command」+「shift」+「→」で右のタブに移動、「command」+「shift」+「←」で左のタブに移動、また「command」+数字キーでタブを切り替えることが可能だ。ほかに「command」+クリックを覚えておけば、リンクを新規タブで素早く開くことができ便利。なお、タブに関する細かなショートカット設定は、メニューバーの「Safari」→「設定」→「タブ」で確認することが可能。

08 セキュリティ

トラッキングを防止する

Safariのセキュリティ関連機能はさまざまあるが、特にトラッキング防止機能は強力だ。トラッキングがしかけてあるサイトにアクセスすると、アドレスバーの隣に「シールド」のマークが自動で表示される。マークをクリックするとプライバシーレポートが表示され、訪れたサイトごとにトラッカーとそのオーナー名をレポート表示してくれる。

❶ スマート検索フィールド左にあるシールドマークをクリックするとプライバシーレポートが表示される。「このWebページのトラッカー」をクリックすると詳細内容が表示される。

❷ 右上の「i」マークをタップするとトラッカー情報が一覧表示される。「トラッカー」タブでは、接触したトラッカーとそのオーナーの表示回数の多さを一覧表示できる。

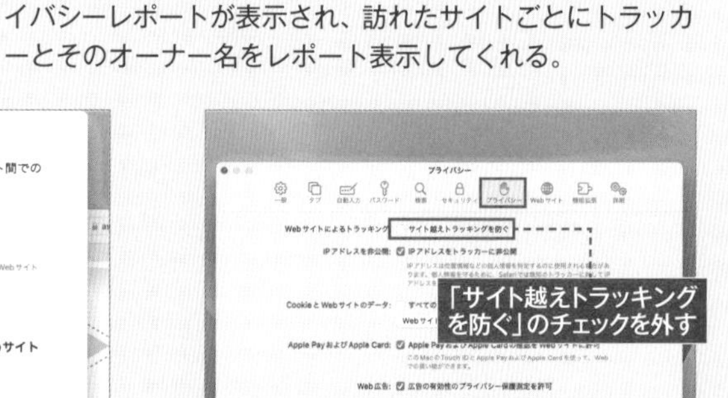

❸ クッキーを利用しないとサービスが使えない場合は、Safariメニューの「環境設定」の「プライバシー」で「サイト越えトラッキングを防ぐ」のチェックを外そう。ただし、プライバシーは低下する。

09 マスト タブ

タブを特定のカテゴリでまとめる「タブグループ」を使ってみよう

Safariの「タブグループ」機能は便利。これは開いている複数のタブを1つのグループにまとめて整理する機能だ。バラバラな情報で散らかっているタブを「ニュース」「SNS」「買い物」などジャンルごとにグループ化しよう。タブを整理するだけでなく、そのジャンルに関連するページを効率良く閲覧できる。

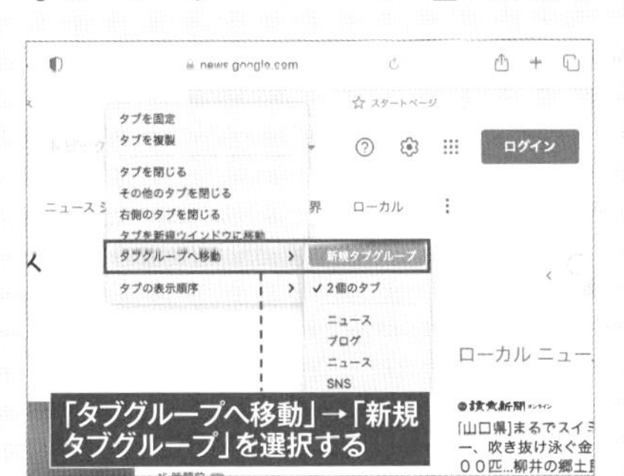

1 タブグループに追加したいタブを右クリックして、「タブグループへ移動」から「新規タブグループ」を選択する。

2 サイドバーにタブグループが作成される。初期設定では「名称未設定」になっているが、クリックしてタブグループに名前を付けることができる。

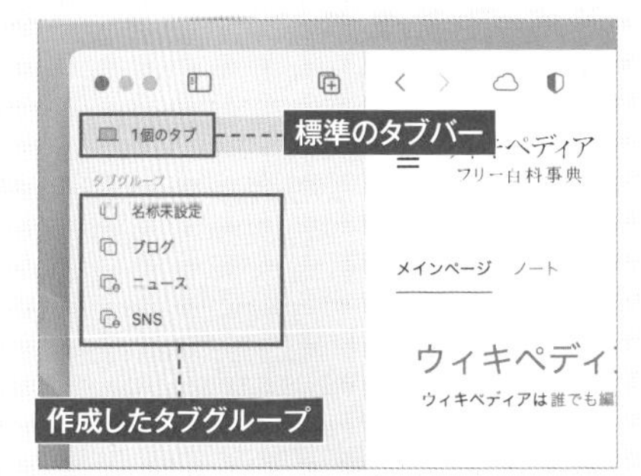

3 作成したタブグループ名をクリックするとそのタブが開く。元のタブバーに戻る場合は「〇個のタブ」をクリックしよう。

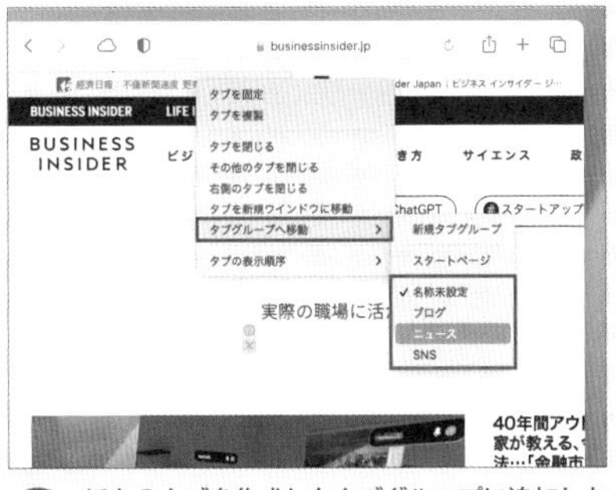

4 ほかのタブを作成したタブグループに追加したい場合は、右クリックから「タブグループへ移動」で作成したタブグループ名を指定しよう。

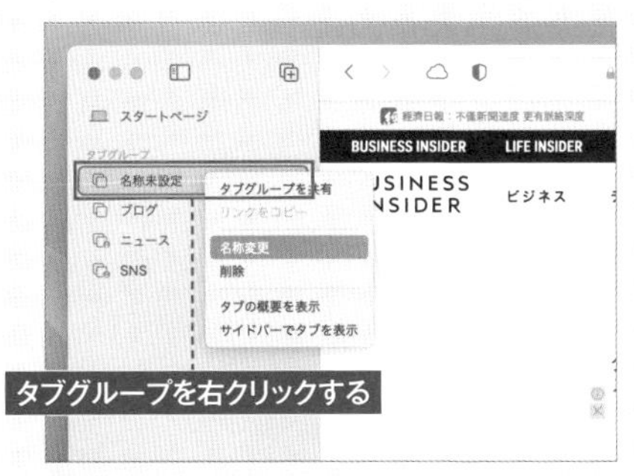

5 作成したタブグループの名称を変更したり、削除したい場合は、右クリックメニューから行える。

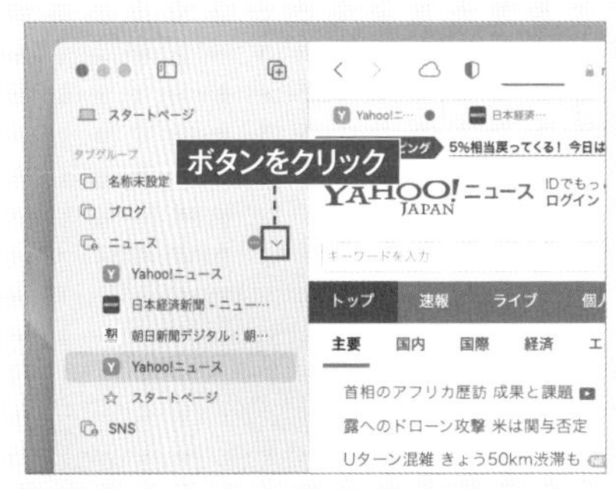

6 サイドバーでタブグループ選択時に表示されるタブグループ名横のボタンをクリックすると、開いているすべてのタブがリスト覧表示される。

ここがポイント

Safariでたくさんのタブを開いていると、タブの内容を1つ1つ切り替えて確認するのが面倒になってくる。ツールバー右端にあるタブボタンをクリックしよう。現在、開いているタブの内容をサムネイル形式で一覧表示してくれる。その状態で、右上にある検索ボックスにキーワードを入力して、開いているタブを探すことができる。また、Safariメニューの「環境設定」→「タブ」で、ほかにも細かなタブの設定変更ができる。

10 タブ

タブグループをさらに使いこなす

macOS最新版ではタブグループがさらに強化された。タブグループ内で開かれるスタートページは、通常のタブで開く場合と同じ背景が標準で設定されているが、各タブグループごとに背景を設定することができる。また、新しく追加されたタブグループ用のブックマークフォルダにも追加できるようになった。

1 タブグループ上でスタートページを開き、右下の設定ボタンをクリックして「背景イメージ」にチェックを入れて、背景を指定しよう。

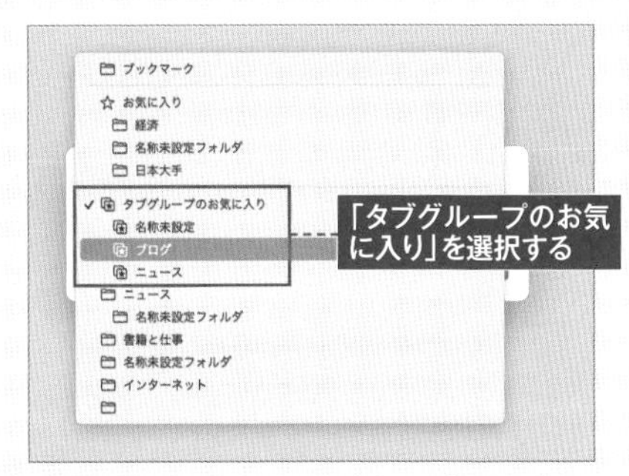

2 開いているページをタブグループ専用のブックマークに追加する場合は、追加画面で、保存場所から「タブグループのお気に入り」内のフォルダを選択しよう。

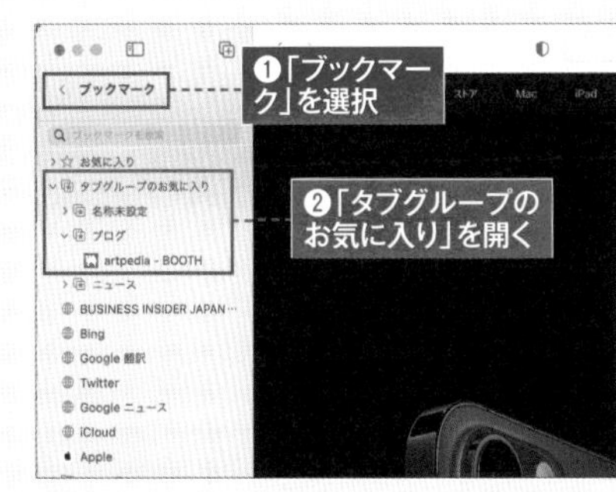

3 サイドバーから「ブックマーク」を選択する。「タブグループのお気に入り」を選択して追加したタブグループを開こう。

情報収集

11 パスワード

登録したパスワードの内容を見る

ウェブサービスにログインする際に入力したパスワードはSafariに保存されており、Safariの設定画面にある「パスワード」で一括管理されている。「パスワード」画面にはMacのログインパスワードを入力することで閲覧することが可能。パスワードを忘れてしまったときはここから確認しよう。

1 Safariのメニューバーから「Safari」を選択して「設定」を選択。

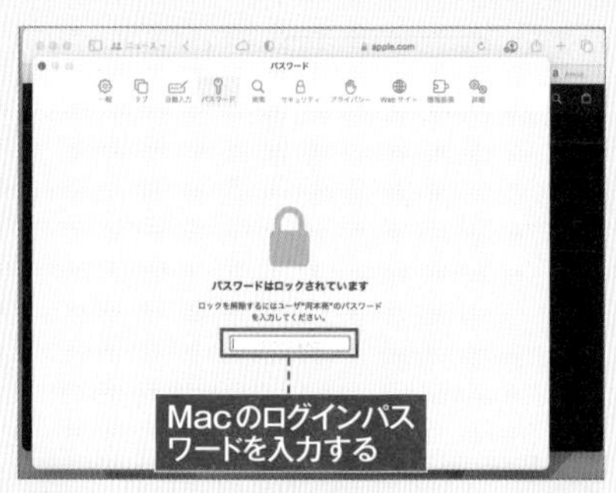

2 「パスワード」タブを開く。Macのログインパスワードを求められるので入力しよう。

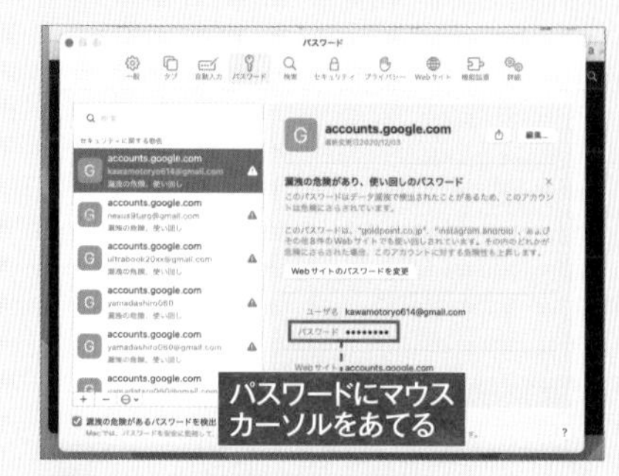

3 これまで登録したサイトのログインアカウント名と伏字されたパスワードが表示される。マウスカーソルをパスワードにあてるとパスワードが表示される。

12 翻訳

サイトは簡単に翻訳できる

macOS Monterey以降、新たに翻訳機能が追加され、外国語のページを素早く自動翻訳してくれる。英語、中国語、ロシア語、フランス語など数多くの言語に対応している。また、ページ内から範囲選択した部分だけを翻訳することもでき、翻訳したテキストの右にあるボタンを押すと、翻訳元や翻訳したテキストを読んでくれる。

1 外国語のページを表示したら、スマート検索フィールド右側に表示される翻訳ボタンをクリック。「日本語に翻訳」をクリックしよう。

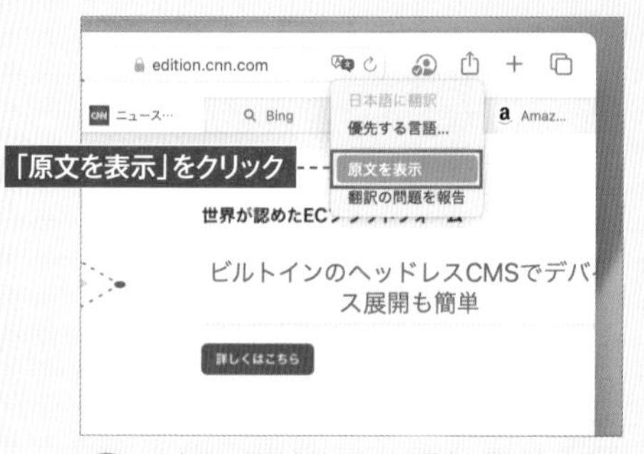

2 日本語に翻訳表示される。原文に戻したい場合は、翻訳ボタンを再度クリックして「原文を表示」をクリックしよう。

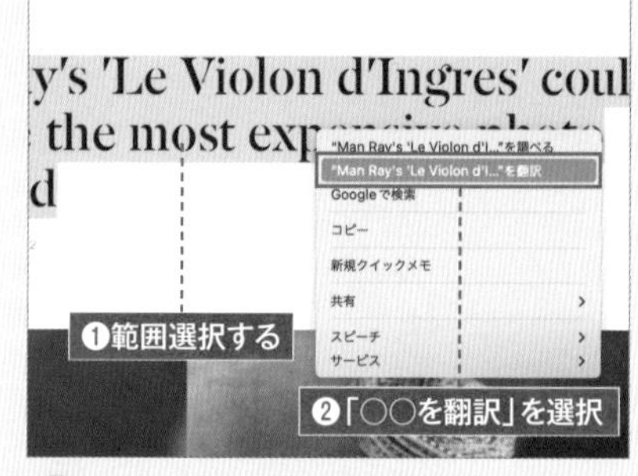

3 ページ内のテキストを範囲選択して右クリック。メニューから「〇〇を翻訳」を選択するとポップアップで翻訳表示してくれる。

13 基本

拡張プラグインを導入してもっと便利に

Safariには拡張機能（エクステンション）が用意されており、追加することでSafariを強化することができる。表示しているページの一部をクリップ保存したり、パスワードの入力を簡単にしてくれたり、ページのスクリーンショットを撮影できるものなど多彩だ。拡張機能は「Safari機能拡張」のページでダウンロードできる。

1 Safariメニューの「Safari」→「Safari機能拡張」から「Safari機能拡張」のページにアクセスできる。好きなものを探してダウンロードしよう。

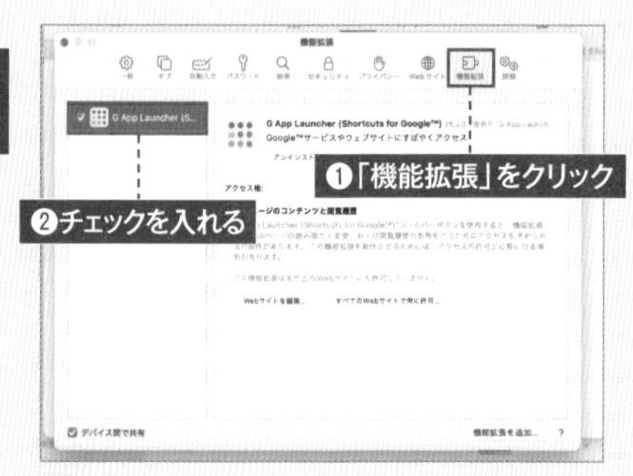

2 Safariメニューの「設定」から「機能拡張」タブを開く。インストールした機能拡張にチェックを入れる。

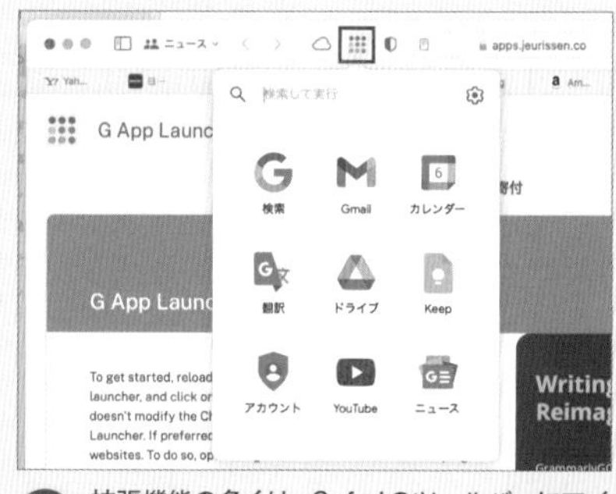

3 拡張機能の多くは、Safariのツールバーにアイコンが追加される。クリックすると拡張機能が利用できる。

14 履歴

ログイン情報や閲覧履歴を削除して個人情報を守る

会員制サイトなどを利用した後のログイン情報や、人にあまり知られたくない調べ物をしたあとのアクセス履歴など、個人情報やプライバシーに関するデータを削除したい場合は「履歴」から行おう。削除する際はこれまでのすべての履歴をまとめて削除するほか、期間を指定することもできる。なお一度消した履歴は元に戻せない。

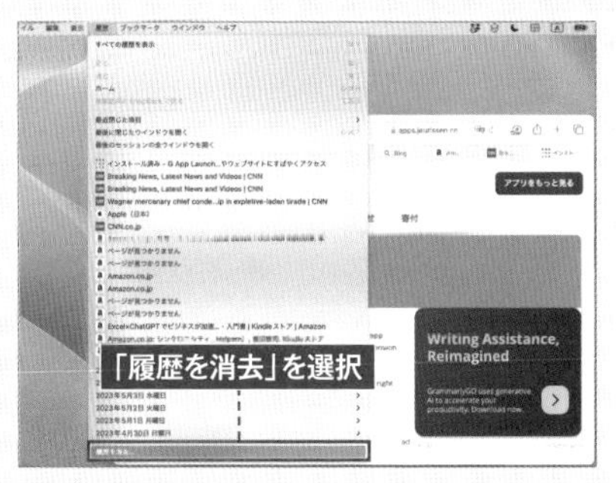

1 履歴を削除するには、Safariの「履歴」メニューから「履歴を消去」を選択しよう。

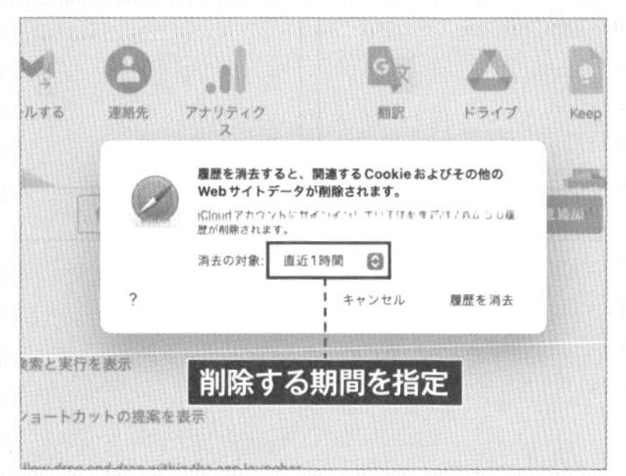

2 「消去の対象」から削除する期間を指定して、「履歴を消去」をクリックでブラウザ内の閲覧履歴を削除することができる。

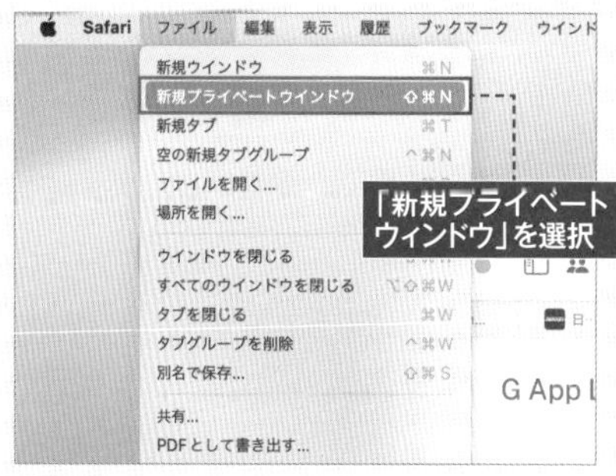

3 履歴を残さずウェブ閲覧するなら、メニューの「ファイル」→「新規プライベートウィンドウ」を選択。このウインドウで閲覧した履歴はSafariには残らない。

ピンポイントテクニック早見表

テクニック 1 誤って閉じてしまったタブを復活させる

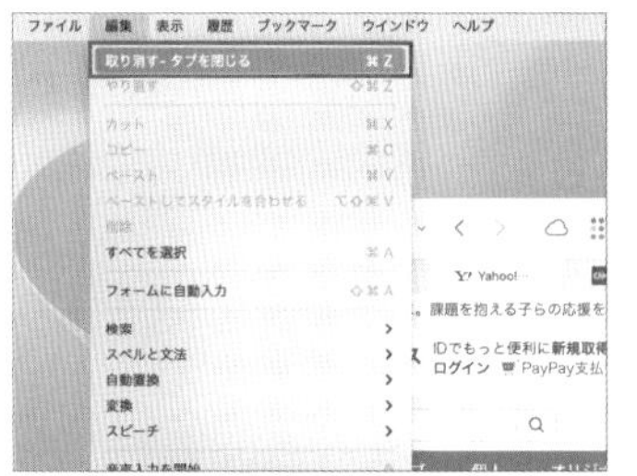

今、閉じたばかりのタブを復活させるには、メニューバーの「編集」メニューから「取り消す-タブを閉じる」を選択。

テクニック 2 開いているタブ内の音声だけをオフにする

YouTubeなどの動画サイト閲覧時、スマート検索フィールド右横に表示されるスピーカーアイコンをクリックするとオフになる。

テクニック 3 特定のタブを固定して終了させない

固定したいタブを右クリックし「タブを固定」を選択。タブがタブバー左端に移動する。

テクニック 4 リーダーでニュース記事を読みやすくする

ニュースページ閲覧時にスマート検索フィールド左横に表示されるリーダーアイコンをクリック。

テクニック 5 ページ内の指定した文字列を検索

メニューバーから「編集」をクリックし、「検索」へ進み「検索」をクリック。表示される検索フォームにキーワードを入力。

テクニック 6 小さい文字だけを大きく表示する方法

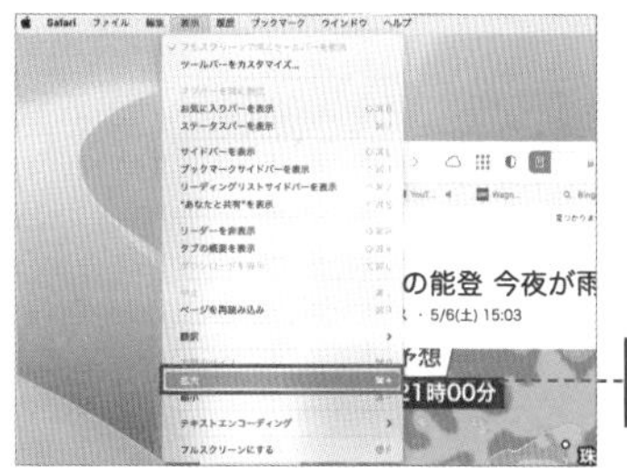

メニューの「表示」を開き、「option」キーを押しながら「拡大」を選択する。

情報収集

実戦テクニック!!

YouTubeから効率的に情報を収集する

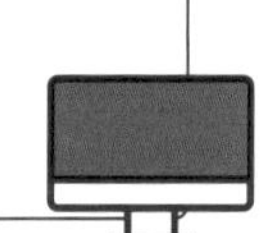

海外発信のチュートリアル動画からテクニックも学べる!

YouTubeはエンタメとしてだけではなく、さまざまな知識が集合する場所として有益だ。公開されている動画の中には、アプリや機材の使い方、基本的なテクニック、オリジナリティあふれる裏技などを紹介する内容も多く、書籍の購入や講座を受けずとも、チュートリアルやノウハウを入手することができる。

こうした動画の中には海外のYouTuberが制作した動画も多く、言語の壁が生じてくる。そこでおすすめしたいのが、YouTubeの「字幕の自動生成」機能だ。動画内の言語に合わせて字幕を自動で生成してくれる。当然そのままでは英語の字幕だが、YouTubeでは字幕の自動翻訳機能も備わっているので、「設定」ボタンから「自動翻訳」→「日本語」を選ぶことで、日本語字幕を表示できる。

英語の言語からAIによって認識された文字起こしで、さらにそこから機械翻訳された日本語字幕となるが、Google謹製な翻訳機能なだけあって、精度はかなり高い。細かなニュアンスこそ違えど十分に実用範囲内なので、英語のYouTube動画を参考にする際には是非活用してみよう。

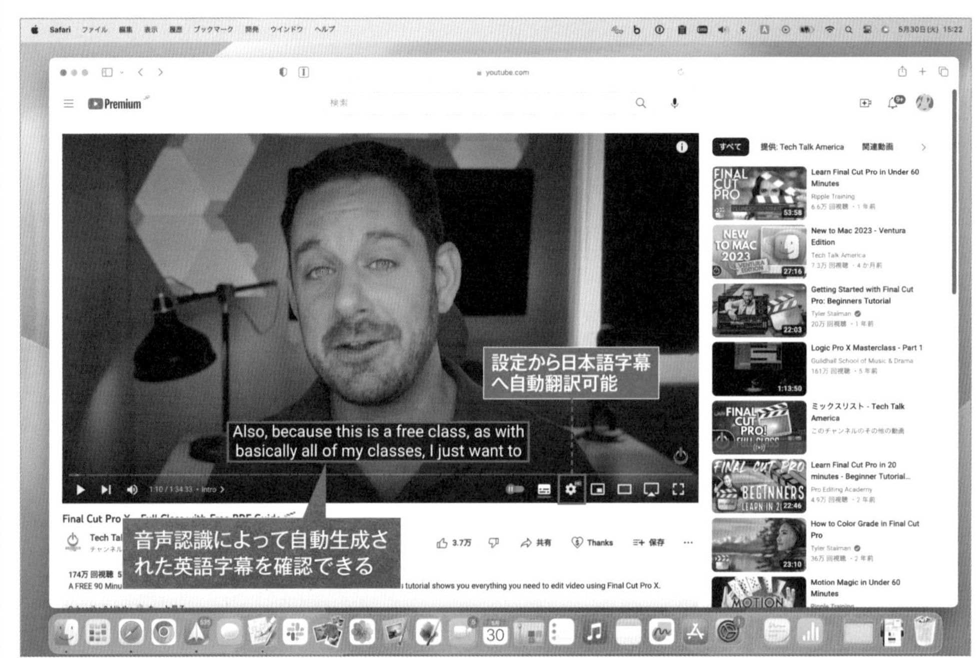

YouTubeの自動字幕生成機能。そして自動翻訳機能を利用すれば、英語のチュートリアル動画も、リアルタイムに日本語字幕付きで閲覧可能。効率よく情報を得ることができる。

YouTubeの自動翻訳字幕を有効にする

1 プレイヤーの「字幕」をクリックする

字幕を表示するには、YouTubeのプレイヤー画面内にある「字幕」ボタンをクリックする。

2 設定ボタンから「字幕」をクリック

字幕の日本語化を行おう。プレイヤーの設定ボタンをクリックし、「字幕」をクリック。

3 「自動翻訳」をクリック

字幕の種類を選択できる。ここで「自動翻訳」をクリックする。

As I bring it up to the right, see how, now, if you look over here – this little segment

字幕（英語）が表示される

YouTubeの動画をキーボード操作で快適視聴する

YouTubeを見るならばぜひキーボードを使ったショートカットを覚えておこう。YouTubeのプレーヤー操作はキーボードへも割り振られており、MacBookのキーボードやサードパーティ製キーボードを使ってもコントロール可能。ショートカットによってはマウスで操作するよりも遥かに効率的だ。

操作に使うキーも直感的で、スペースキーで再生・停止のコントロール。「→」で5秒送り、「←」で5秒戻し。見逃してしまったシーンを見返したい場合に便利だ。また、前フリが長い場合なども、飛ばし飛ばしで確認できていい。他にも「1」~「9」キーには特定の位置へのショートカットが割り振られている。1なら10%、9なら90%の位置に即座にジャンプできるので、動画の本題や後半だけチェックしたい場合などに使っていこう。

キーボードで操作することで、マウスやトラックパッドを使ったコントロールよりも素早く、効率的に視聴できる。

YouTubeのショートカットキー一覧

YouTubeではこれらのショートカットキーが利用できる。5秒、10秒単位でのコントロールは、要点を手早く押さえたいときにかなり便利なのでぜひ活用していこう。

操作	キーボードの割り当て
再生・停止	スペース / K
5秒送る	→
5秒戻る	←
10秒送る	L
10秒戻る	J
指定した場所に移動	1~9（1だと10%の位置、5では50%の位置）
フルスクリーン	F
音量アップ	↑
音量ダウン	↓
字幕	C
ミニプレーヤー	I
シアターモード	T

ここがポイント

日本語の動画も自動文字起こし対応

自動文字起こしができるのは、英語だけではない。YouTubeは、日本語でトークしている動画でも、AIによる自動文字起こしを行なっている。英語に比べると言い回しの複雑さ、語彙の多様さ故に正確性には大きく劣るため、テキストの書き起こしは期待できない。しかし、ある程度のニュアンスは伝わるので、音声が出せない場合に利用してみよう。

4 「日本語」を選択する

言語リストから「日本語」を選択する。

5 日本語の字幕が自動生成される

動画に日本語の字幕が自動生成される。これでリアルタイムに字幕を見ながら内容を確認できる。

文字起こしからテキストで抽出して翻訳も

動画を見る手間を省きたいなら、「…」ボタンから「文字起こしを表示」とクリック。英語の字幕が表示されるので、こちらをコピーして翻訳ツールやChatGPTなどのAIに翻訳してもらってもいい。

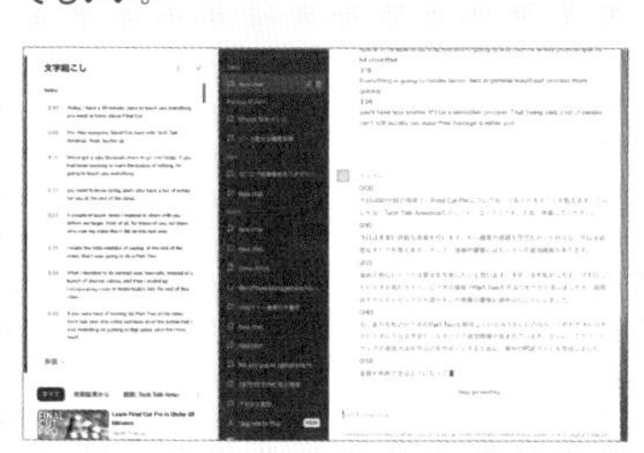

情報収集

ベスト・テクニック!!

YouTube動画の要約から快適に情報入手しよう!

YouTubeは便利な情報源だが、動画から必要な情報を見つけるのに時間がかかる。Glarity Summaryを導入すれば、動画を要約し、情報収集の効率を劇的に向上するだろう。

ChatGPTを利用して動画内容を自動で要約する

YouTubeは便利な情報源であり、新しい情報を得るための宝庫だが、動画形式のため、文字ベースのニュースサイトやテキストサイトと比較すると、必要な情報を見つけるまでに時間がかかる傾向がある。特に字幕のない10分以上の動画は広告も挿入され、やっかいだ。そこで、「Glarity Summary」を導入しよう。

Glarity SummaryはChromeブラウザの拡張プラグインで、YouTubeの動画を効率的に要約してくれる便利なツールだ。ChatGPTを利用して、長い動画から必要な情報を簡潔にまとめた要約をテキスト形式で表示してくれる。これにより、時間の節約や情報収集の効率が劇的に向上するだろう。要約方法は設定画面からカスタマイズすることもできる。

特に、海外のニュース動画を閲覧する場合には、Glarity Summaryが非常に役立つ。要約した内容を自動的に日本語に翻訳してくれるので、外国語が苦手な人でもGlarity Summaryを使えば世界中から簡単に情報収集が可能になる。

なお、Glarity Summaryは通常のウェブページでも利用することができる。ウェブページを開くと、画面右側に青い吹き出しのアイコンが表示されるので、それをクリックしよう。そのページ内容を要約してくれる。さらに、要約した内容をTwitterの投稿文章形式に変換することもできる。

Glarity Summary
作者:glarity.app
価格:無料
Chrome拡張プラグイン

2

Glarity Summaryのインターフェースを理解しよう

プラグインをダウンロード

Glarity Summaryを利用するにはChromeブラウザを利用する必要がある。ChromeでGlarity Summaryの公式サイトから拡張プラグインをインストールしよう。

YouTubeにアクセスすると表示される

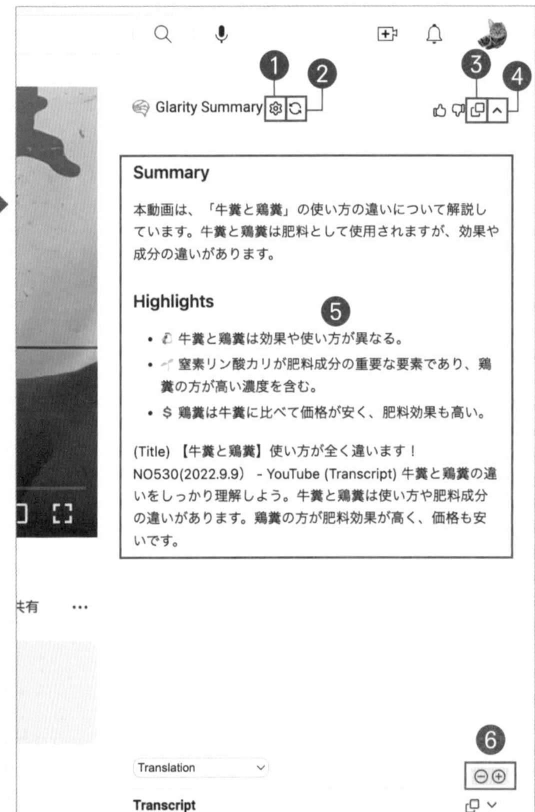

❶ **設定**
Glarity Summaryの設定画面を開く。

❷ **更新**
要約した内容を更新する。更新するたびに少し内容が修正される。

❸ **コピー**
要約した内容をクリップボードにコピーする。

❹
要約パネルを開く、閉じる。

❺
閲覧中のYouTube動画の内容を要約して表示してくれる。再生していなくてもページを開いていれば自動で要約される。

❻
要約パネルの拡大と縮小。

このテクニックのポイントは?

- YouTubeの動画内容を要約してくれる。
- 海外の動画にも対応し、要約時は日本語に翻訳してくれる。
- 通常のウェブページの内容も要約できる。

ウェブページの内容を要約する

1 アイコンをクリックする

要約したいウェブページを開き、右側にあるGlarity Summaryの青いアイコンをクリックすると要約パネルが表示される。

2 「Summary」をクリック

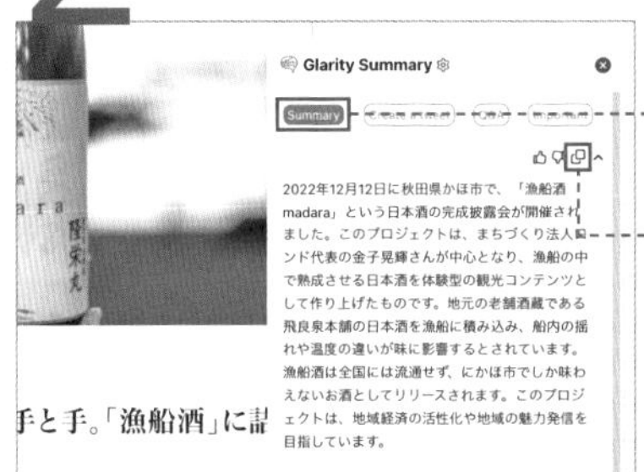

メニューから「Summary」をクリックするとページ内容を要約してくれる。要約した内容をコピーしたい場合は、コピーボタンをクリック。

3 Q&A形式で要約

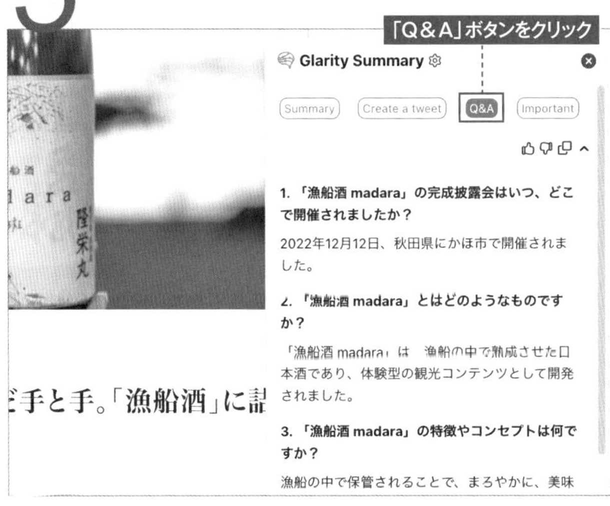

メニューから「Q＆A」ボタンをクリックすると、ページ内容をQ&A形式にして要約してくれる。

要約の方法をカスタマイズする

1 設定画面を開く

要約方法をカスタマイズしたい場合は、設定ボタンをクリックして、「YouTube/Bilibili」のパネルを開く。ここをカスタマイズする。

2 英語のプロンプトを作成しておく

日本語に出力するようにする英語のプロンプトを作成しよう。英語が苦手な人はDeepLで英語のプロンプトを作成する。

3 DeepLで作成したプロンプトを貼りつける

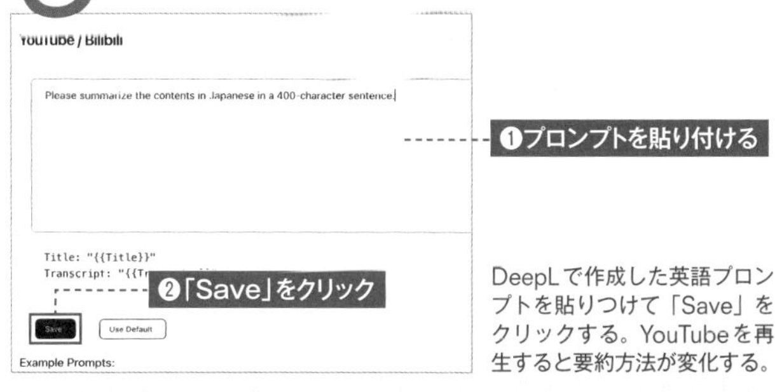

DeepLで作成した英語プロンプトを貼りつけて「Save」をクリックする。YouTubeを再生すると要約方法が変化する。

まとめ カスタマイズ次第でさらに使い勝手がよくなる

サイトやブログからというのが情報収集のメインだった時代は変わり、YouTubeの存在感が増している。それだけにYouTubeの要約も需要が増えている。

Glarity Summaryは標準設定では、非常に短い要約文で表示される。しかし、もっと詳細な情報が必要な場合は、Glarity Summaryの設定をカスタマイズしよう。設定を変更する際の注意点として、「日本語で要約して」というフレーズを含めること。より詳しい要約文を日本語で出力してくれる。プロンプト設定を上手にカスタマイズすることで、使い勝手はますます向上するプラグインだ。

実戦
テクニック!!

TweetDeckで有用な最新情報をもれなくキャッチ!

情報収集ツールとしてのTwitterの魅力を最大化する

今やコミュニケーションに留まらず、現在の世の中の出来事やトレンドを、どんなメディアよりも早く知るための情報収集ツールとしての役割が大きくなりつつあるTwitter。Macはもちろん、常に持ち歩くスマートフォンにも公式アプリをインストールして、情報収集に活用している人も多いのではないだろうか。ただ、これらの公式アプリでは原則として、1つのストリーム(タイムライン)しか表示できないため、フォローしているアカウントのツイートを追っていたら、最新ニュースやトピックに関するツイートが盛り上がっていたことを見過ごしてしまった、ということもあり得る。

そこでぜひ使ってみてほしいのが公式サービスの1つ、「TweetDeck」だ。1画面に1つのストリームしか表示できない公式アプリと異なり、TweetDeckでは複数のストリームをそれぞれ別々の列で同時表示できるので、飛び交う情報を網羅的にチェックするのに最適だ。もちろん、各列の内容はリアルタイムで自動更新されるため、突発的に盛り上がったトピックや、緊急のニュースなどを見逃すこともない。アプリではなく、ウェブサービスとして提供されているので、ブラウザがあれば利用できるのも便利だ。

TweetDeckはWebアプリとして提供されており、別途専用のアプリを用意する必要はなく、Safariなどのブラウザで公式ページにアクセスして利用する。

TweetDeck by Twitter
作者/Twitter, Inc. 価格/無料
カテゴリ/ニュース
URL/https://tweetdeck.twitter.com

公式アプリとTweetDeckはこんなに違う!

● Twitter(公式アプリ)

おなじみの公式アプリだが、1画面に表示できるのは1つのストリームのみ。ほかのストリームに切り替えるには、そのつど画面左端のボタンをクリックする必要がある。これはウェブ版のTwitterでも同様だ。

複数のストリームを同時に表示できる!

● TweetDeck
(公式ウェブサービス)

TweetDeckでは、「ホーム」のストリームだけでなく、通知やトレンド、検索などの複数のストリームを、1画面に同時表示できる。各ストリームを表示する「列」は、ユーザー自身が自由に追加、削除できるので、自分のスタイルにマッチするストリームの組み合わせにしよう。

サービスにログインして、使ってみよう

1 公式サイトにアクセスする

まずはSafariなどのウェブブラウザで公式サイトにアクセスして、「ログイン」をクリックする。アカウントがない場合は、「アカウント作成」をクリックして登録する。

2 ログインする

既存のTwitterアカウントのユーザー名、パスワードを入力してログインする。GoogleもしくはAppleのアカウントを使ってログインすることも可能だ。

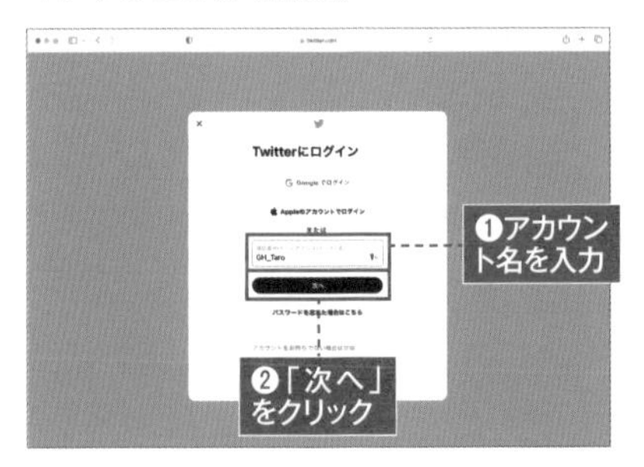

3 ツイートを投稿する

画面左上の「ツイートする」ボタンをクリックすればツイートを投稿でき、「予約設定」をクリックすると、指定時間に予約投稿もできる。

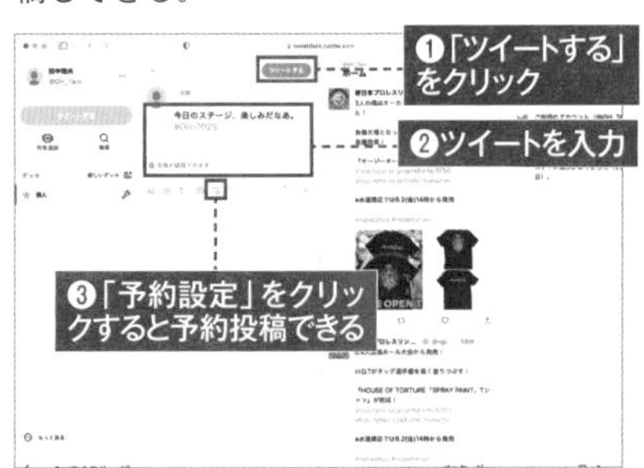

列に表示しておきたい、おすすめストリームはこれだ!

ここでは、常に表示しておきたい便利なストリーム4つを紹介する。もちろん、自分の好みで選ぶのも全然アリだ。

「検索」は、指定したキーワードを含むツイートをリアルタイム検索して表示するストリームだ。ツイート日時やツイートしたアカウントなどの条件を指定して検索結果を絞り込むこともできる。「プロフィール」は特定のアカウントのツイートだけを表示するストリーム。インフルエンサーの動向をリアルタイムで追いたいときなどに使いたい。

「リスト」は言うまでもなくリストに登録したアカウントのツイートをまとめ読みするもので、「話題を検索」は、トレンドワードをジャンルごとに検索できる。

1

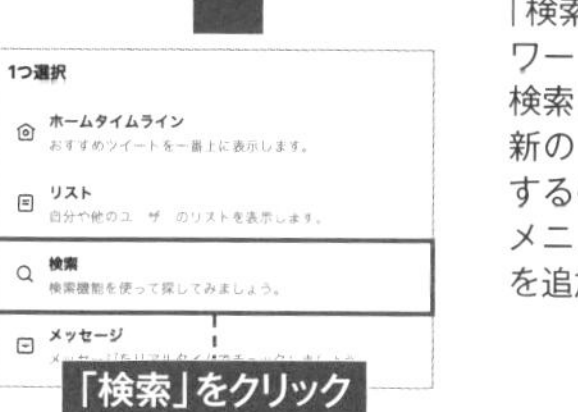

「検索」列では、特定キーワードを含むツイートを検索して表示するので、最新のトピックをチェックするのに便利。列の設定メニューから、検索条件を追加、変更できる。

2

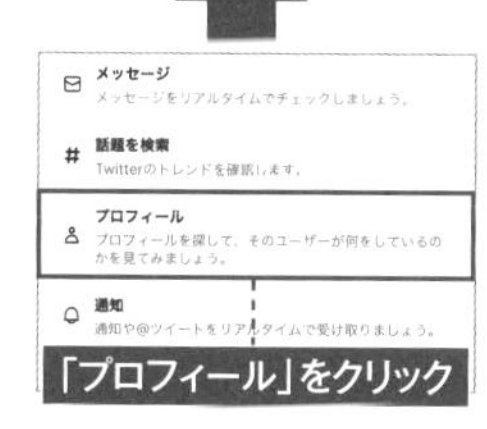

「プロフィール」列では、特定のアカウントのツイートやリツイートだけをまとめてストリームに表示する。列追加時の画面左上にある検索ボックスにアカウント名を入力して検索してから、そのアカウントを登録しよう。

3

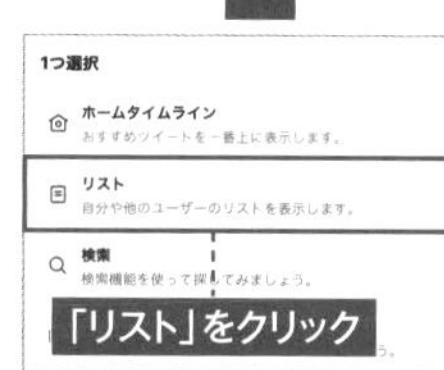

「リスト」列では、選択したリストに登録済みのアカウントのツイートをストリームに表示する。作成済みのリストの他、列作成時に新規リストを作り、そのリストを登録することもできる。

4

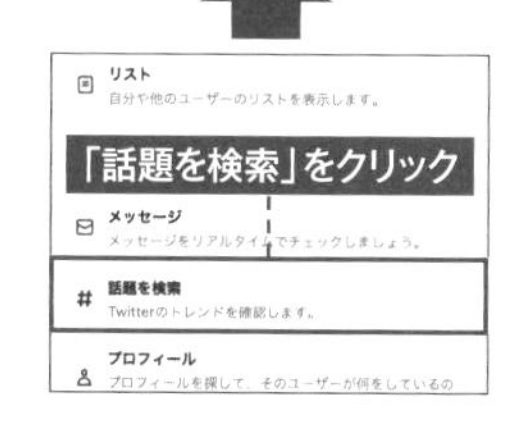

「話題を検索」列では、現在Twitter上で多くのユーザーが話題にしているトレンドワード、バズワードを、ジャンル別に検索できる。

ここがポイント

TweetDeckの設定を変更する

TweetDeckの表示サイズやベースカラーを変更したり、データ通信量を抑えたりと、各種設定の変更は、専用の設定画面から行う。設定画面はメイン画面の左下にある「もっと見る」をクリックし、メニューから「設定とプライバシー」をクリックすると表示される。パスワードの変更などもこの画面から行える。

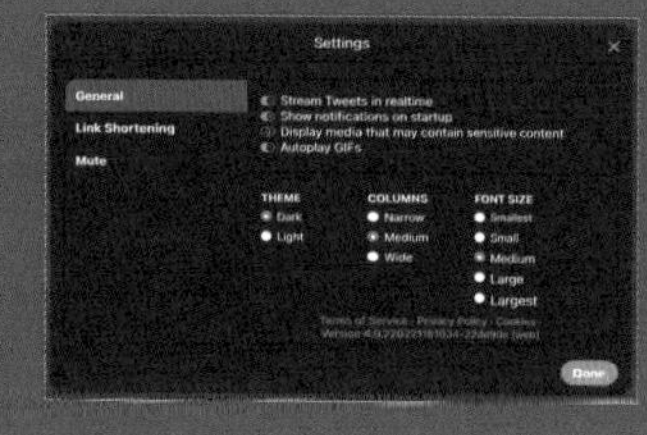

TweetDeckの設定画面を表示したところ。ウェブアプリの表示に関する設定や、アカウントに関する設定、セキュリティに関する設定などのメニュー項目にアクセスできるようになっている。

4 列を追加する

列は初期設定では表示されていないので、手動で追加する必要がある。追加するにはまず、画面左の「列を追加」をクリックする。

5 ストリームの種類を選ぶ

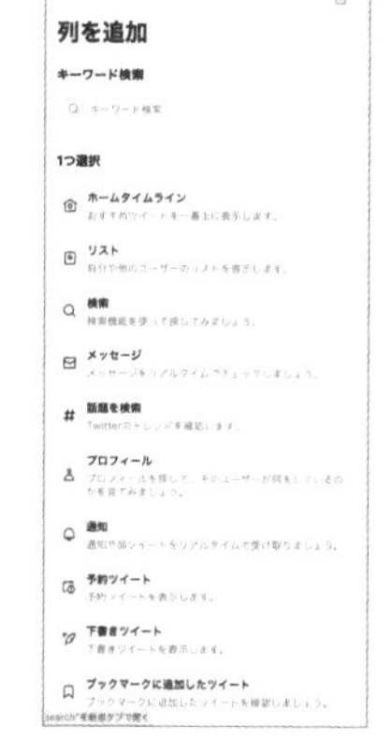

列に表示するストリームの種類をクリックすると、メイン画面左端にそのストリームの列が追加される。

6 列を削除する

列を削除するには、列上部右にある歯車ボタンをクリックすると表示されるメニューで、「列を削除」をクリックしよう。

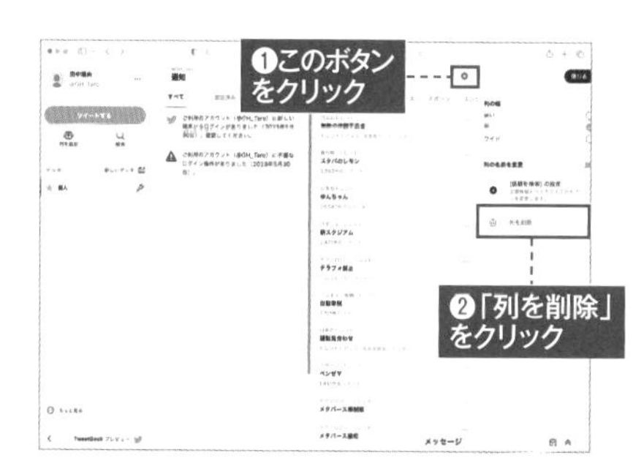

情報収集

ベスト・テクニック!!

高速かつ超便利な多機能ブラウザ「Sidekick」を使おう!

SafariやChromeが圧倒的なシェアを誇るウェブブラウザのジャンルに、期待のニューフェイス「Sidekick」が登場した。新生ブラウザの魅力はどこにあるのか。

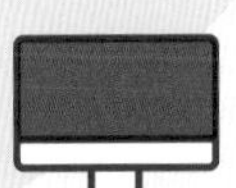

ウェブサービスやウェブアプリとの親和性の高さと超高速なブラウズが魅力!

Macに標準搭載される アプリの「Safari」、Googleの各種サービスを利用するなら手放せない「Chrome」といったように、Macのウェブブラウザというジャンルでは、この2大アプリが圧倒的なシェアを誇っている。そんな中、登場したニューフェイスである「Sidekick」は、「今さらブラウザを乗り換えるのもちょっと…」という人にとっても魅力的なアプリだ。

見た目的にも大きな特長となっているのが、ウインドウ左端のサイドバーに並ぶアイコン群だ。これらは、GmailやGoogleカレンダー、Zoomといったさまざまなウェブサービスやアプリ、Twitterやインスタグラム、LinkedInなどの各種SNSを一発で呼び出すためのボタンで、サイドバーに表示されるボタンは自由にカスタマイズできる。ほかのブラウザではタブの固定などでよく使うサービスやSNSを呼び出すという工夫が必要だったが、それを標準機能として搭載している。

また、ウェブページの表示が驚くほど高速で、ブラウジングでまったくストレスを感じないのも、Sidekickの魅力の1つだ。これは処理速度が高速なことももちろんだが、標準搭載された広告ブロッカーの働き、CPUやメモリの消費量のインテリジェントな制御機能も大きく貢献している。

ちなみに無料版では、「サイドバーのアプリは5つまで」などの制限があるが、無料のままで使い続けることもできる。

Sidekick
作者:Sidekick
価格:無料(有料プランもあり)
URL:https://www.meetsidekick.com

2

Sidekickはどんなウェブブラウザなのか?

Sidekickの各部名称

❶ タブバー
タブが表示される領域で、それぞれのタブに別々のウェブページを表示し、自由に切り替えられる。タブバー右端の「+」をクリックして新規タブを追加できる。

❷「グローバルサーチ」ボタン
クリックするとグローバルサーチを実行できる。グローバルサーチはキーワードによるウェブページの検索機能で、Sidekickの既定では検索サービスとしてGoogleが使用される。

❸ アドレスバー
ウェブページのURLやタイトルが表示される。クリックすると入力可能な状態になり、URLを入力してウェブページを表示したり、キーワードを入力してグローバルサーチを実行したりできる。

❹ サイドバー
各種ウェブサービスやウェブアプリ、SNSのタイムラインなどにすばやくアクセスできるボタンがまとめられている。SNSの通知もボタンにバッチ表示される。「+」をクリックすると表示される画面から、ボタンとして登録するサービスやSNSを選択できる。

- ブラウザだけでさまざまなウェブアプリやSNSを利用でき、すばやくアクセスできる。
- 邪魔な広告を表示せず、快適かつ高速にネットサーフィンできる。
- Chrome互換なので、ウェブストアの拡張機能が使える。

ウェブページ高速表示技術に迫る

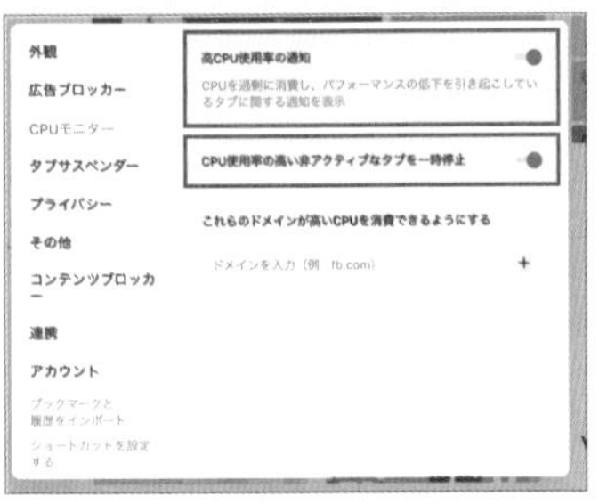

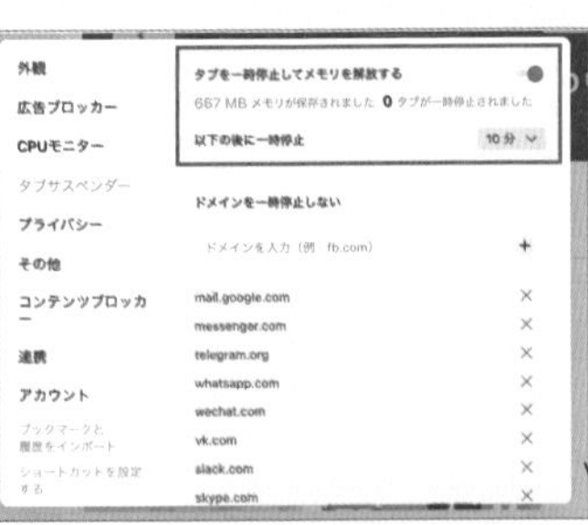

CPUやメモリの制御機能を標準搭載で、初期設定で有効になっている。これにより、CPUやメモリの消費量が多いタブを自動停止して、ブラウザやシステムが「重く」「不安定」になることを回避できる。

Sidekickの基本機能を使いこなす

1 グローバルサーチを実行する

アドレスバーや新規タブのホーム画面の入力ボックスなどにキーワードを入力して、ウェブページを検索できる。検索履歴からのスマート検索や複数キーワードの指定にももちろん対応。

2 広告をブロックする

ウェブページの広告を非表示にするブロッカーが標準搭載、初期設定で有効になっている点はSidekickの特長の1つ。設定画面から有効／無効の切り替え、除外するウェブページの指定などができる。

POINT
拡張機能でアプリをパワーアップ

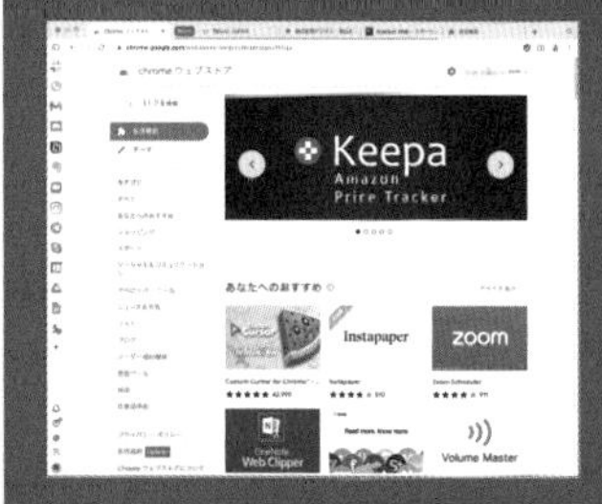

SidekickではChrome向けとして提供されている拡張機能が利用できる。より便利な機能を追加したい、これまで使ってきたChromeと同じ使い勝手にしたい場合は、Chromeウェブストアにアクセスして拡張機能を組み込もう。

タブをグループにまとめて整理する

1 タブグループを作成する

グループ化したいタブの1つを選択しておき、「タブ」メニューの「タブをグループ化する」をクリックする。

2 グループ名を付ける

タブグループが作成され、選択していたタブがそこに含まれる。グループ名を入力してEnterキーを押す。

3 グループにタブを追加する

タブグループ名の右側に表示され、太い下線が引かれている範囲が、グループに含まれたタブになる。この範囲に入るように別のタブをドラッグすると、グループに追加できる。

まとめ これまでのウェブブラウザに感じていた不満をすべて解消してくれる注目アプリ

Sidekickの魅力は、実際に使い始めるとすぐに実感できるはず。とにかくウェブページの表示やタブの切り替えがサクサクできるため、SafariやChromeで多数のタブを開いているときに感じるようなモッサリ感は一切なく、ストレスがまるでない。また、サイドバーからの各種サービスへのアクセス性の高さなど、ユーザーの使い勝手と利便性について考え抜かれているのは、後発アプリの強みといえるだろう。Chromeからブックマークや履歴、クッキーなどをインポートする機能も備わっているので、気に入ったらすぐに乗り換えることもできる。

実戦
テクニック!!

長文の文書は自動で読み上げてもらって内容を理解しよう

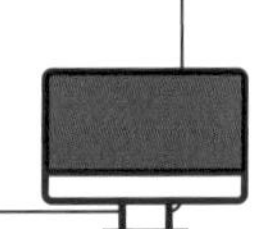

Macに標準搭載されている音声読み上げ機能を活用しよう

文字起こしされた議事録や、長文インタビューなど、理解するにはけっこう手間がかかるファイルがある。かといって、ChatGPTなどを使って要約しても、詳細な部分が欠落し逆に理解が難しくなることもある。

こうした場合には、Macのテキスト読み上げ機能を利用してみよう。選択したテキストを自動的に読み上げてくれるので、まるでラジオやYouTube動画を視聴しているかのように内容を把握できる。また、通勤中や、ほかの作業をしながらでも聞くことができるため、時間を有効利用することができる。

ブラウザで開いているページ上のテキストや、テキストエディタで開いているテキストは、範囲選択して右クリックして「スピーチ」を選択すれば読み上げてくれる。PDFファイル上のテキストは「スピーチ」メニューが表示されないため、ショートカットキー「Option＋Esc」キーを使って、読み上げ機能を起動させよう。

さらに、Macのテキスト読み上げ機能は音声ファイル化することもできるので、睡眠用の音声ファイルを作成するのにも役立つ。疲れた日の夜でも、音声ファイルを再生するだけで横になりながら文書内容を把握することが可能だ。多忙な日々を送っているユーザーこそ、この機能を活用してみよう。

2

1 システム設定のアクセシビリティを開く

Macの「システム設定」を開き、「アクセシビリティ」を開き、「選択項目を読み上げる」にチェックを入れ、右の「i」をクリックしよう。

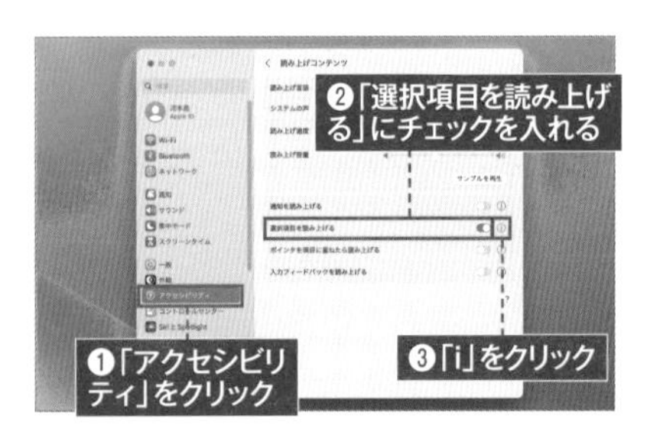

2 ショートカットキーを覚えておく

読み上げ機能の設定画面が表示される。読み上げ機能を起動するためのキーボードショートカット「Option＋Esc」キーを覚えておこう。

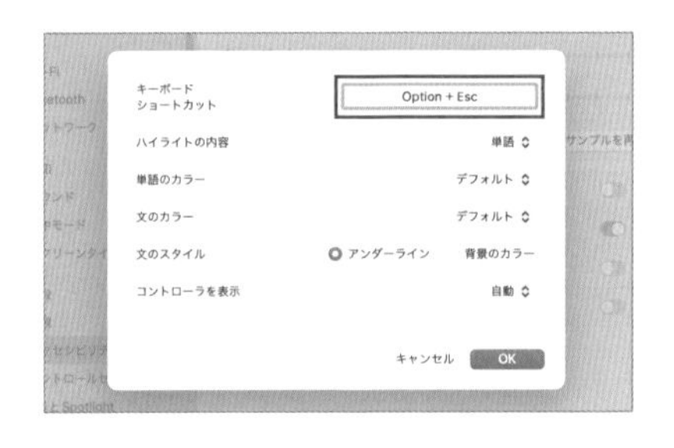

3 「Option+Esc」キーをクリックする

読み上げしたいテキストを範囲選択して、「Option＋Esc」キーをクリックすると読み上げてくれる。表示されるコントローラーで再生速度などの調節ができる。

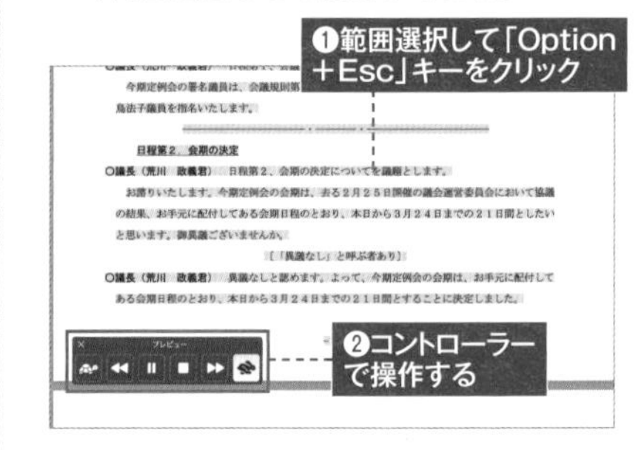

4 読み上げる声をカスタマイズする

声の種類を変更することもできる。「システム設定」→「アクセシビリティ」→「読み上げコンテンツ」と進み、「システムの声」から声を指定しよう。

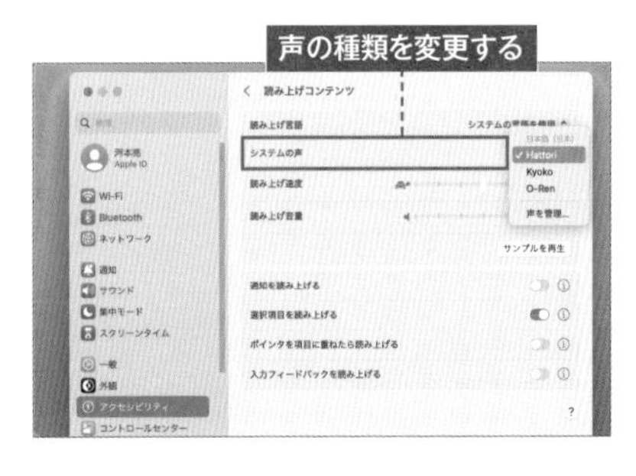

5 音声ファイルとして保存する

音声ファイルとして保存したい場合は、テキストエディタにコピーして、範囲選択後、右クリックから「サービス」→「スポークントラックとして"ミュージック"に追加をクリック。

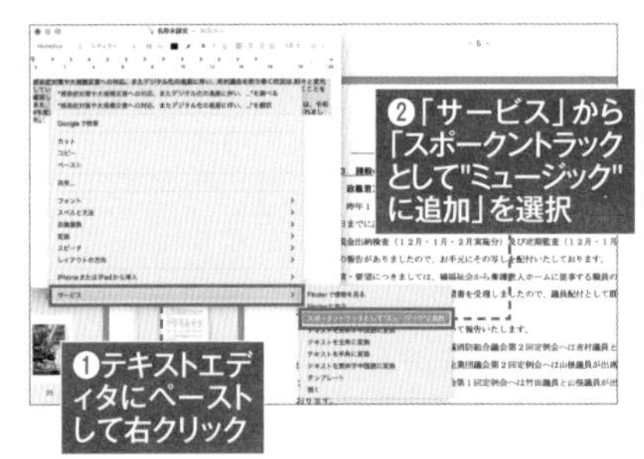

6 音声ファイルの保存先を指定する

ファイルの保存先選択画面が表示されるので、ファイル名と保存先を指定して保存しよう。

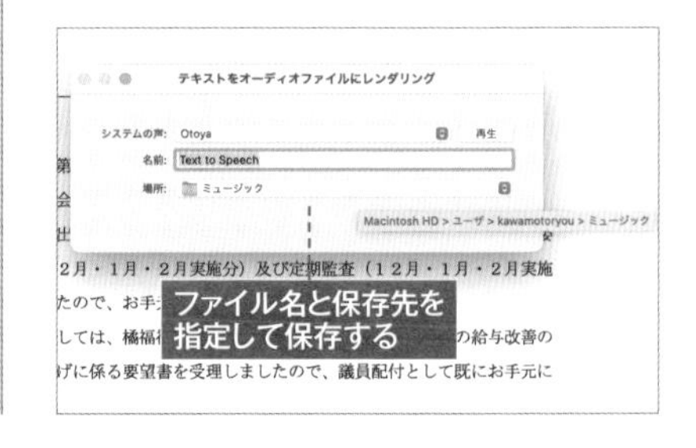

Chapter......03

編集

iMac

標準アプリの便利テクニック

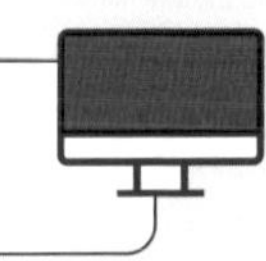

プレビュー

画像やPDFの操作に欠かせない標準アプリ!

Macで画像やPDFを開いたときに起動する「プレビュー」はビューアだけにとどまらない。高度な編集機能を多数搭載しており、画像であればリサイズ、色調補正、フォーマット変換などが可能。PDFであればページの分割、結合、入れ替えなどが行える。動作も非常に軽快でメモリ負担も少ないので、ちょっとした編集であれば、有償のレタッチアプリを使うよりもはるかに軽快で役立つだろう。

プレビュー
作者/Apple
標準アプリ

右上のマークアップボタンをクリックするとツールバーが表示される。ここから利用する注釈を選択して、注釈を入力することもできる。

❶注釈機能を使うにはプレビューでPDFを起動したあと、メニューの「ツール」から「注釈」へ移動し、利用する注釈にチェックを入れよう。

❷チェックを入れたあと、範囲選択すると注釈を入力できる。

PDFファイルに赤字や修正指示を入れる

画像やPDFの閲覧以外でプレビューを使う機会を考えると、開いたファイルを直接編集をする場合が多いだろう。プレビューはPDFのテキストに対して取り消し線を引いたり、ハイライトを引いたり、また図形を使って指示や注釈作業をすることも可能だ。基本的な編集であれば有料アプリを使う必要はない。

PDFに注釈を入れる場合はメニューの「ツール」を選択し「注釈」にカーソルを合わせよう。ハイライトやアンダーラインなどさまざまな注釈メニューが表れるので利用したい注釈を選択する。その後、注釈を付けたい部分を範囲選択すると自動で付けてくれる。

また、プレビュー画面右上のマークアップボタンをタップすると注釈ツールバーが表示される。シェイプやテキスト入力であればこちらからのほうがスムーズに入力できるだろう。

注意点として、プレビューで編集したPDFはWindowsやAdobeのアプリでうまく表示されない場合もある。ドローイングや記号などわかりやすい注釈作業に止めておいた方が安心だ。注釈での互換性を重視するなら、62ページの記事も参照しよう。

01 マスト! 基本

プレビューで画像やPDFを閲覧・編集する

プレビューは画像（TIFF、PNG、JPEG、GIF、BMP）とPDFファイルを開くことができる。開いた画像は上部にあるツールバーやメニューバーの「ツール」から基本的な編集作業が行える。カラーを調整したり、サイズを簡単に変更することが可能だ。また共有ボタンからほかのアプリやサービスに転送することができる。

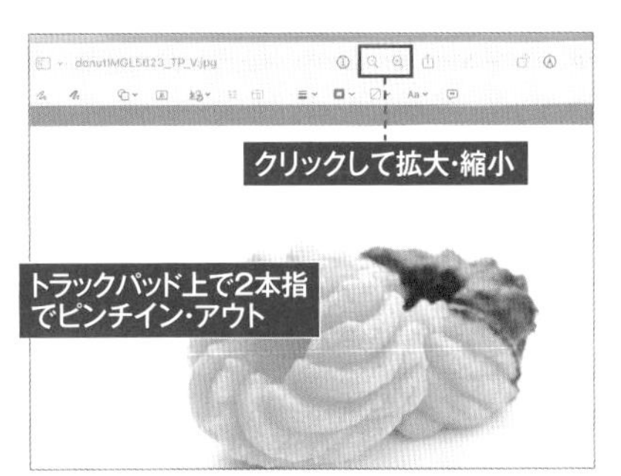

❶ 画像を拡大・縮小するには、ツールバーの虫眼鏡アイコンをクリック。MacBookの場合はトラックパッド上で2本指で内側・外側にピンチして拡大・縮小できる。

❷ 画像を回転させるには、ツールバーの回転ボタンをクリック。画像が右に90度回転する。保存する場合はメニューバーの「ファイル」から「保存」をクリック。

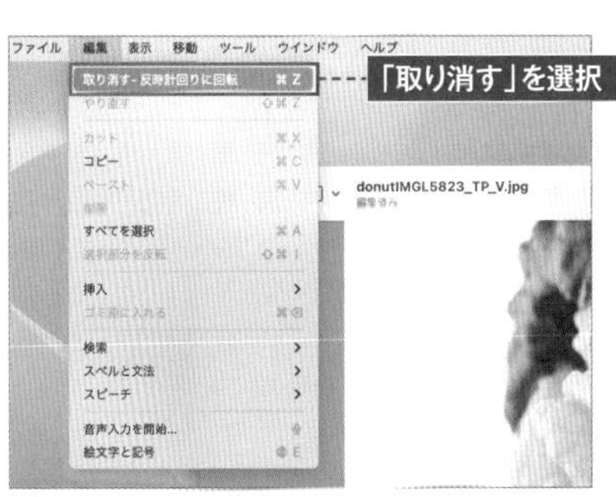

❸ 画像を編集していると、1つ前の操作に戻したいときがある。そんなときは「command」＋「z」か、メニューバーの「編集」から「取り消す」をクリック。

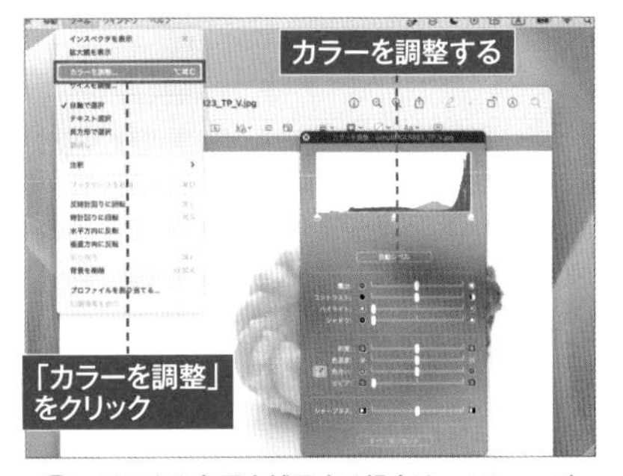

❹ 明るさや色調を補正する場合は、メニューバーの「ツール」から「カラーを調整」をクリック。カラー調整パネルで露出やコントラストの調整を行う。

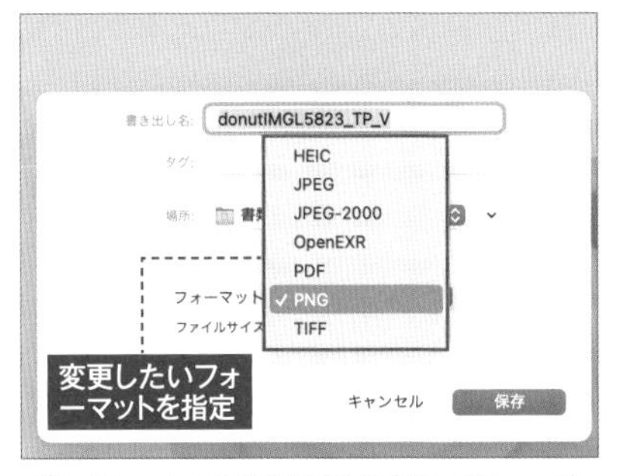

❺ フォーマットを変更する場合は、メニューバーの「ファイル」から「書き出す」を選択し、「フォーマット」から変更したいフォーマットを指定して「保存」をクリック。

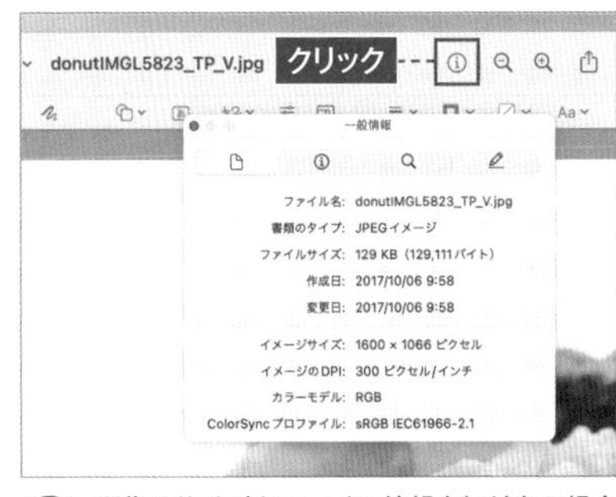

❻ 画像のサイズやファイル情報を知りたい場合は、「i」ボタンをクリック。さまざまな情報が表示される。

ここがポイント

標準状態のプレビューでは「保存」操作をしなくても、ファイルを閉じると自動で上書き保存してしまい、オリジナルファイルが消失してしまう。作業中であれば「取り消す」で前の状態に戻すことができるが、プレビューを閉じてしまうと「取り消す」操作ができないのが難点。そんなときは、メニューバーの「ファイル」から「バージョンを戻す」→「すべてのバージョンをブラウズ」から上書き保存前の状態に戻そう。

02 マスト! 画像サイズ変更

縦横比を維持したまま画像のサイズを変更する

撮影したデジカメ写真をブログに利用したり、知り合いに写真を送る際は画像のリサイズを行おう。プレビューでは開いている画像の縦横比を維持したまま指定したサイズに変更できる。また「320×240」「800×600」などディスプレイにぴったりのサイズへのリサイズも簡単。壁紙を作成したいときにも役立つだろう。

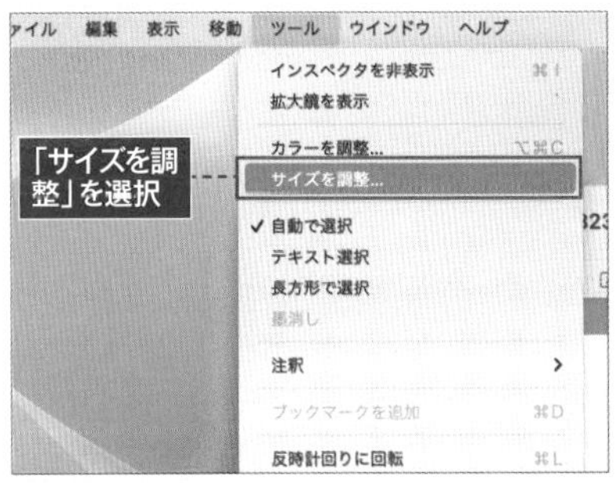

❶ 画像サイズを変更するには、メニューバーの「ツール」から「サイズを調整」をクリック。

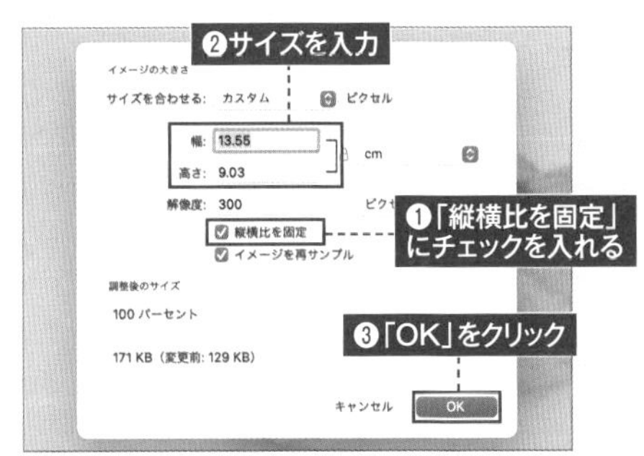

❷ サイズ変更設定画面が現れる。縦横比を固定したままサイズを変更したい場合は、「縦横比を固定」にチェックを入れ、「幅」や「高さ」にサイズを入力。

❸ メニューバーの「ファイル」から「保存」をクリックすればサイズ変更した画像を保存できる。

編集

03 マスト! 注釈

PDFにフリーハンドの注釈を入力するには?

プレビューを使ってPDFに手書きの注釈を入力するには、マークアップツールバーにある「描画」機能を利用しよう。マウスやトラックパッドでフリーハンドの線を描くことができる。きれいな直線をフリーハンドで描きたい場合は「スケッチ」機能を使おう。フリーハンドで描いた線を自動的に整形してくれる。なお、整形された線を戻すことも可能だ。

1 マークアップボタンをクリックし、ツールバーから「描画」を有効にする。マウスカーソルを画像に載せるとペンアイコンに変化するのでトラックパッドで描こう。

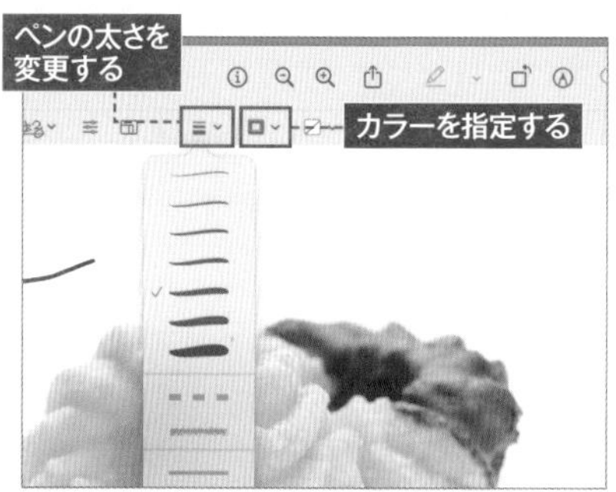

2 線の太さを変更する場合は「シェイプのスタイル」ボタンをクリックして、太さを指定しよう。カラーを変更する場合は「枠のカラー」ボタンでカラーを指定しよう。

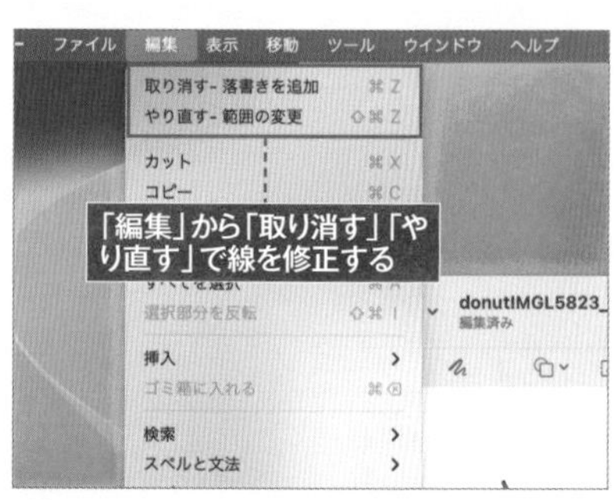

3 線を修正したい場合はメニューの「編集」から「取り消す」を選択しよう。1つ前の操作に戻る。「やり直す」を選択すると取り消した作業を元に戻すことができる。

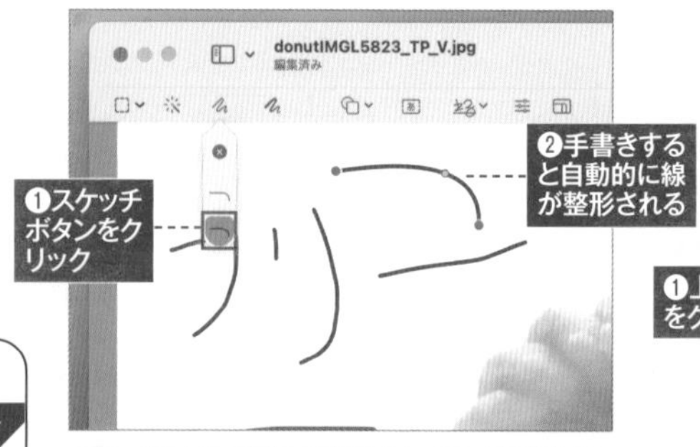

4 きれいな直線や図形をフリーハンドで描きたい場合は、描画ボタンの左にあるスケッチボタンをクリックして下のボタンを有効にする。

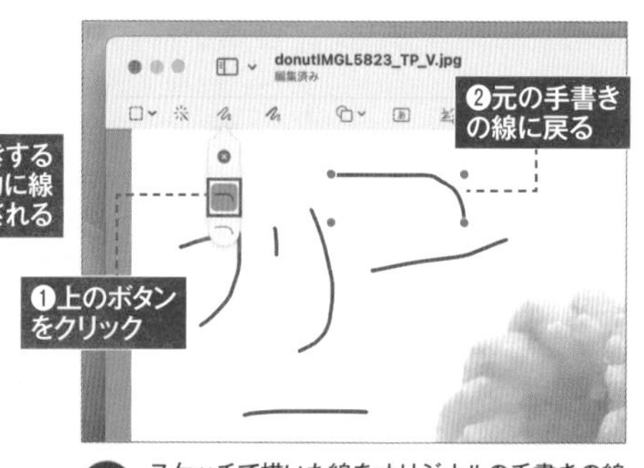

5 スケッチで描いた線をオリジナルの手書きの線に戻したい場合は、メニューの上のボタンをクリックしよう。

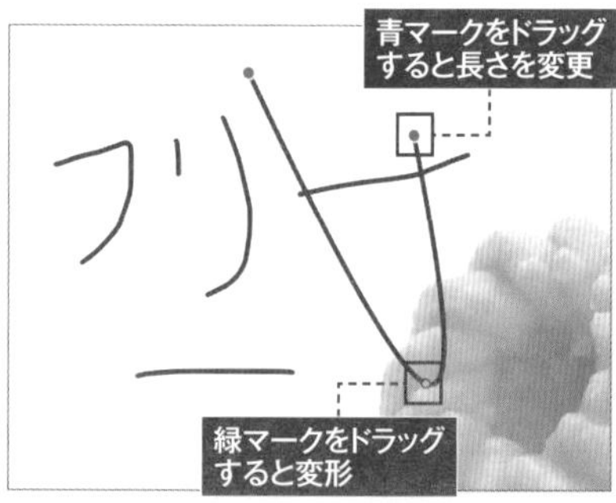

6 スケッチで描いた線に表示される緑マークをドラッグすると線を変形させることができる。青いマークをドラッグすると長さを変更できる。

iPadユーザーならプレビューでドローイングをする場合は、サイドカーやユニバーサルコントロールを併用しよう。Apple Pencilを使って手書き作業ができ、マウスやトラックパッドよりも思い通りの線が引けるだろう。サイドカーを利用するには、ウインドウ左上の緑ボタンにカーソルをあわせると表示されるメニューから「○○のiPadに移動」を選択すると、Macのプレビュー画面がiPadに表示される。Apple Pencilで自由にドローイングができる。108ページにも関連情報を掲載している。

04 画像編集

インスタントアルファで画像の背景を削除する

写真の中で背景部分を削除したい場合は、インスタントアルファを使おう。画像の背景やオブジェクトを簡単に範囲選択できる機能だ。このツールで消去したい領域をクリックしながら、ポインタを少しドラッグするだけで自動で消去予定の範囲を選択してくれる。範囲選択したらメニューの「編集」から「削除」を選択すればよい。

1 マークアップ画面を開き、左から2番目にあるインスタントアルファをクリック。切り抜きたい部分をクリックしてポインタを左右にドラッグすると範囲選択される。

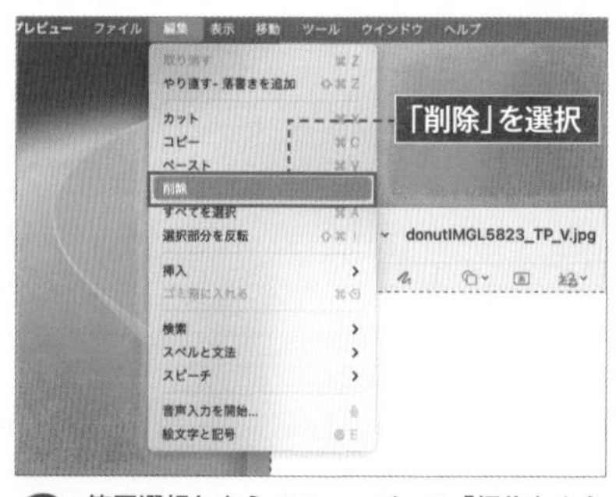

2 範囲選択したらメニューバーの「編集」から「削除」を選択。

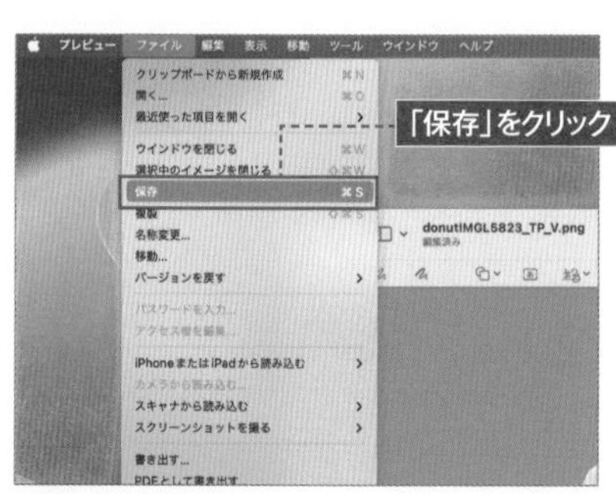

3 背景が削除された。あとはメニューバーの「ファイル」から「保存」をクリックで、保存することができる。

05 マスト! PDF操作

PDFから特定のページを抜き出して保存する

PDFファイルから特定のページを抜き出したいときにもプレビューは便利。サイドバー表示にしたら、抜き出したいページをデスクトップに直接ドラッグ&ドロップするだけで抜き出せる。逆にほかのPDFファイルをサイドバーにドラッグ&ドロップすると結合することが可能。ページの入れ替えもサイドバーで簡単に行える。

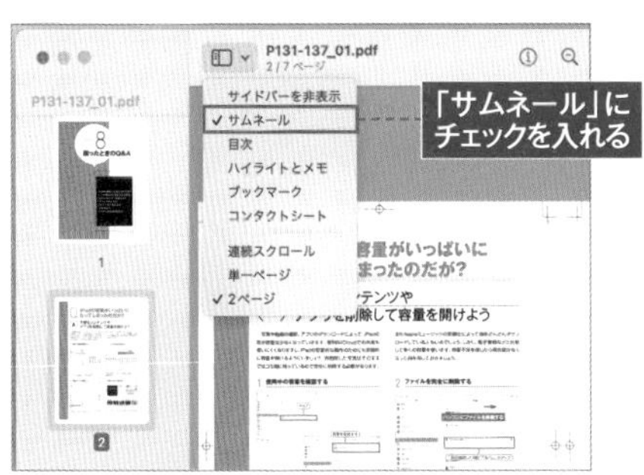

1 ツールバー左端にあるサイドバーボタンをクリックして、「サムネール」にチェックを入れる。

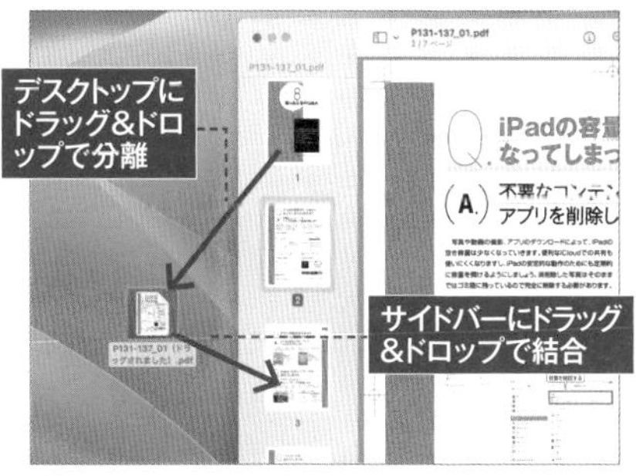

2 PDFを選択してデスクトップにドラッグ&ドロップすれば抜き出せる。逆に結合したいPDFがあればサイドメニューにドラッグ&ドロップで追加しよう。複数のページを選択できる。

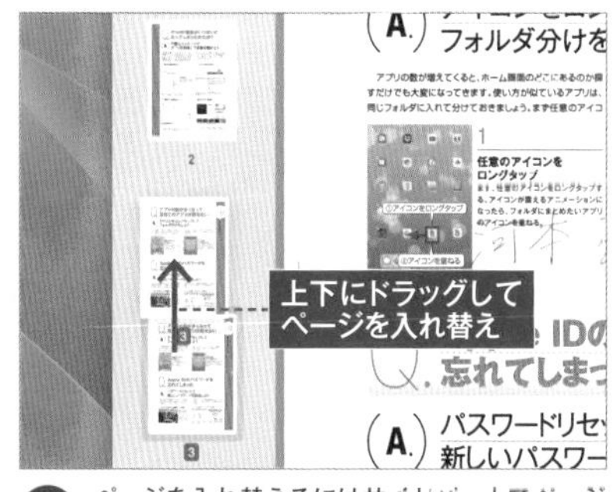

3 ページを入れ替えるにはサイドバー上でページを上下にドラッグすればよい。

ピンポイントテクニック早見表

テクニック 1
背景を簡単に削除する

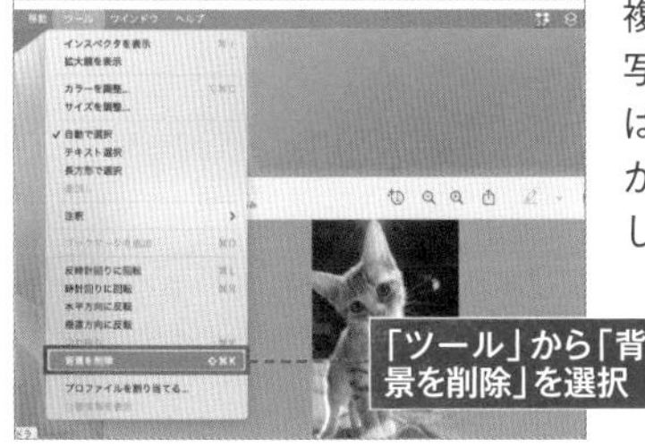

複雑な背景の写真から被写体を切り抜きたい場合は、メニューの「ツール」から「背景を削除」を選択しよう。

テクニック 2
写真上の文字をコピーする

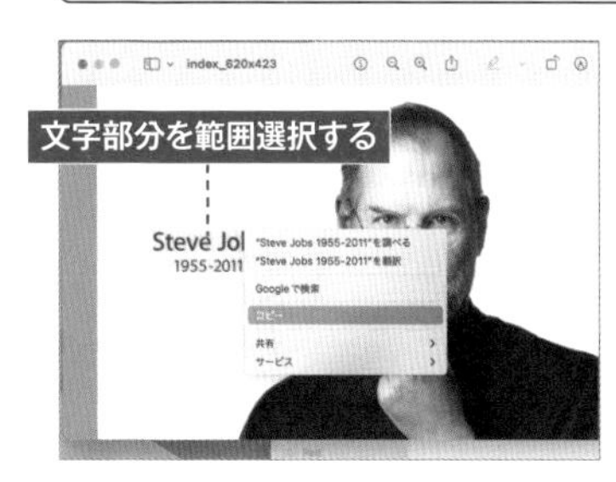

写真上にある文字をマウスカーソルでなぞると範囲選択できる。右クリックからテキスト化してコピーできる。

テクニック 3
手書きのサインを作成する

マークアップツールバーにある署名ボタンをクリックし、「トラックパッド」タブで署名を描く。

テクニック 4
作成した署名をPDFに貼り付ける

マークアップツールバーにある署名ボタンをクリックし、利用する署名をクリックする。PDFに追加されるのでドラッグして好きな場所に配置する。

テクニック 5
画像を切り抜きほかの画像と合成する

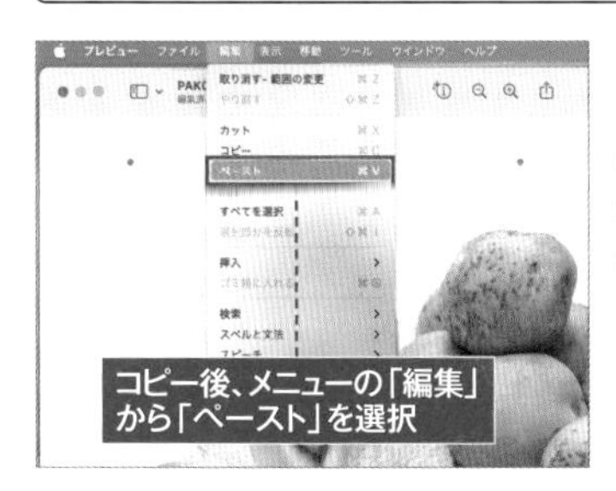

インスタントアルファで範囲選択した後(左ページの04参照)、メニューの「編集」から「コピー」を選択。ほかの画像を開き、メニューの「編集」から「ペースト」を選択する。

テクニック 6
重要な場所に「ブックマーク」を設定

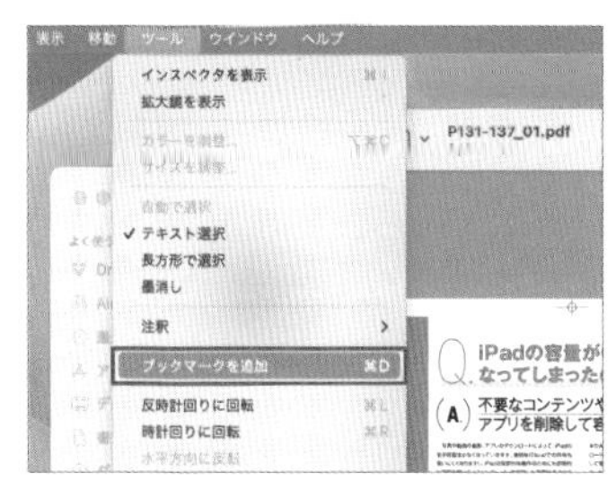

PDFから対象のページを開き、メニューの「ツール」から「ブックマークを追加」をクリック。サイドバーの「ブックマーク」で管理する。

ベスト・テクニック!!

誰でもプロ並みのデザインが作成できる「Canva」

Canvaは、デザインの知識がなくても、だれでもプロ並みのデザインを作成できるサービスだ。豊富なテンプレートやグラフィック素材を使ってや魅力的なビジュアルを作ろう。

好きなテンプレートを使って簡単にデザインを作成する

デザインの知識やグラフィックアプリの使用経験はないが必要に迫られた場合は、「Canva」を使うのがおすすめだ。Canvaは、予備知識がなくても簡単に使えるグラフィック、デザインツールだ。61万点以上のテンプレートや1億点以上の素材（写真、動画、イラスト、音楽）が用意されており、プロのデザイナーが手がけたものが多数含まれている。また、ドラッグ&ドロップの簡単な操作で、誰でも簡単にあらゆるデザインを作成できる。

Canvaは、名刺やチラシ、企画書などビジネスシーンで役立つものから、メッセージカードやSNSの投稿画像など、プライベートで使えるものまで幅広い用途に対応したテンプレートを提供しており、テンプレートのテキストや写真を差し替えるだけで、誰でも本格的なデザインを作成することができる。

Canvaの基本的な機能は無料で利用できる。多くのデザインツールは、試用期限を過ぎると課金が必要になることがあるが、Canvaは試用期間がなく、無料でほとんどの機能を利用することができる。もし高品質のテンプレートや素材を使いたい場合は、有料版にアップグレードすればいいだろう。有料版もAdobeのサービスなどに比べるとかなり安く、月額1000円程度で豊富な素材が無料で利用できる。

Canva
作者:Canva
価格:無料（App内課金あり）
カテゴリ:写真／ビデオ

3 Canvaをひとまず使ってみよう!

テンプレートを選択する

Canvaを起動したら、左上の「デザイン」をクリックして検索ボックスにキーワードを入力して、利用したいテンプレートを探そう。

インターフェースを理解しよう

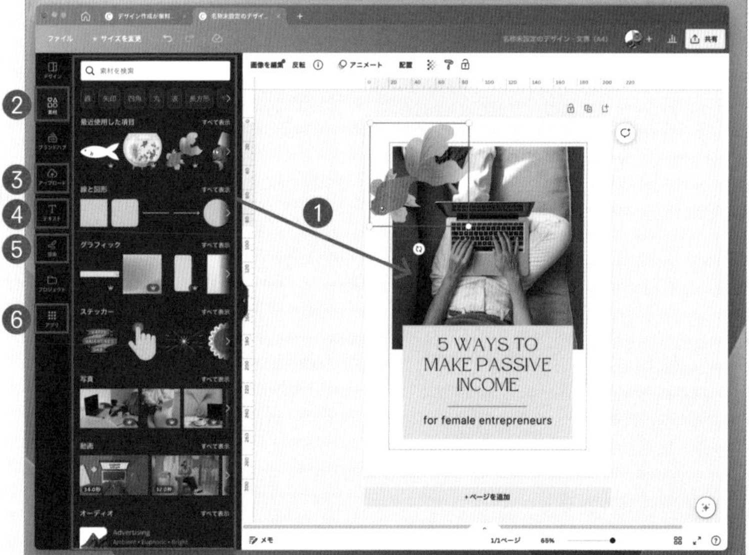

❶
利用する素材をドラッグ＆ドロップ

❷
素材線、図形、アイコン、写真などの基本的なグラフィック素材は無料で利用できる。王冠アイコンがついている素材は、有料版にアップグレードする必要がある。

❸ **アップロード**
パソコンに保存している写真や素材を利用する場合は、ここからCanvaにアップロードして利用する。

❹ **テキスト**
テキストを追加したい場合はここから利用する。膨大な種類の中からフォントを選択できる。

❺ **描画**
手書き入力もできる。iPadやiPhone版も用意されているので、手書き作業をする場合に利用しよう。

❻ **アプリ**
AIを利用した自動補正ツールや画像編集ツールなどが利用できる。

このテクニックのポイントは?

- デザインの知識や経験がない人でも簡単に使える。
- プロのデザイナーが手がけた素材が多数用意されている。
- 基本的な機能は無料で利用できる。

素材の色味を編集する

1 ツールバーから編集メニューを選択する

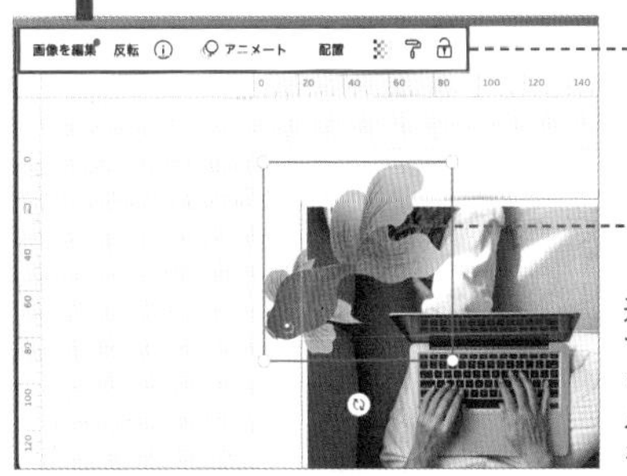

追加した素材は編集することができる。編集したい素材をクリックし、上部に表示されるツールバーから編集したいメニューを選択しよう。

2 素材の色調を変更する

画像の色調やコントラストを変更したい場合は、「画像を編集」を選択して、左パネルに表示されるテンプレートから好きなものを選択するだけで簡単に変更できる。

POINT
便利なAIツールを使いこなそう

Canvaには、ページの状態に合わせて画像を処理するためのAI機能がたくさんある。例えば、「背景リムーバー」という機能を使えば、背景を自動で削除してくれる。ただし、AI機能の多くは有料プランに含まれる。

作成したデザインを出力する

1 「共有」ボタンをクリック

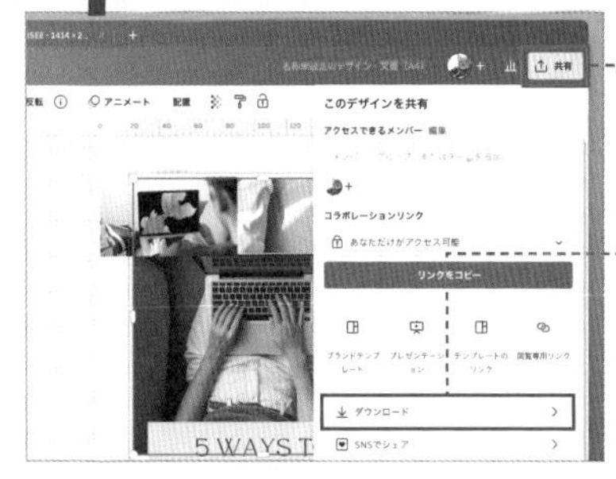

作成したデザインをダウンロードするには、右上の「共有」ボタンをクリックして「ダウンロード」をクリック。

2 ファイルの種類を選択する

「ファイルの種類」からダウンロード時のファイル形式を選択しよう。

3 ファイルをダウンロードする

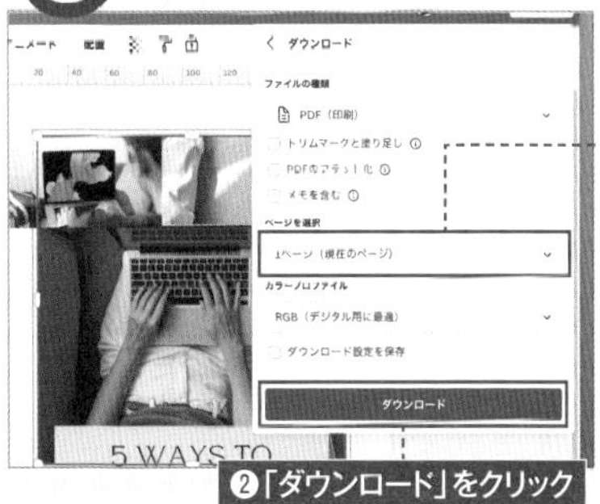

ダウンロードするページを選択して、「ダウンロード」をクリックすると指定したファイル形式でダウンロードされる。

まとめ 書籍作成にも十分使える!

Canvaは、数十ページに及ぶ書籍作成が容易に行える点も魅力の一つだ。DTPアプリといえば「Adobe InDesign」が定番だが、趣味で利用する場合には価格が高すぎるという方には、Canvaがおすすめ。書籍の内容や目的に合わせて、豊富なテンプレートからデザインを選ぶことで、簡単に美しく読みやすいDTPが可能となる。特に、ページ数が多い書籍を作成する場合には、テンプレートを活用することでデザインの統一性を保ちながら手軽に編集できるため、非常に便利だ。また、印刷物として出版する場合にも対応しており、PDF形式で出力すれば、幅広く活用できる。

実戦テクニック!!

無料で高機能なPDF編集アプリで赤字入れや修正を行おう

Windowsと互換性が高く高機能なPDF編集アプリがMacにも存在している

Macに標準で搭載されている「プレビュー」はPDFにちょっとした赤字入れや注釈を行うときに便利だ。しかし、プレビューはあくまでビューアであり、高度な編集機能は備えていない。より高度なPDF編集をしたいなら「Foxit Reader」を使おう。

Foxit Readerは無料で使えるPDF編集アプリ。もともと起動が高速で動作が軽快なことで評判の高いWindows用のアプリだったが、Mac版でもリリースされている。Windows環境との互換性が非常に高いため、Macで入力した注釈がWindows上で見られなくなるといったトラブルに陥ることはない。Windowsで作成、注釈を付けたPDFもきちんと表示できる。これまで仕方なく動作の重いAdobe Readerや高価な市販のアプリを使っていた人は乗り換えがおすすめだ。

Adobe PDF Readerと同等の高度なPDF編集機能を備え、PDFファイルの表示、作成、編集、注釈付け、署名、フォーム処理などの機能が利用できる。また、メニュー画面がAdobe PDF Readerと似ているため、初めてでも迷うことなく使うことができる点も魅力的だ。

Foxit Reader
作者／Foxit Corporation
価格／無料
カテゴリ／仕事効率化

PDFの基本的な編集は「注釈」メニューから行おう

1 テキストに取り消し線を引く

PDFに注釈を付けるにはメニューから「注釈」を選択する。「取り消し線」をクリックしてテキストを選択すると、取り消し線が入力される。

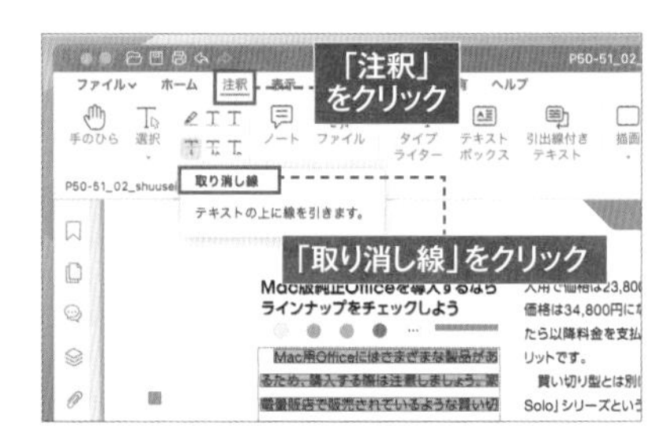

2 ノートを入力して注釈を付ける

ノートを入力して注釈を入れたい場合は、メニューの「注釈」から「ノート」を選択後、ノートを付けたい部分をクリックしよう。ノートが現れるのでテキストを入力する。

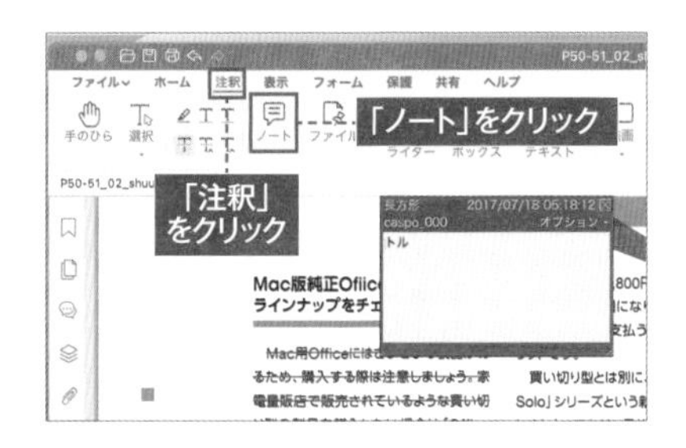

文字入力中に固まってしまう場合は?

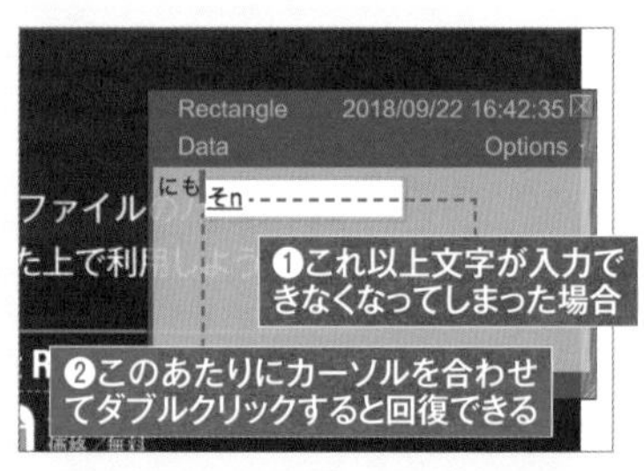

Foxit Readerで注釈テキストを入力する際、マシンの相性にもよるが、入力中にフリーズすることがある。アプリ全体ではなく、入力箇所がフリーズしているだけなので、カーソルを指定の位置に合わせてダブルクリックしてみよう。

※…MacBook付属のキーボードでは特に固まる傾向があり、外付けキーボードを使うと大幅に軽減されるようだ。

受け取った校正PDFを閲覧するにもFoxit Readerは便利

Foxit Readerは、注釈が入ったPDFを閲覧する際にあると便利な機能を多数搭載している。PDFに入力された注釈を漏れなくチェックしたい場合は「ナビゲーションパネル」の「コメント」タブを開こう。ここでは、PDFに入力されたすべての注釈を一覧表示してくれる。確認した注釈1つ1つに対してコメントを入力したり、「承認」や「却下」などステータスを設定することができる。

検索機能もうまく使いこなそう。膨大なページ量のPDFでも、キーワード入力で目的のページに素早く移動できる。またキーワード入力後、Enterキーを押す度に次の該当箇所にジャンプすることが可能だ。

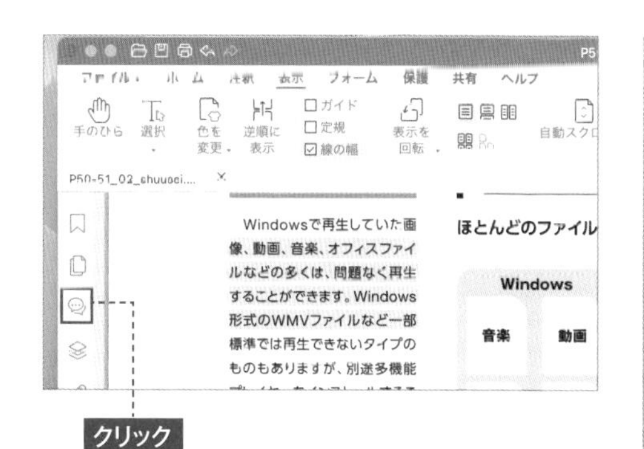

1 入力された注釈を一覧表示するにはツールバー左端のナビゲーションパネルから上から3つめのコメントタブをクリックしよう。

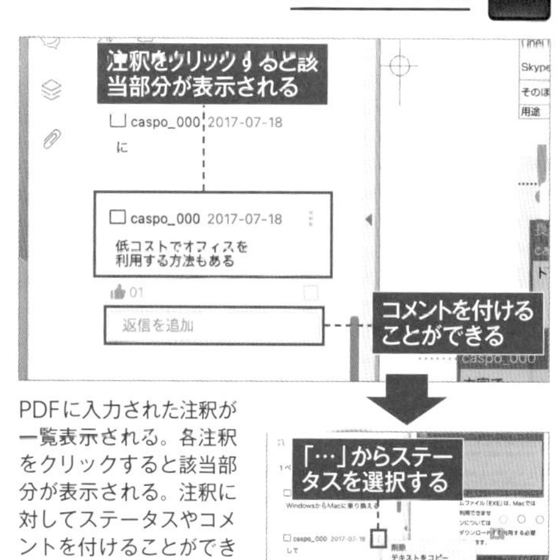

2 PDFに入力された注釈が一覧表示される。各注釈をクリックすると該当部分が表示される。注釈に対してステータスやコメントを付けることができる。

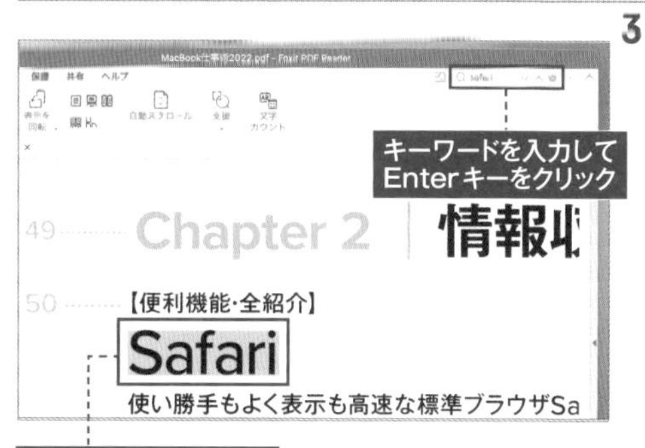

3 右上にある検索フォームにキーワードを入力すると、キーワードを含むページに素早く移動できる。またEnterキーを押すたびに、次の該当箇所に移動する。

4 PDFを見開きで表示したい場合は「表示」タブをクリックし、「見開きページ表示」をクリックしよう（見開きでスクロールさせるモードも選択可能だ）。

ここがポイント PDFを抽出したり結合するならプレビューアプリがおすすめ

PDFから特定のページを抽出したい場合はプレビューを使おう。プレビューではPDFから指定したページを抽出することができる。方法も簡単でサイドバーでサムネイル表示にし、抽出したいページをデスクトップにドラッグ＆ドロップするだけでよい。またサムネイル表示画面では、ページを並び替えたり、ほかのPDFと結合することもできる。

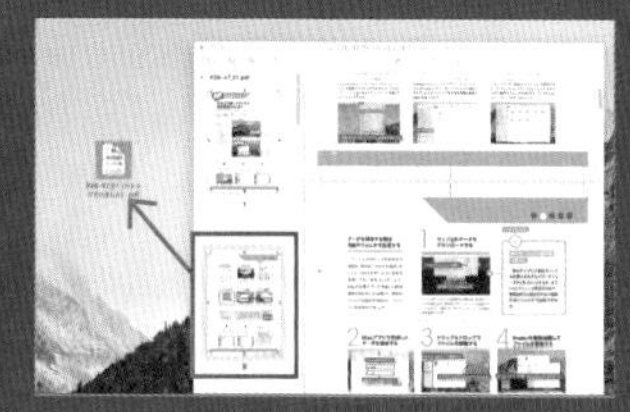

サムネイル表示にしてデスクトップにドラッグ＆ドロップ。

4 フリーハンドでPDFに直接指示をする

もっとわかりやすく指示を入れたいならフリーハンドで指示をするとよい。メニューの「注釈」から「描画」の「鉛筆」で、マウスやトラックパッドを動かして直接、線や文字を入れることができる。

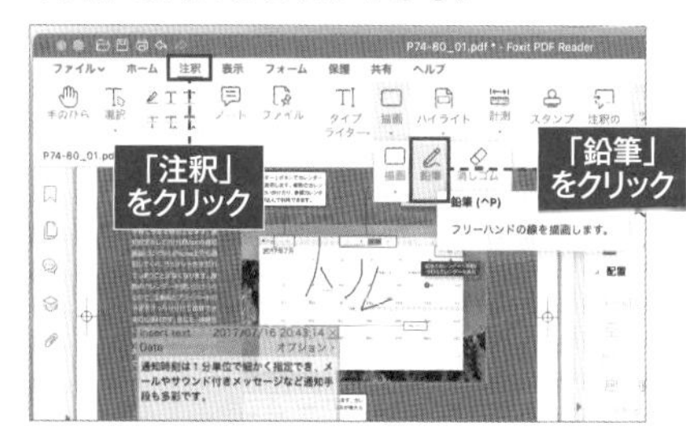

5 矢印や図形を入力する

矢印や四角形、円などの図形を入力するときは、メニューの「注釈」を開いて中間にある「描画」メニューから選択する。矢印、楕円、長方形、折れ線などさまざまな図形が描ける。図形には文字も入力できる。

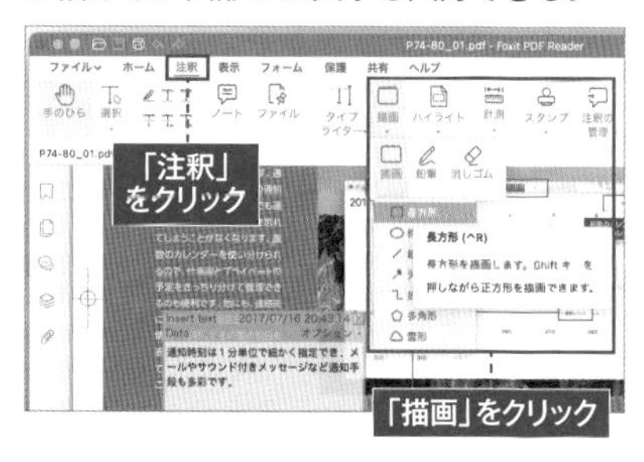

6 編集したPDFを保存する

編集したファイルを保存するにはメニューの「ファイル」をクリックして「保存」をクリックすると上書き保存される。名前を付けて保存する場合は「名前を付けて保存」から保存しよう。

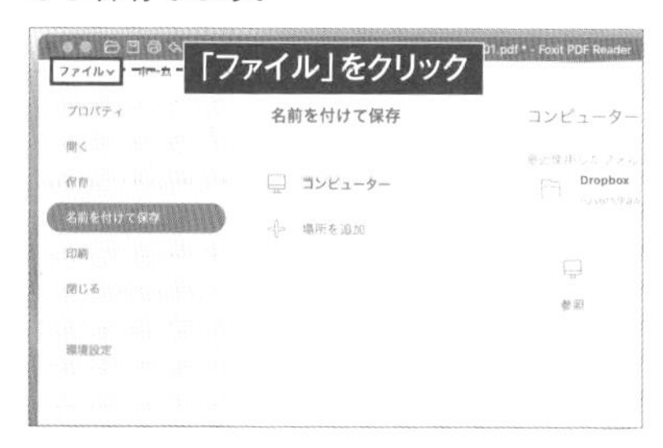

実戦
テクニック!!

PDFにつけた注釈をスクラップできる「LiquidText」

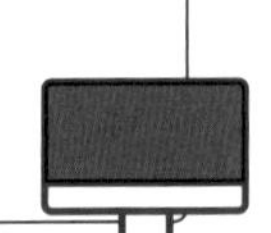

注釈を付箋形式で切り取りビジュアル的に管理する

PDF注釈アプリはたくさんあるが、あとで確認する際、注釈一覧リストから1つ1つ開いて内容を確認しないとならず面倒なことがある。メモだったりハイライトだったり表示形式もバラバラで閲覧しづらい。注釈を効率よく確認するなら「LiqudText」を使おう。

LiquidTextは、PDFやWordファイルに注釈を付けることができるアプリ。ハイライトやコメントを付けるだけでなく、範囲指定した部分を抜き出し、別に用意されたスペースに付箋のようにしてスクラップできる。作成された付箋は自由に位置を移動させたり、カラーを設定してわかりやすく管理できる。

また、作成した付箋同士を近づけると、マグネットのように結合させることができる。完全に1つに結合されるわけではなく、ツリー上に緩やかに結合され、付箋の位置は自由に調整でき、フローチャートやマインドマップのような使い方もできる。

もともとiPadで人気のアプリだが、Mac版もリリースされている。ただし、無料版やPro版ではデバイス間の同期機能はないので、別アプリとして使い分けたほうがよいだろう。

LiquidText
作者/LiquidText, Inc.
価格/無料(App内課金あり)
カテゴリ/仕事効率化

LiquidTextのインターフェース

LiquidTextにはさまざまなメニューボタンがあるが無料版で利用できるメニューは限られている。ここではおもに無料版で利用できるメニューのみ解説する。

●書類画面

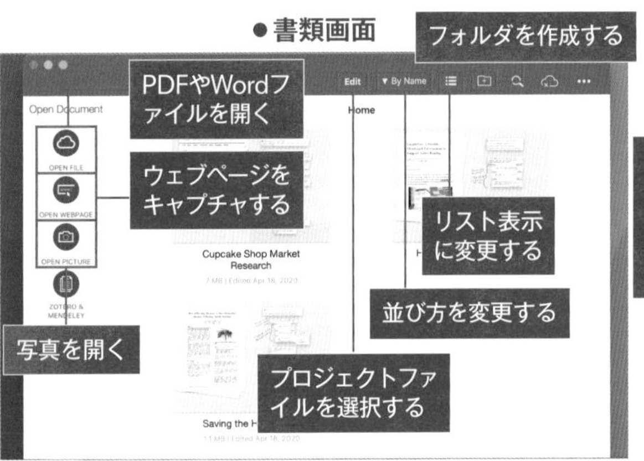

●注釈画面

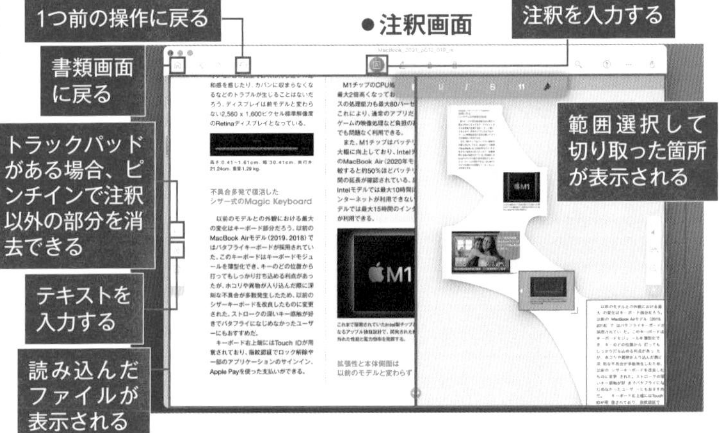

PDFに注釈をつけてスクラップする

1 対象を範囲選択する

上部メニューから「A」を選択したあと、対象の範囲をドラッグで囲い込む。ツールバーが表示されるのでカラーを選択したり、コメントを付けよう。

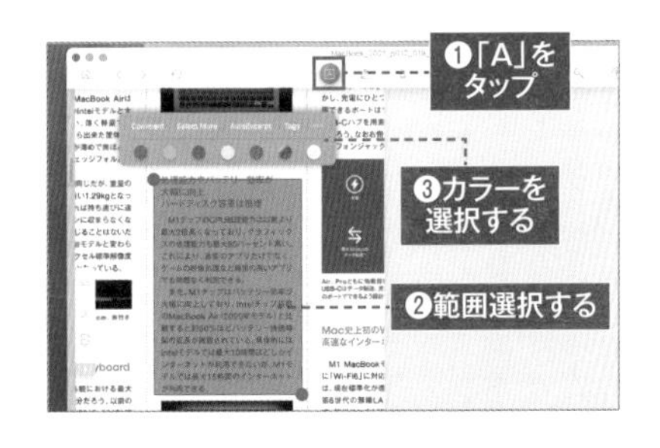

2 対象範囲を切り取る

範囲を指定したあと、右側のスペースにドラッグするとその部分を抜き出して付箋のように保存することができる。

3 切り取った部分をつなぎ合わせる

抜き出した付箋はドラッグしてほかの付箋に重ねることでマグネットのようにくっつけてフローチャートを作成できる。

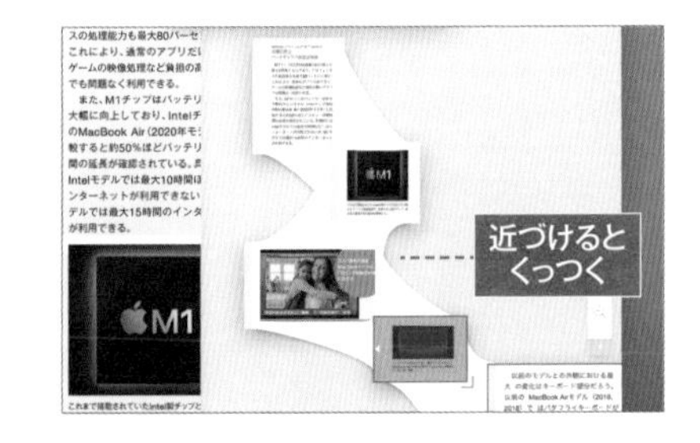

Pro版を購入してさらに便利な機能を使おう

LiquidTextは、有料版がいくつか用意されている。一度購入するとずっと使える6,400円のPro版では、ドローイングツールを使って手書きでメモがとれ、また、ドローイングツールで囲んだ部分を切り抜いてスクラップすることができる。

また、複数のPDFファイルから特定の部分をスクラップして1つにまとめることができる。もちろんスクラップした付箋同士をマグネットのように結合させることが可能だ。スクラップした部分をクリックすると対応するPDFに自動で切り替え、その部分を表示してくれる。

なお、Pro版の上位版として「LIVE」版や「Unlimited」版ではiPad版アプリとデータが同期できる。

1

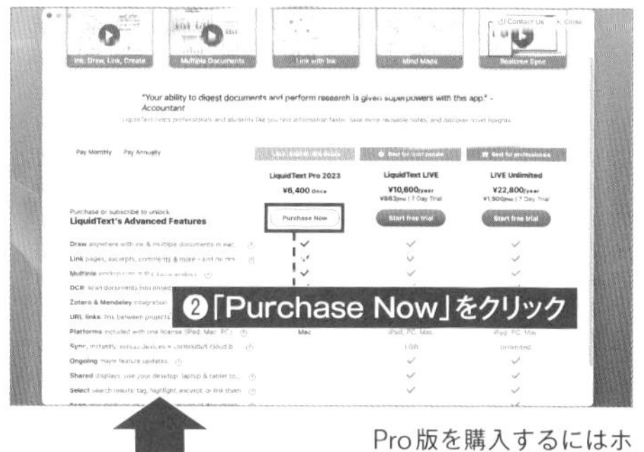

Pro版を購入するにはホーム画面の左にある「アップグレード」をクリックし、Pro版の「Purchase Now」をクリック。Pro版は無料で試用できないので注意。

2

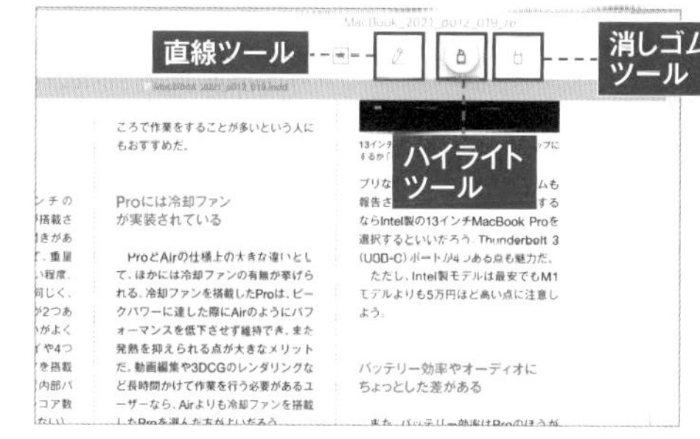

上部メニューの注釈横にある3つのツールが利用できるようになる。ハイライトや直線を引いたりできるようになる。

3

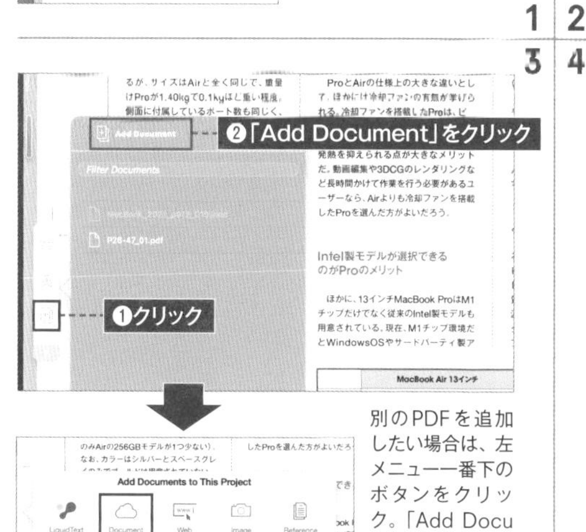

別のPDFを追加したい場合は、左メニュー一番下のボタンをクリック。「Add Document」をクリックしてPDFファイルを選択しよう。

4

ほかのPDFファイルを開くことができ、入力した注釈はほかのPDFの注釈と一緒にスクラップできる。PDFを切り替えるには、左メニュー一番下のボタンをクリックし、PDFを選択しよう。

iPad版とMac版のデータ同期に注意

LiquidTextはもともとiPad用のアプリでApple Pencilと併用することで効果を発揮する。論文のような長いレポートではなく、ウェブページやメールなどちょっとした文章をまとめるときに便利だ。注意点として無料版とPro版では、iPad版と同期することはできない。iPadとMacのデータを同期したい場合は「LIVE」版または「Unlimited」版を購入する必要がある。

ピンチ操作やスクラップもMac版よりiPad版のほうが快適に操作できる。

4 サイズやカラーを変更する

切り出した付箋はクリックして選択状態にした後、四隅をドラッグするとサイズを変更できる。クリックして表示されるツールバーからカラーを変更することもできる。

5 付箋にコメントを付ける

付箋にコメントを付けることもできる。付箋をタップして表示されるツールバーから「Comment」をタップしてコメントを入力しよう。

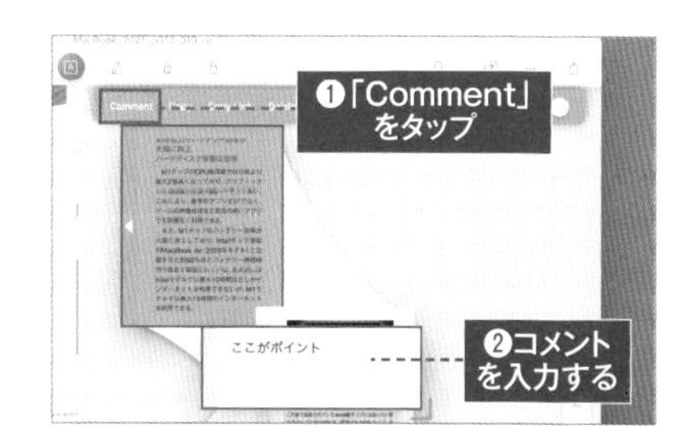

6 PDFから不要な部分を消去する

注釈画面左に設置されているツールバーの一番上のボタンを押したあと、トラックパッドユーザーに限りピンチインすると注釈を付けた部分以外のところが消去される。

ベスト・テクニック!!

編集作業時の簡易スクショは「ScreenHint」でOK!

メモ代わりにスクリーンショットを撮り、それを表示、参照して別の作業をするといった使い方に最適なアプリが登場。シンプルで、使っていて一切煩わしさがないのが魅力。

スクリーンショットをファイルとして保存しないシンプルでエコなアプリ!

スクリーンショットを撮影するためのアプリは世の中に多数存在するが、その中でも群を抜いてシンプルなのが、ここで紹介する「ScreenHint」だ。ウェブページに掲載されているテキストや、ワープロ文書の本文、表計算の表データやグラフデータなど、画面に表示されるあらゆるものを一時的な画像メモとして記録しておき、それらを表示、参照しながら別の作業をするという、まさに画像メモを「ヒント」として使うためのアプリと考えればいいだろう。ここで言及した例のように、SafariやPages、Numbersなど複数のアプリを同時起動、表示しておく必要がないのは、画像メモを使う最大のメリットだ。

このアプリの特筆すべき点はそのシンプルさ。画像メモは目的の範囲を囲むようにドラッグするだけで作成でき、ユーザーが閉じるまで、その画像メモは常にデスクトップの最前面に表示され続ける。そして、画像メモとして使い終わったら、それを閉じるのだが、その際に画像メモをファイルとして保存しないのは初見では驚くことだろう。作業の後にゴミとなりがちなファイルを残さないのは、ある意味「エコ」な仕様になっているといえる。

なお、画像メモをファイルとして残しておきたい場合は、次のページで紹介している手順でMacの標準スクリーンショット機能を使うといいだろう。作業の状況によって使い分けよう。

ScreenHint
作者:Salem Hilal
価格:無料
カテゴリ:仕事効率化

3

ScreenHintはこんなアプリ

スクリーンショットをデスクトップに貼り付けて参照する

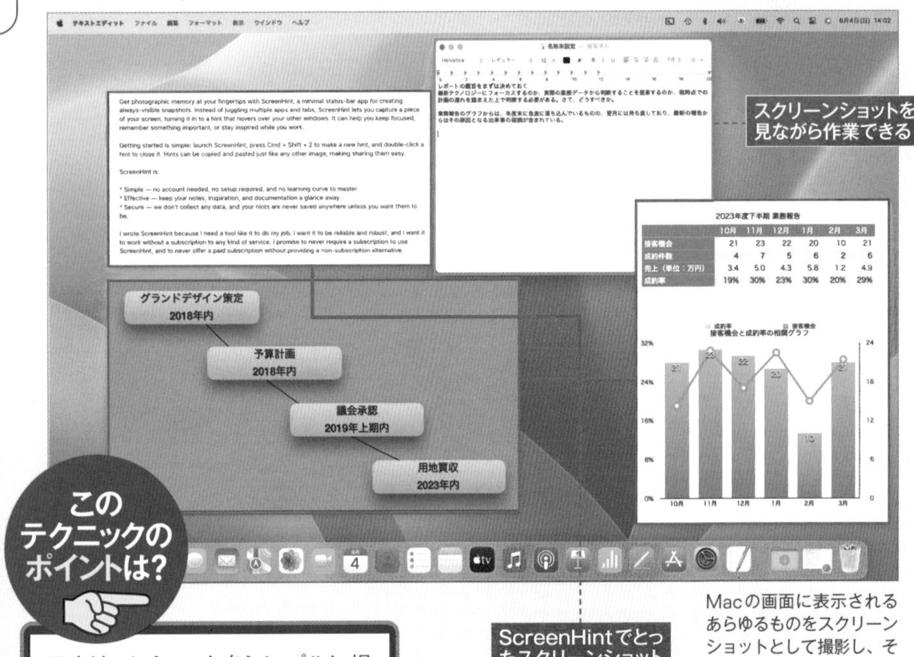

ScreenHintでとったスクリーンショット画像。常にデスクトップ最前面に表示され、参照しやすい

Macの画面に表示されるあらゆるものをスクリーンショットとして撮影し、それを画像メモとしてデスクトップの最前面に貼りつけておける。画像メモはドラッグで好きな位置に移動できる。

このテクニックのポイントは?

- スクリーンショットをシンプルに撮影できるアプリがほしい。
- 画像メモをファイルとして残したくない。
- 標準スクリーンショット機能も使いこなしたい。

スクリーンショットを撮影する

撮影するアプリのウインドウを開いておき、メニューバーのアプリアイコンをクリックして、メニューで「New Hint」をクリックする。

撮影範囲をドラッグすれば撮影される

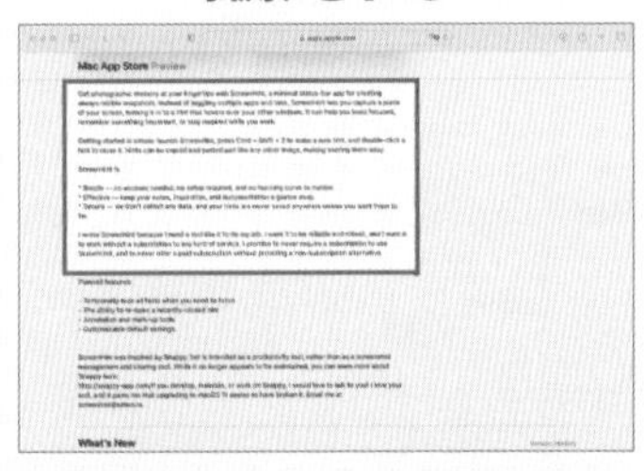

画面全体が薄いラベンダー色で覆われるので、その状態でスクリーンショットとして撮影する範囲を矩形で囲むようにドラッグする。

ScreenHintの基本操作をマスターする

1 設定画面を表示する

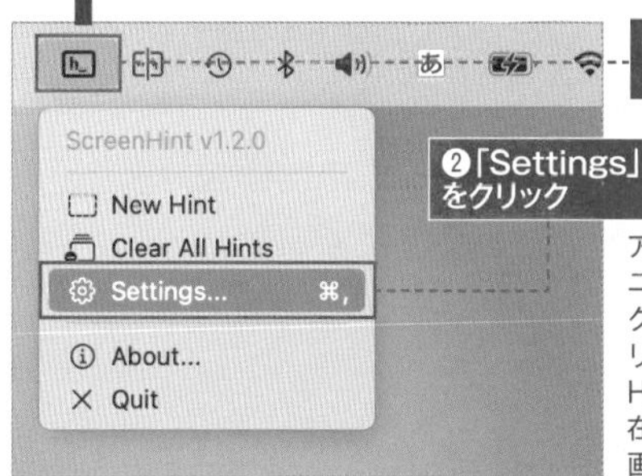

❶アプリアイコンをクリック

アプリの起動中に表示されるメニューバーのアプリアイコンをクリックし、「Settings」をクリックする。ここで「Crear All Hints」をクリックすると、現在貼りつけられているすべての画像メモが消去される。

2 ショートカットキーを設定する

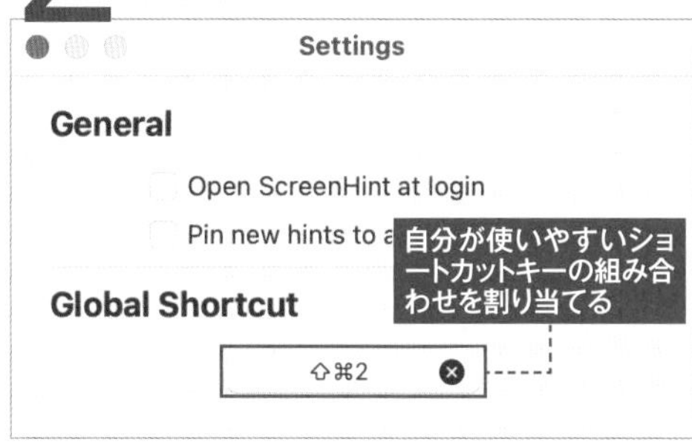

設定画面が表示される。「Global Shortcut」に、スクリーンショット撮影のショートカットキーを割り当てておくと便利だ。

3 画像メモが表示された状態

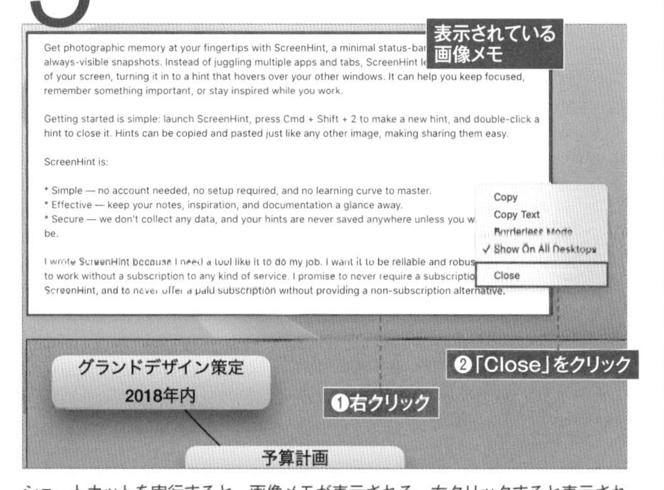

ショートカットを実行すると、画像メモが表示される。右クリックすると表示されるメニューで「Close」をクリックすると非表示になり破棄される。

標準のスクリーンショット（保存する）機能を使う

1 画面全体を撮影する

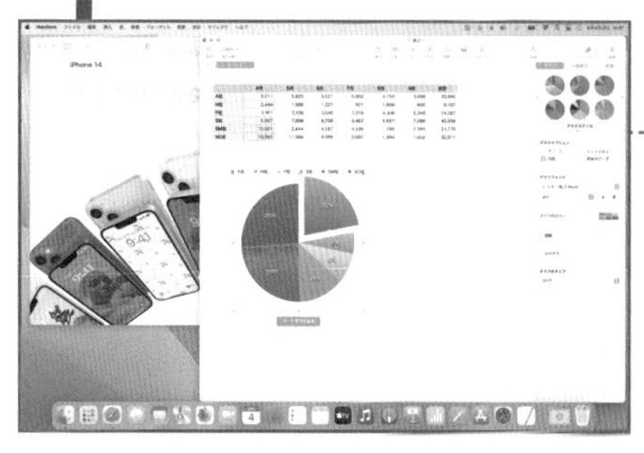

「command + shift+3」で全画面を撮影できる

画面全体を撮影するには、「command＋shift＋3」を押す。効果音が鳴ったら撮影成功で、しばらく待つとスクリーンショットの画像ファイルがデスクトップに現れる。

2 特定のウインドウを撮影する

「command＋shift＋4」を押してから、目的のウインドウ上にマウスポインタを移動し、spaceキーを押すと、図のようにポインタがカメラの形になる。そのままウインドウ上をクリックすると、そのウインドウが撮影される。スペースキーを押さずにドラッグすることで矩形も撮影できる。

3 マウスポインタも含めて撮影する

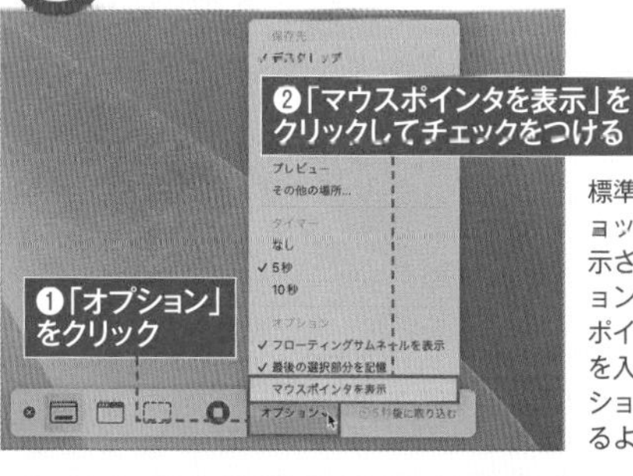

標準で付属する「スクリーンショット」アプリを起動すると表示されるツールバーで「オプション」をクリックし、「マウスポインタを表示」に　チェックを入れると、以降はスクリーンショットにマウスポインタが写るようになる。

まとめ　必要に応じて、ScreenHintと標準のスクショ機能を使い分けよう

「画面に表示されているものを画像メモとして記録する」という役割はまったく同じだが、ScreenHintは一時的なメモとしての利用に特化していて「エコ」な使い方ができるのに対し、Macの標準スクリーンショット機能は撮影したものを画像として保存可能で、撮影対象や方法も多彩になっているなど、それぞれの方向性はだいぶ異なる。両者の性格はまったく被っていないので、どちらか一方だけ使うというのではなく、用途に合わせて使い分けるのがベストだろう。そのためにも、どちらの使い方もしっかり覚えておきたい。

実戦
テクニック!!

iPadで人気のノートアプリをMacでも活用する

GoodNotes 5のMac版で手書きとテキスト入力を併用したノートを作る

iPadで人気のアプリといえば、Apple Pencilを使って手書きのノートを作成できる「GoodNotes 5」だが、Mac版もリリースされている。インストールしておけば、iCloud経由でiPadで作成したノートや注釈を入れたPDFを同期してデスクトップ上で閲覧することが可能だ。日常的にiPadも併用している人にはおすすめだ。

また、iPad版と同じ機能をMac上でも使用することができる。インターフェースはiPad版とほとんど変わらないので操作に戸惑うことはないだろう。デスクトップ上で新たにノートを作成したり、PDFを読み込んで注釈を付けることができる。デスクトップ版の便利なところはノートにキーボードを使って素早くテキストを入力できること。手書きだけではなくテキストベースのノートも作成したい人に便利だ。iPadよりも大きな画面でノートを作成できるため、より詳細なノート作成が可能になる。

GoodNotes 5はPDFファイルを読み込むこともできるため、PDFビューアや注釈アプリとして使うのもいい。ページの入れ替えや抽出などのファイル操作も可能だ。

GoodNotes 5
作者／Time Base Technology Limited
価格／無料(App内課金あり)
カテゴリ／仕事効率化

Mac版GoodNotes 5でノートを作成・整理しよう

1 ノートにキーボードでテキスト入力する

GoodNotes 5でテキスト入力するには、ツールバーメニューからテキストボタンをクリックする。ツールバー右からテキストサイズやフォント、カラーを選択しよう。

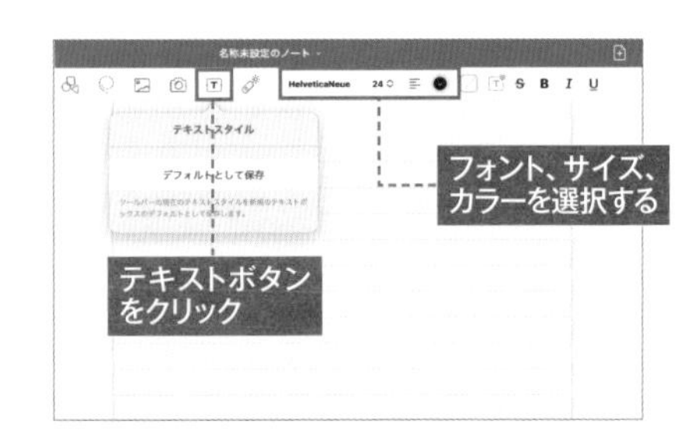

2 テキスト全体を1つのパーツとして扱う

キーボードでテキストを入力していこう。入力したテキスト全体が1つのパーツとして扱われる。ドラッグして位置を調節したり、左右にある青いマークをドラッグして大きさを調節できる。

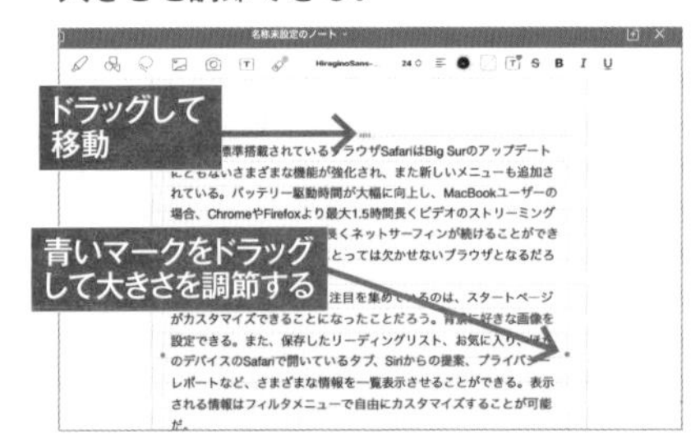

3 Mac上にある写真を貼り付ける

Macに保存している写真やファイルをノートに貼り付けるには、直接ドラッグ&ドロップすればよい。またツールバーの写真アイコンから「写真」に保存しているファイルをインポートできる。

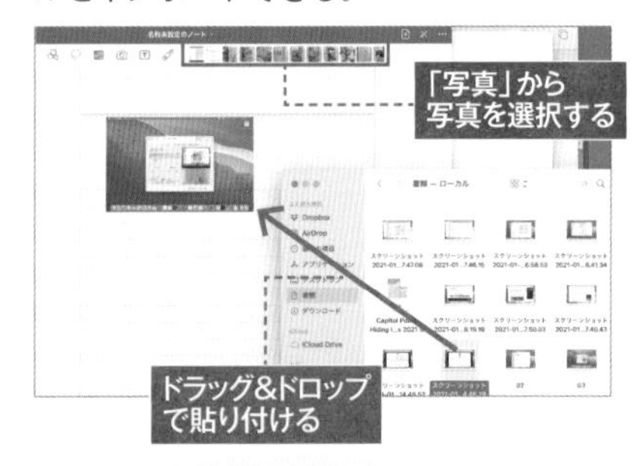

フォルダ機能や共有機能が便利なGoodNotes 5

GoodNotes 5がほかのノートアプリより優れている点はファイル整理機能だ。パソコンライクなフォルダ(Windowsの「エクスプローラ」、Macの「Finer」に近い)を作成してノートを分類することができ、フォルダ内にはサブフォルダを無制限に作成することができる。ノートの数が増えてきたら内容別にフォルダ分類するといいだろう。フォルダには好きな名前を付けることが可能だ。各ノートはデスクトップにドラッグ&ドロップすることでPDF形式にエクスポートできる。

GoodNotes 5は共有機能を搭載しており、ノートをほかのユーザーと共有して、作業することができる。誰でも閲覧可能状態にすることも可能だ。

1

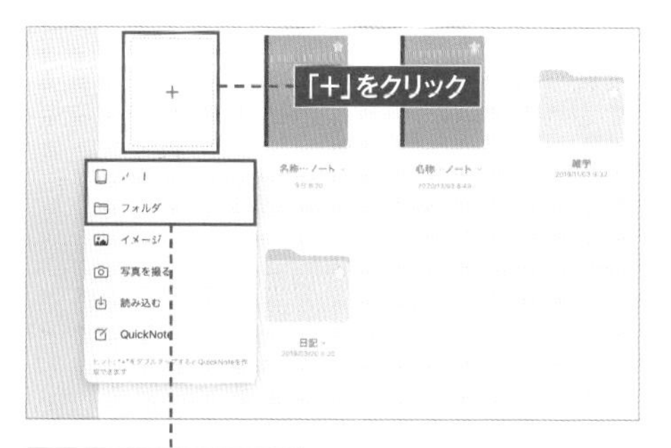

「ノート」もしくは「フォルダ」を選択する

ノートやフォルダを作成するには、書類画面で新規ボタンをクリックする。メニューが表示されるので「ノート」もしくは「フォルダ」を選択しよう。

2

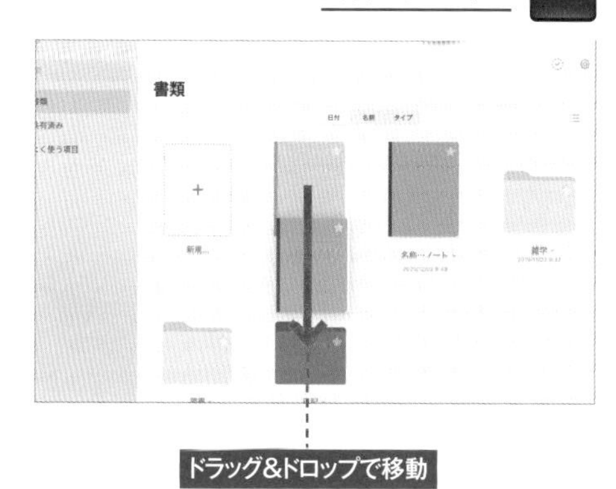

ノートやフォルダを移動するには、ドラッグ&ドロップすればよい。また、フォルダ内にさらにサブフォルダを作成できる。

3

「リンクを共有」をクリック

有効にする

「リンクを送信」をクリック

ノートを右クリックして「リンクを共有」をクリック。「共有可能なリンクを入手」を有効にして「リンクを送信」をクリックしよう。

4

共有リンクを送信するアプリを選ぶ。ここでは「メール」を選んだ。メールアプリが起動して共有リンクが貼られたメールが起動するのでアドレスを入力して送信しよう。

ほかのiPadノートアプリのMac版も使ってみよう

ここがポイント

GoodNotes 5以外にもMacに対応しているiPadのノートアプリはいくつかある。GoodNotes 5と並んで人気のノートアプリ「Noteshelf」や「Notability」もMac版がリリースされている。Noteshelfは多機能なことで知られるノートアプリ。Notabilityはオーディオの録音機能を搭載していることで人気のノートアプリだ。すでにiPadで愛用しているノートアプリがあればMac版があるかApp Storeで探してみよう。

4 PDFファイルをGoodNotes 5に読み込む

PDFファイルを読み込むには、書類画面の追加ボタンをクリックして「読み込む」からPDFファイルを選択しよう。

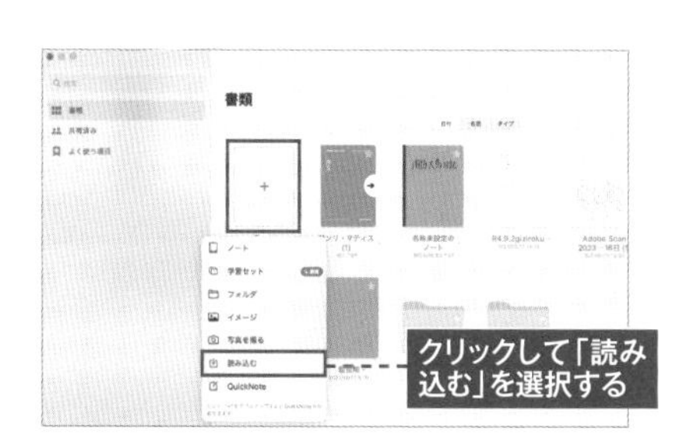

5 PDFに注釈を入力する

ペンやマーカーを使って注釈を入力しよう。右クリックから入力した注釈にコメントをつけることもできるが、このコメントはGoodNotesユーザー同士で共有している場合でないと閲覧できない。

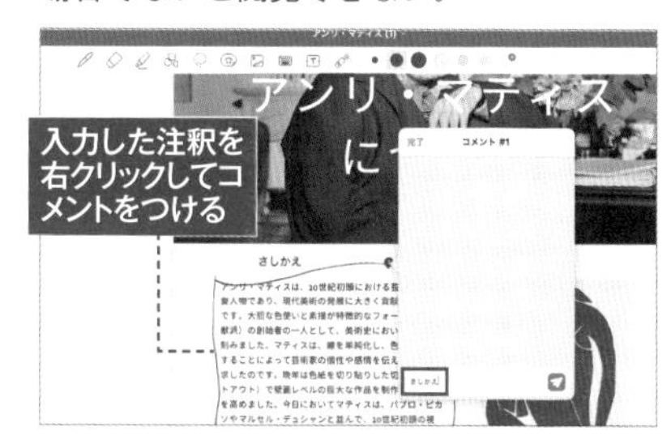

6 注釈をつけたPDFを編集可能にして書き出す

注釈を付けたPDFを書き出すには、共有メニューから「書き出す」を選択する。PDFデータ・フォーマットを「編集可能」にすると、ほかのPDFアプリで入力した注釈を編集できる。

標準アプリの便利テクニック

Numbers

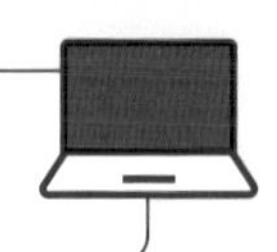

シンプルかつデザイン力に優れた表計算アプリ

データの集計やグラフ作成など、表計算は今や日常的なPCワーク。Macでは無料の表計算アプリ「Numbers」が用意されており、Microsoft Excelのようにデータを入力して計算したり、グラフを作成可能。さらにNumbersならではのメリットとして、ページの自由な位置に表や画像を挿入できるといった、レイアウトの自由さがある。直感的でわかりやすいデザイン力によって、単にデータをまとめただけの表ではなく、見やすく美しく提案力に秀でたシートを簡単に作成できる。

Numbers
作者／iTunes K.K
価格／無料 カテゴリ／仕事効率化

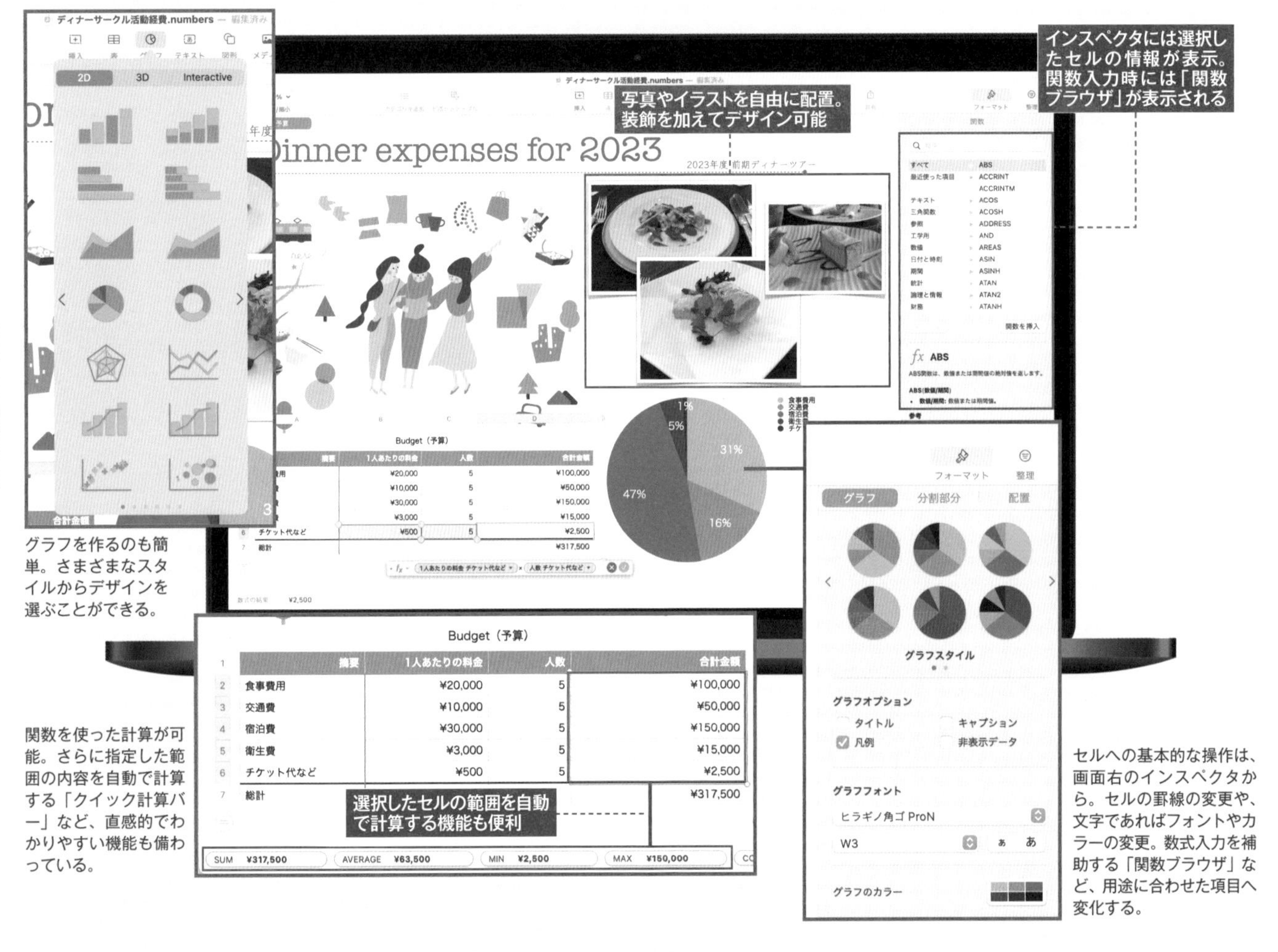

	摘要	1人あたりの料金	人数	合計金額
1	摘要	1人あたりの料金	人数	合計金額
2	食事費用	¥20,000	5	¥100,000
3	交通費	¥10,000	5	¥50,000
4	宿泊費	¥30,000	5	¥150,000
5	衛生費	¥3,000	5	¥15,000
6	チケット代など	¥500	5	¥2,500
7	総計			¥317,500

SUM ¥317,500 AVERAGE ¥63,500 MIN ¥2,500 MAX ¥150,000

写真やイラストを自由に配置。装飾を加えてデザイン可能

インスペクタには選択したセルの情報が表示。関数入力時には「関数ブラウザ」が表示される

グラフを作るのも簡単。さまざまなスタイルからデザインを選ぶことができる。

関数を使った計算が可能。さらに指定した範囲の内容を自動で計算する「クイック計算バー」など、直感的でわかりやすい機能も備わっている。

選択したセルの範囲を自動で計算する機能も便利

セルへの基本的な操作は、画面右のインスペクタから。セルの罫線の変更や、文字であればフォントやカラーの変更。数式入力を補助する「関数ブラウザ」など、用途に合わせた項目へ変化する。

表計算を身近にする美しくするNumbers

生活でも、ビジネスでも「電卓」では間に合わない集計が求められることは多い。そしてそれを書類として印刷、もしくは提出が求められるのも日常だ。Numbersはそんなときに誰でも利用できる表計算アプリとして活躍する。

表計算と聞くと、やはり「Microsoft Excel」がメジャーだ。確かにビジネスの現場では、Excelが一般的。また、マクロを含んだ複雑な表計算を求めるのであれば、Excelの方が適している。一方でNumbersはというと、ベーシックな表計算機能に加えて、レイアウトの自由度の高さを武器に、デザインが整ったシートとして作り込むことができるのが強みとなる。

なおかつ、操作がシンプルで、直感的に操れる易しさも見逃せない。価格も無料となるので、Macユーザーで表計算を利用したいのであれば、まずはNumbersを。Excel形式のファイルの読み書きにも対応しているので、簡単な表計算であればNumbersだけで十分賄えるはずだ。

01 マスト！ 基本

シートにある表の大きさと配置を変更する

Numbersの基本は表の操作から。シート内に配置された表の列や行の追加方法をマスターしよう。これには表を選択して、行または列の「〓」「=」をドラッグすればいい。もしくは、右下のハンドルをドラッグしても同様の操作となる。なお、表全体を別の位置へ移動したい場合は、表を選択して「○」をドラッグしよう。

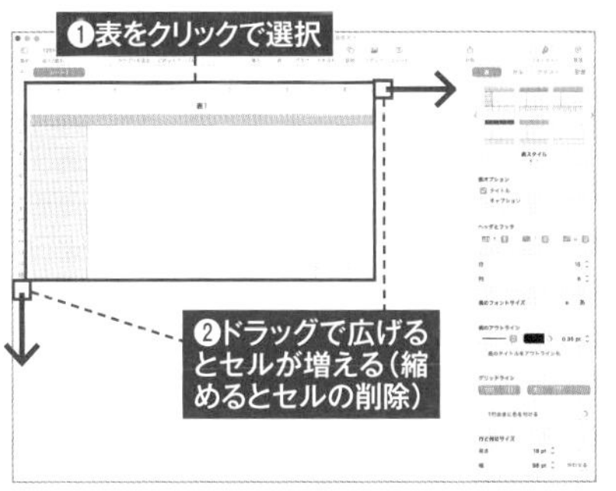

❶ セルの追加や削除は、表を選択して行または列の「〓」「–」をドラッグすればいい。

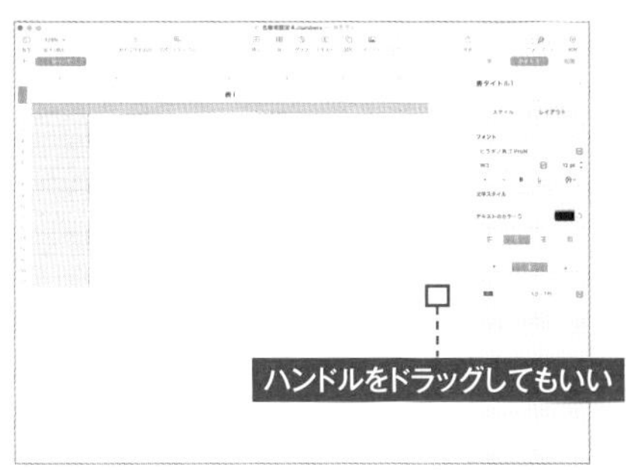

❷ 右下のハンドルをドラッグすると列と行の両方を追加できる。セル数を一気に追加したい場合にはこの方法を使おう。

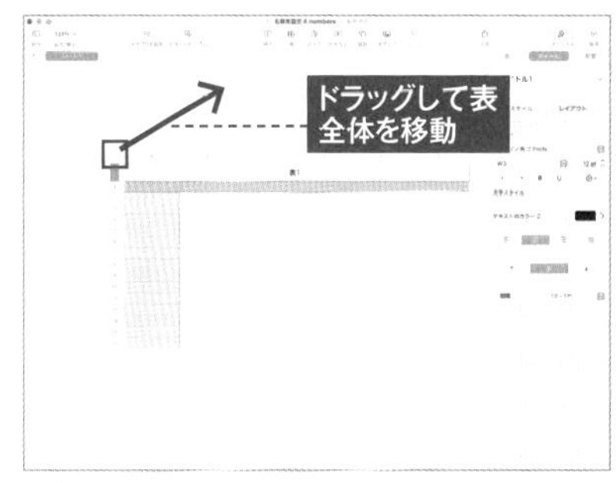

❸ 「○」をドラッグすると、画面内の任意の位置[illegible]

02 マスト！ 数式

セルに数式を入力する

データの計算・集計は表計算のメインとなるベーシックワーク。NumbersでもExcel同様「数式」を使った計算ができるが、数式の種類は非常に多く覚えるのは大変だ。そこで「挿入」ボタンを活用していこう。計算したい範囲を選択したら「挿入」ボタンをクリック。求めたい値を選べば自動的にセルへと数式が入力される。

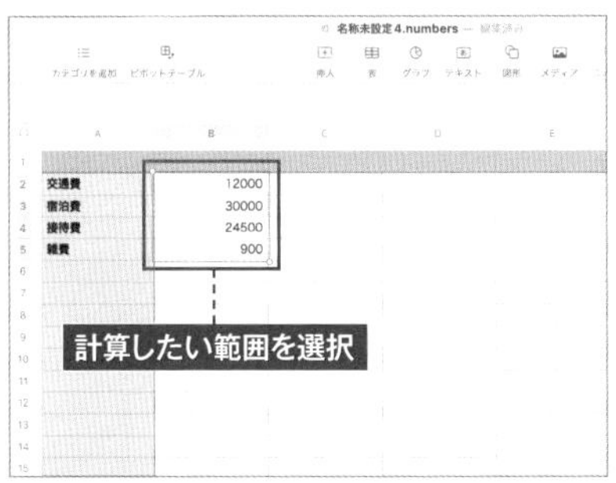

❶ 入力した数値の合計値を求めるには、計算したいセルの範囲をドラッグで選択する。

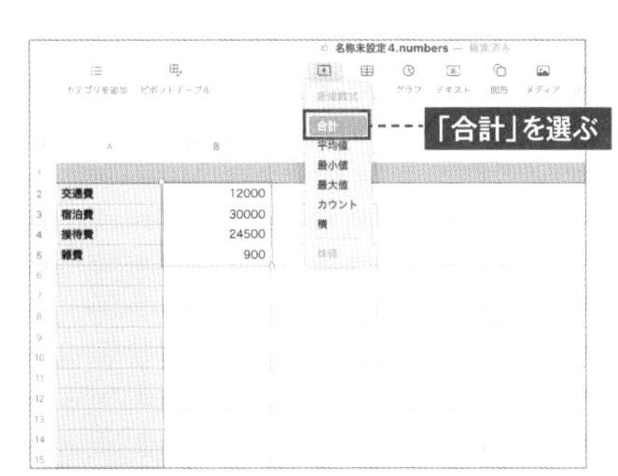

❷ 「挿入」ボタンをクリックして「合計」を選ぶ。

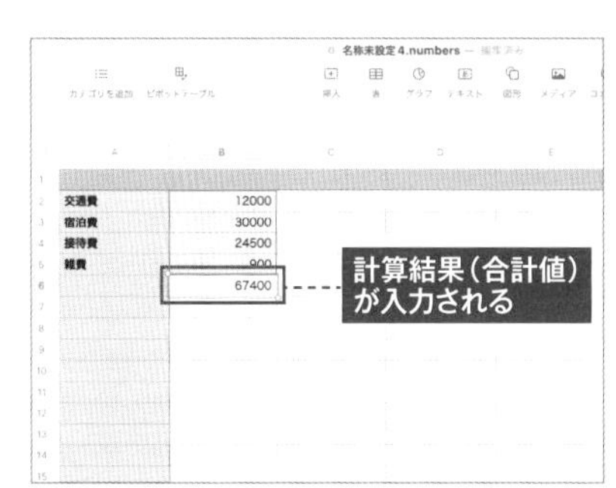

❸ 選択範囲の合計値が一段下のセルへと自動で入力される。

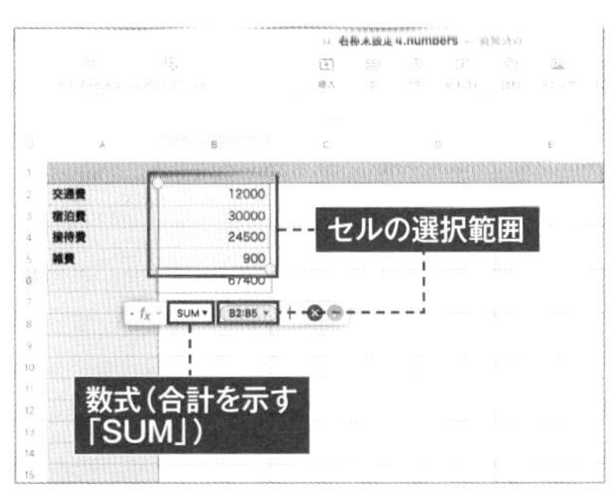

❹ 計算したい範囲を変更する場合は、数式が入力されたセルを選択してもう一度クリック。数式と範囲が表示される。

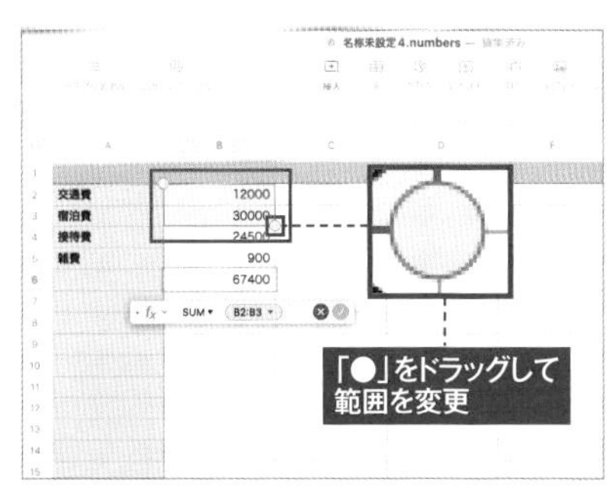

❺ 計算範囲の対角にある「●」をドラッグすると、範囲を変更することができる。

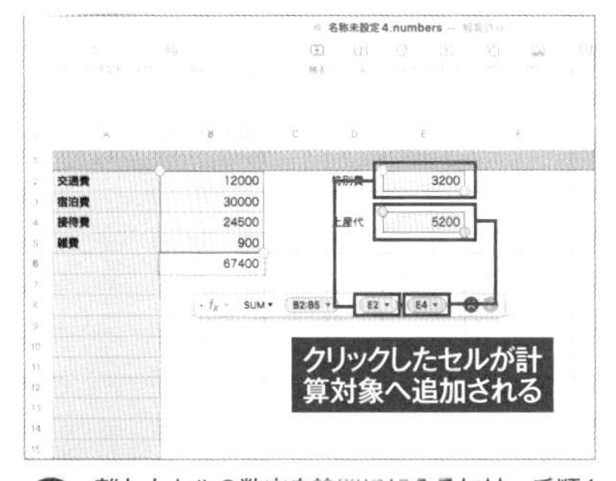

❻ 離れたセルの数字を範囲に加えるには、手順4の画面で対象のセルをクリックすればいい。なお、複数のセルをクリックで追加できる。

セルに数式を入力するときの効率化テクニックがある。「挿入」ボタンではなく、セルに「=」を入力してみよう。セルの下に関数入力ウインドウが展開され、画面右のインスペクタから関数を選んで入力。もしくは、直接関数を入力することもできる。

直接入力では、頭文字を入力するだけで、候補が表示されるので、合計（SUM）、乗算（PRODUCT）、平均（AVERAGE）など、よく使う関数を覚えておけば、高速で関数を入力できるようになる。73ページのテクニック❻を参照しよう。

編集

03 数式

数式を別の場所にコピーする

4月、5月、6月…など、月ごとの出費を計算したいときに、毎回数式を挿入するのは面倒だ。しかしこの場合は、数式が入力されているセルをコピーして、求めたいセルへとペーストすればいい。Numbers側が参照対象のセルの場所を自動的に解釈して計算してくれる「相対参照」となるので、実際の数式挿入は1回で済む。

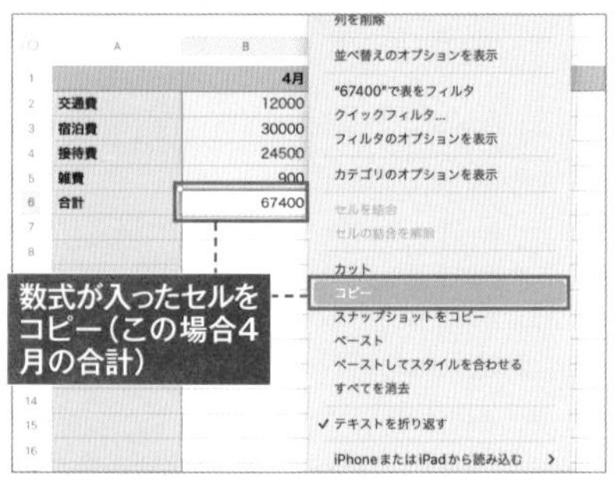

数式が入力されているセルを右クリックして「コピー」する。

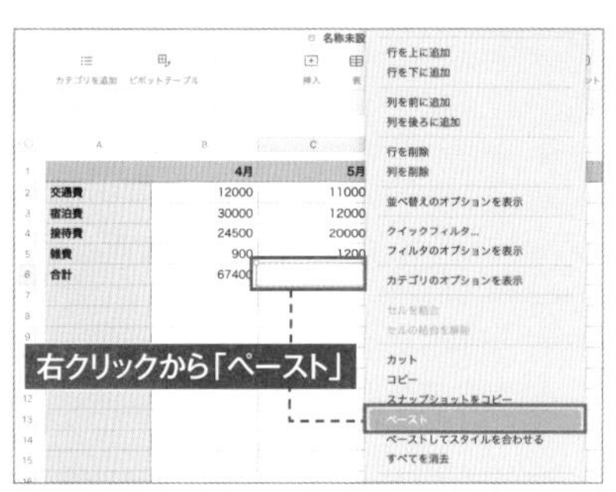

2 同じ数式を追加したいセルを選択して、右クリックから「ペースト」を選択。

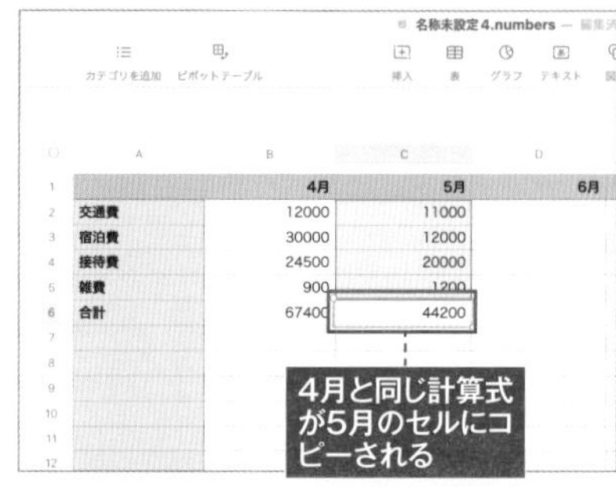

3 相対参照が働き、4月と同じ列の計算が5月の列でも適用され、5月の合計値が入力される。

04 数式

常に同じセルを参照する「絶対参照」を使いこなす

数式を複製すると「相対参照」となるが、セルやシートの構造によっては同じ規則でコピー＆ペーストしたのでは、計算結果が間違ったりエラーが出てしまうこともある。例えば手順1～2のように、「片方のデータ（倍率）は常に同じセルを参照する」といったケース。この場合は、常に特定のセルを参照する「絶対参照」を使おう。

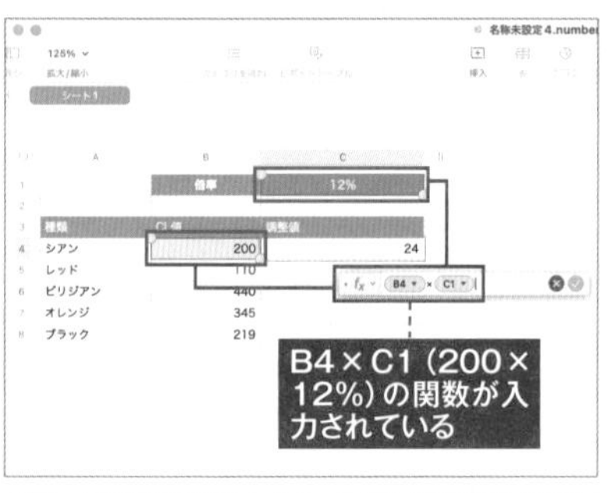

1 ここではC4のセルへ、シアンの値「B4（200）」に倍率「C1（12%）」を掛ける関数を入力している。

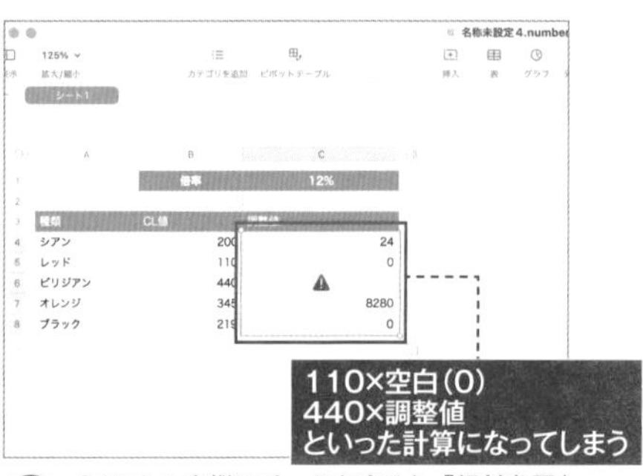

2 C4のセルを縦にペーストすると「相対参照」によってB列×C列の値が求められてしまうため、計算がおかしくなってしまう。

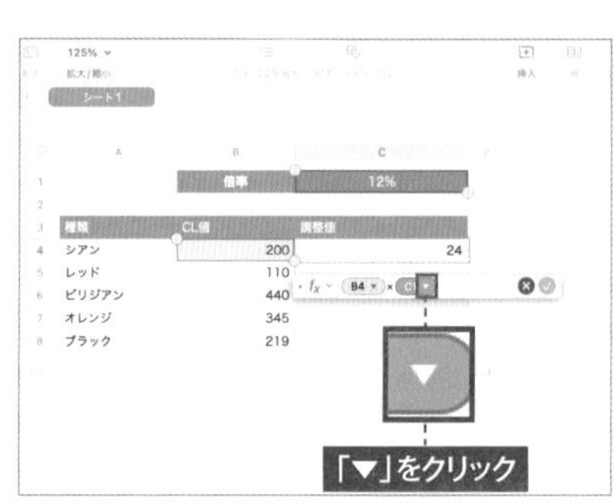

3 計算のズレを防ぐために必要なのが「絶対参照」。最初の関数を入力したセルをダブルクリックし、常に参照したいセルの「▼」をクリック。

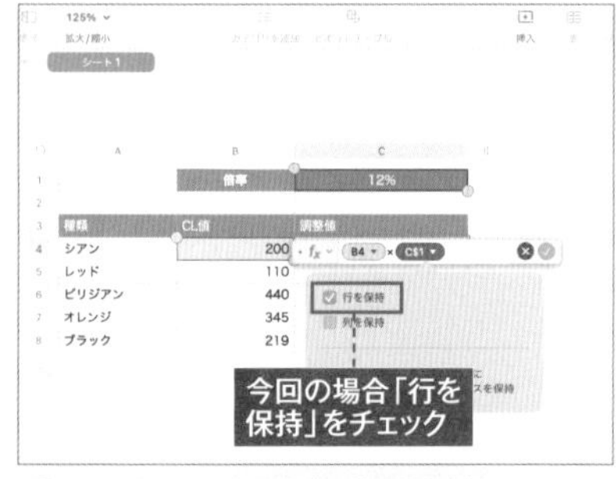

4 保持したい参照位置（「行を保持」、もしくは「列を保持」）にチェックを入れる。

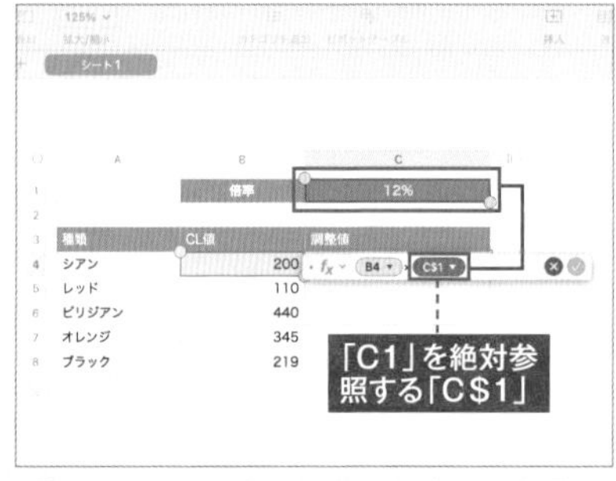

5 これにより計算式はどこにコピーしても「C1」を絶対参照する「C $1」という式へ変化する。

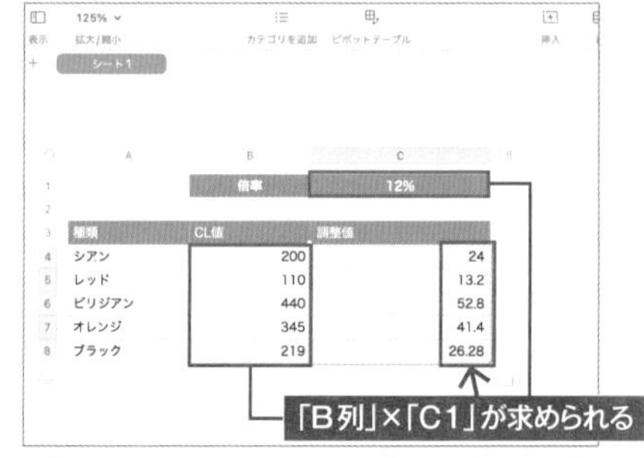

6 セルを連続してコピーしても、C1の値が常に参照されているので、「B2列」×「C1」の値が導き出される。

家計簿や経費の計算など、会計をNumbersで行うには「絶対参照」は必須のテクニック。これらのシートでエラーが起こる場合、原因の多くが参照データの間違いとなるため、計算が合わなかったりエラーになってしまった場合は、参照するデータが相対参照なのか絶対参照なのかを確認するといい。

なお、これらの参照ルールはシートをまたいでも有効だ。複数の値を参照する会計シートなどを作る場合には、必ず必要になってくるので、これら参照の仕組みを必ず覚えておこう。

05 デザイン

表のスタイルをより見やすくアレンジする

NumbersがExcelに勝る最も大きなポイントが、デザインの美しさ。表を見栄え良くカスタマイズできるため、第三者に提出する書類などは説得力アップへと繋がるはずだ。しかもこの調整も簡単。表を選んだら、インスペクタからスタイルを選ぶだけ。表の背景色や、表全体のフォントサイズの調整も、一瞬にして変更できる。

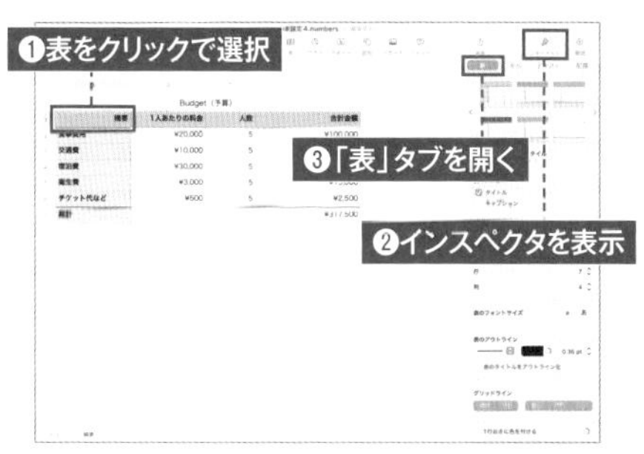

1 表を選択した状態で「フォーマット」ボタンをクリック。インスペクタから「表」タブを開く。

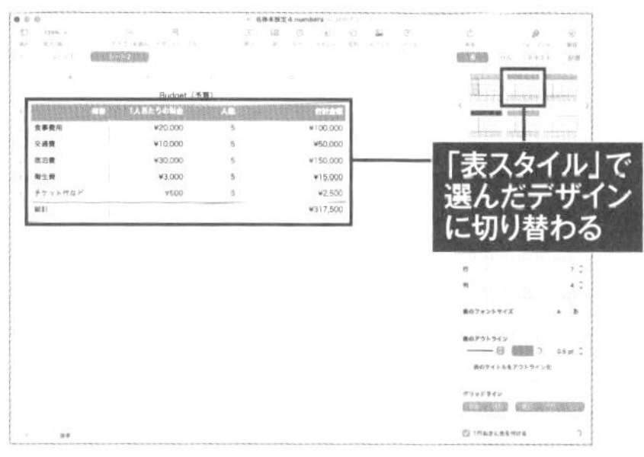

2 「表スタイル」から適用したいスタイルを選べばいい。表のデータを保ったまま一緒にデザインが変更される。

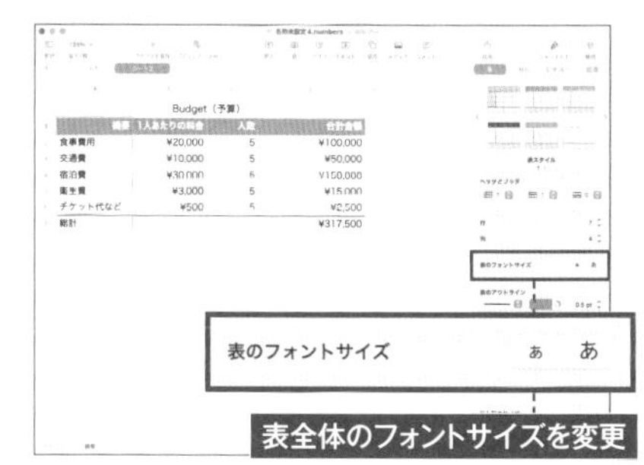

3 「表のフォントサイズ」では表全体のフォントの大きさをまとめて変更できる。

ピンポイントテクニック早見表

テクニック 1 合計を素早く求める

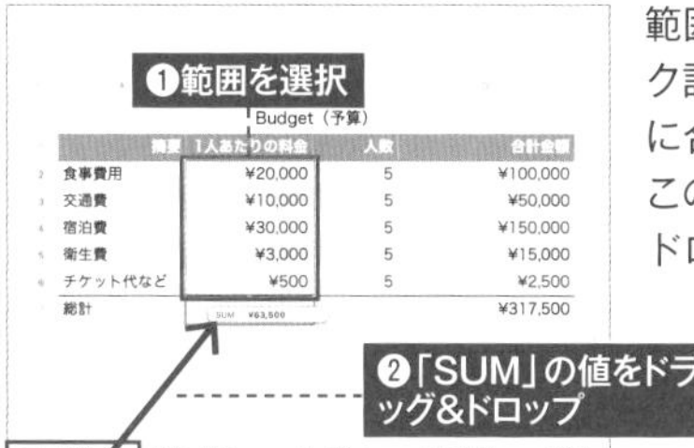

範囲を選択したら「クイック計算バー」から「SUM」に合計が自動計算される。この値をセルにドラッグ&ドロップすればいい。

テクニック 2 フォントを変更する

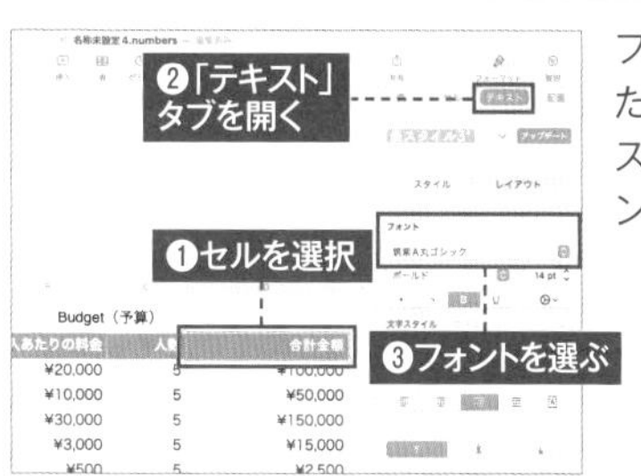

フォントは、セルを選択したらインスペクタの「テキスト」タブを開き、「フォント」から変更できる。

テクニック 3 セルの色を変更する

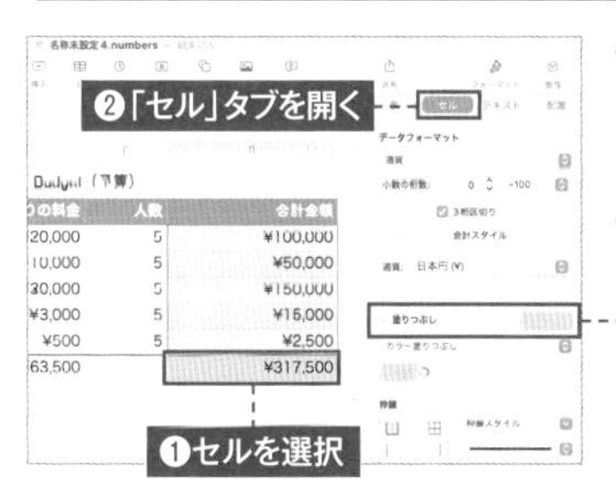

セルを選択したらインスペクタの「セル」タブを開き、「塗りつぶし」からセルの色を変更できる。

テクニック 4 罫線を引く

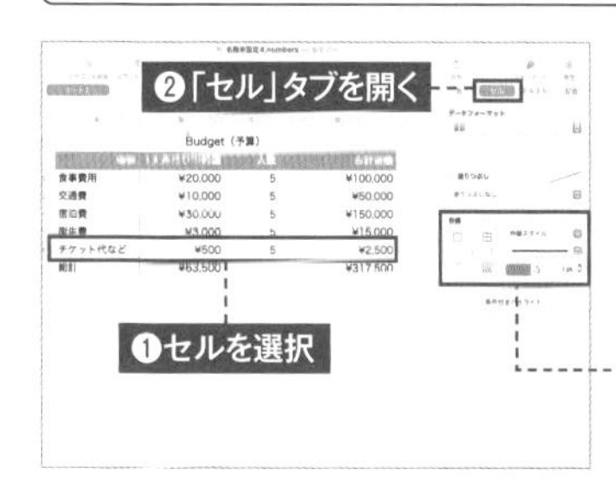

セルを選択し、インスペクタの「セル」タブを開く。「枠線」から線の種類を選び、スタイル、線種、色などを変更しよう。

テクニック 5 1行おきに色を付ける

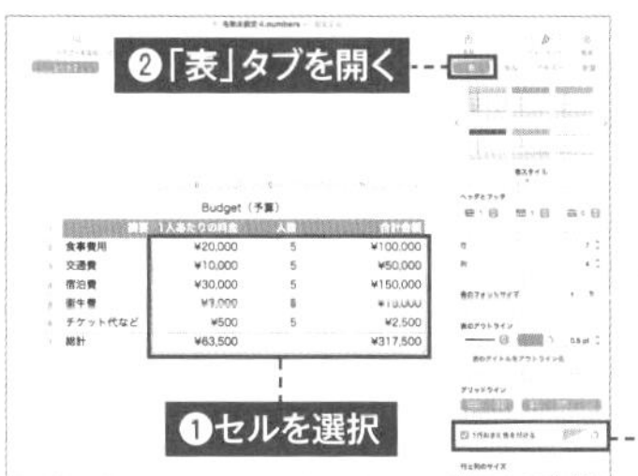

セルの範囲を選択し、インスペクタの「表」タブを開く。「1行おきに色を付ける」にチェックを入れ、適用したい色を選ぼう。

テクニック 6 関数ブラウザを表示させる

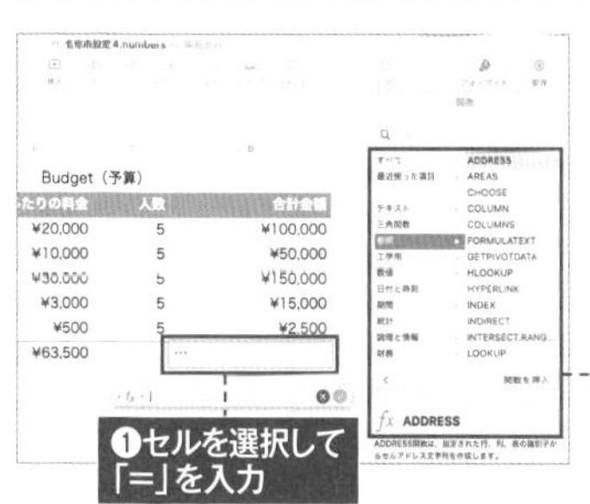

セルを選択した状態で「=」を入力すると、インスペクタに関数ブラウザが表示され、さまざまな関数を選んで入力できる。

ベスト・テクニック!!

Googleスプレッドシートをもっとアクティブに使おう!

表計算ではExcel、Numbersと並び、「Googleスプレッドシート」も有力な選択肢。機能を理解して扱えば専用アプリと遜色ない表計算が行える。

Google謹製! Excel、Numbersに並ぶ無料のWebアプリ

表計算を語る上で「Googleスプレッドシート」の存在は欠かせない。言わずもがな、Googleが展開しているOfficeスイートのひとつで、ブラウザ内で利用できる表計算のWebアプリだ。

このGoogleスプレッドシート、誰でも無料で利用できるとあって、やや軽視されがちな印象がある。しかし、改めて機能をチェックすると非常に多機能。利用者目線に沿ってわかりやすくまとまっているため、じっくりと向き合えば、ExcelやNumbersと遜色ないクオリティの表計算機能を享受できるポテンシャルがある。

Excelへの互換性も確保されているのがありがたい。Excel形式のデータを読み込むことができ、Excel形式やPDF、HTMLといった形式での出力にも対応。Excelが使えないシーンでも、ブラウザさえあれば表データを展開できるのは非常に心強い。シンプルな表計算であればGoogleスプレッドシートで十分に完結できる。

Webサービスで、しかもGoogleアカウントさえあれば、誰でも利用できる手軽さも魅力的。ひとつの表を複数人で同時編集することも可能で、編集履歴をたどれるため、グループワークでも活躍する。OfficeやNumbersもWebアプリがあるが、アクセスしやすさという面で見るとGoogle一強は崩れないだろう。

Microsoft Officeのサブスクリプションを契約している人は別として、ときおり表を操作する程度であれば、Googleスプレッドシートで機能は十分なはず。この優秀な表計算サービスをもっと意欲的に活用していこう。

Googleスプレッドシート
URL:https://doc.google.com/spreadsheets?hl=ja

3 表計算はGoogleスプレッドシートで十分だ

共同編集者やゲストとコメントでやりとりできる

複数人で同じ表を共有。編集しあったりコメントを残せるため、グループワークでも活躍。Googleアカウントだけで利用でき、ゲストアカウントからの閲覧・編集もできるため、進行管理などで特に便利だ。

自動保存された編集履歴から、版を復元できる

ファイルはクラウド(Google Drive)に自動保存される。編集履歴を辿って昔の版へと復元することも可能だ。

ブラウザから利用できるWebアプリながら、グラフを含めた本格的な表計算が可能。また、Excelの表データを読み込み・編集・保存することもできる。

このテクニックのポイントは?

- ブラウザから誰でも利用できるWebアプリ。
- グループワークなど複数人で同時編集が便利。
- 表を見やすくカスタマイズできる。

セルの塗りつぶしや自動色分けも当然可能。スタイルから選ぶだけで見やすく色分けしてくれる。また、次のページで紹介しているテクニックを使えば、素っ気ない表もより見やすくスタイリッシュになる。

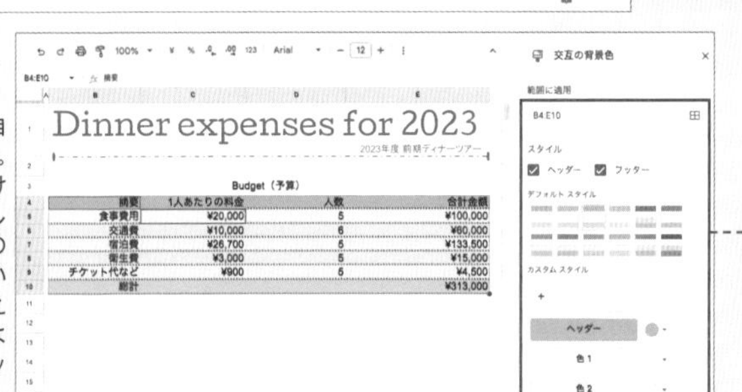

表の塗り分けも簡単にできるなど、デザイン力も備わっている

スプレッドシートを見やすくカスタマイズする

1 よくあるスプレッドシートの場合

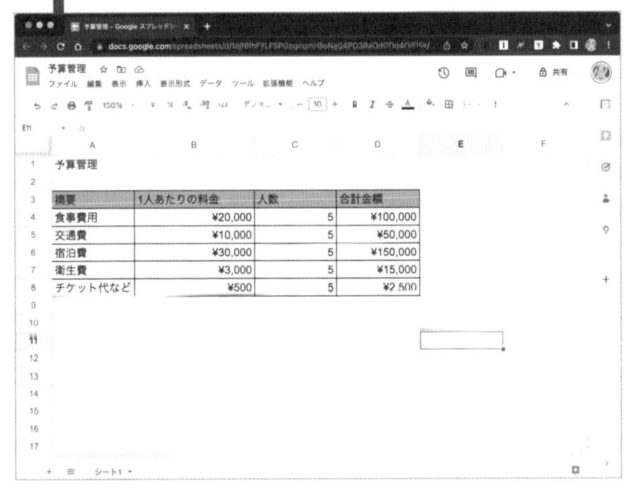

データとしてはまとまっているが、無骨で情報が煩雑。これを見やすくカスタマイズしていこう。

2 グリッドラインを削除する

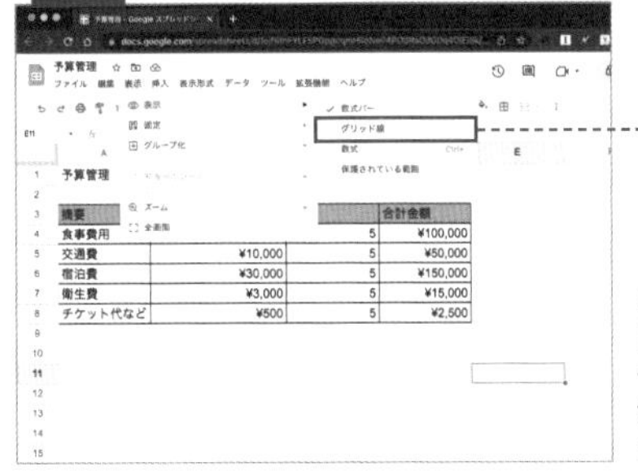

まずは「表示」→「表示」→「グリッド線」のチェックを外そう。背景のグリッドラインが消えるので、表をより目立たせられる。

3 見出しの位置を揃える

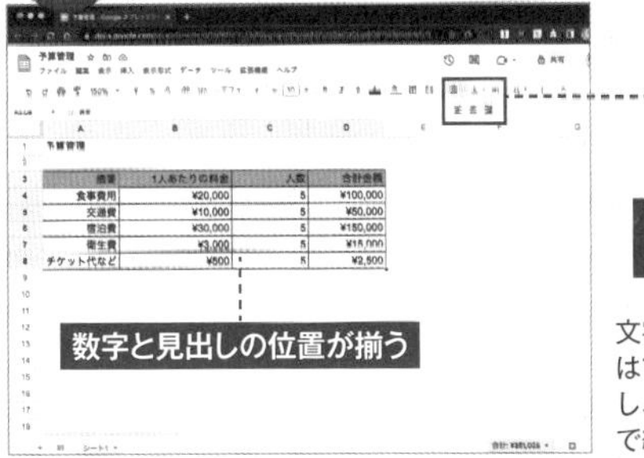

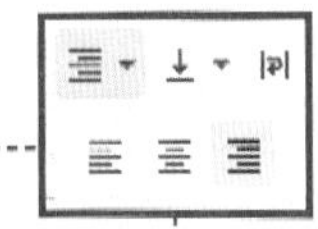

文字と数字の位置が不揃いなのはアンバランス。表全体を選択し、「水平方向の配置」を「右」で統一しよう。

1 セル幅と見出し色を調整する

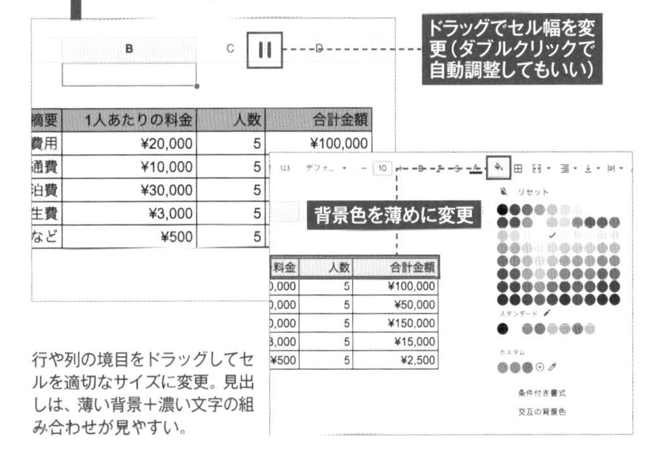

行や列の境目をドラッグしてセルを適切なサイズに変更。見出しは、薄い背景+濃い文字の組み合わせが見やすい。

2 セルの枠を横のみ+点線で描く

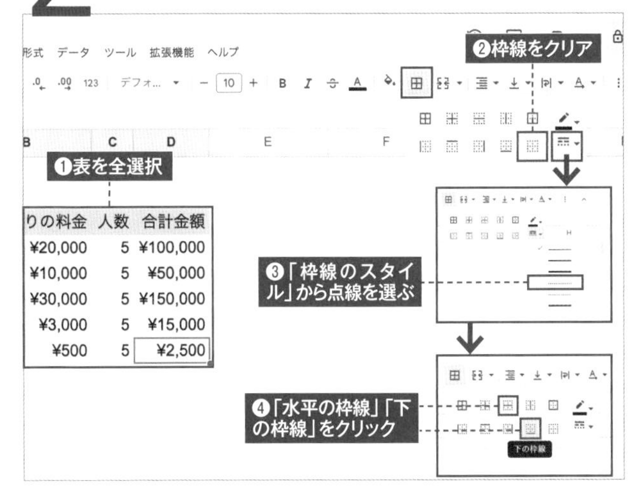

表を全選択して、「枠線」ボタンから「枠線をクリア」。「枠線のスタイル」で点線を選び、「水平の枠線」「下の枠線」をそれぞれクリックする。

6 スッキリして見やすい表が完成

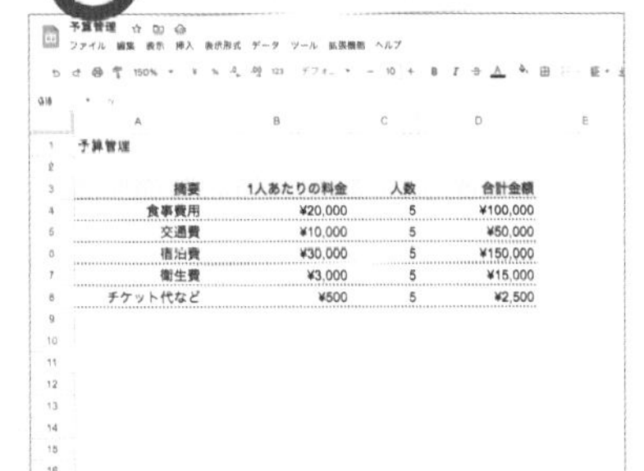

シンプルながら、数値や見出しの情報がより目立つように整理された表になった。最初の表と比べると見やすさは段違いだ。

まとめ 必要十分な性能 さまざまな用途でスプレッドシートは活躍する

無料で利用できるがゆえ、Excelと比べるとGoogleスプレッドシートは過小評価されがち。しかし、マクロを用いないシンプルな計算や、グループワークでのデータ・進行管理など、プライベートでもビジネスでも一線で活躍できる機能が揃っている。このページで紹介したように、カスタマイズ次第では表を見やすくシンプルに見せることも可能だ。Webアプリならではの制約もあるが、オンライン上で完結でき、どの環境からも同じデータを操れるという点は、現代のワークスタイルともマッチしている。

さまざまなシーンで役立つGoogleスプレッドシート、ぜひ積極的に活用していこう。

ベスト・テクニック!!

iMovieでも動画編集は充分に行える!

Macには初心者でも使える動画編集アプリiMovieが標準搭載されているが、フィルターやエフェクト、テンプレートなどを使えば、豪華な見た目の動画も作成可能だ。

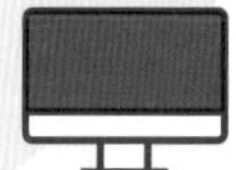

無料で高機能な動画編集が簡単にできる

Macには無料で使える動画編集アプリ「iMovie」が標準で搭載されており、初めて動画編集に挑戦するユーザーに特におすすめだ。

iMovieの特徴の1つは、シンプルで直感的なインターフェースだ。画面上のメニューや操作パネルは、複雑さを排除しており初めてでもスムーズに操作することができる。

iMovieは起動して、表示されるタイムラインに編集したい動画をドラッグ&ドロップで追加することで、クリップが作成される。このクリップは右クリックメニューやマウス操作で自由に編集することができる。さらに、複数のクリップをタイムラインに登録し、同時に編集することも可能だ。

iMovieは初めてYouTube動画を作成したい人にも便利だ。多彩な編集機能を備えている。ビデオから余計なシーンを削除したり、ほかの動画と結合することができる。テロップを挿入することもできるので、動画に字幕をつけることができる。iMovieは字幕に使うのに便利なタイトル素材があらかじめ多数用意されており、入力した字幕の表示位置、表示時間、サイズ、カラー、フォントなどを選択できる。音楽(BGM)ファイルも追加できる。複雑な編集の不要なYouTube動画であれば、高価で操作の難しいアプリを購入する必要はない。

iMovieですべてが可能！というわけでないが、基本的な動画編集は充分に行える。内蔵されているフィルターやエフェクトを使えばより魅力的な動画に仕上がるだろう。また、テンプレートやテーマを利用することで、見た目にも華やかな動画を作成することも可能だ。

iMovie
作者:Apple
価格:無料
標準アプリ

3

iMovieで使える便利な動画の編集機能

iMovieでできること

動画の分割

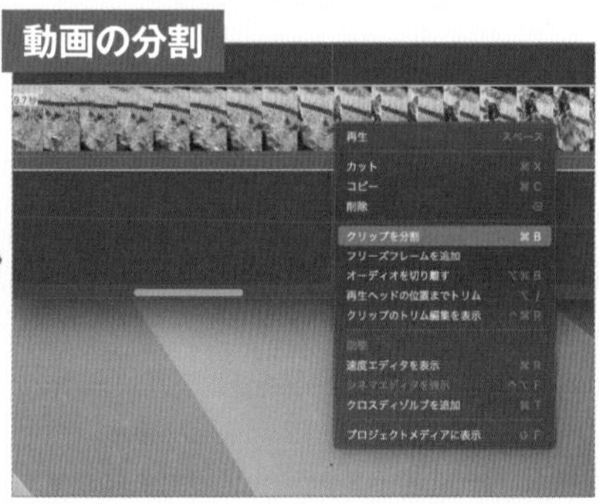

登録した動画の指定した部分を分割できる。分割したファイルは削除したり、再生順番を入れ替えるなどの編集ができる。

字幕の挿入

動画の好きな場所に字幕を挿入できる。字幕の表示時間、大きさ、表示場所、フォントスタイルなどをカスタマイズできる。

このテクニックのポイントは?

Macには無料の動画編集アプリ「iMovie」が標準搭載されている。

使いやすいインターフェースと操作感で動画編集初心者におすすめ!

高度な編集機能を備えており、魅力的な動画作成が可能!

BGMの挿入

動画クリップとは別にBGMファイルを追加できる。標準でiMovieに搭載されている効果音や音声ファイルのほか自分で用意したBGMファイルも挿入できる。

多彩な特殊効果

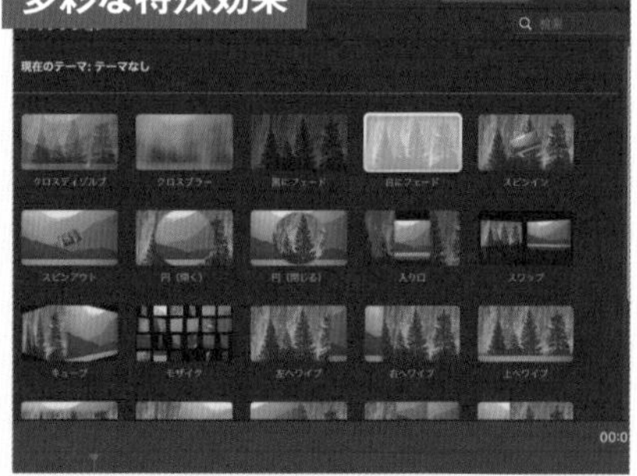

シーンとシーンの間にさまざまなトランジションを追加したり、映像の色調を調節することができる。

動画のカット編集をしてみよう

1 動画をタイムラインに登録する

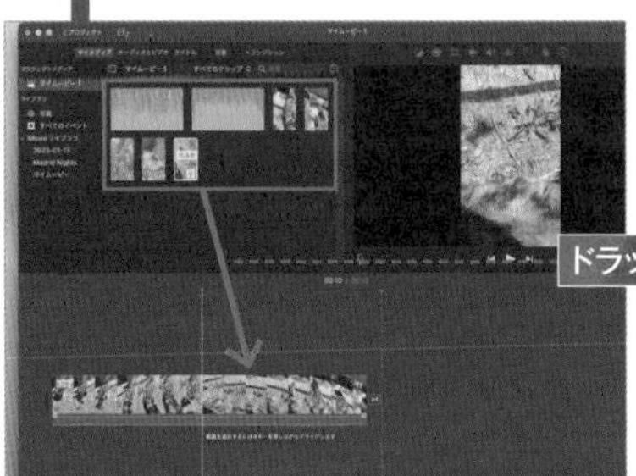

iMovieを起動したら「マイメディア」に編集したい動画を登録し、下部のタイムライン画面にドラッグ&ドロップで登録する。

2 クリップを分割する

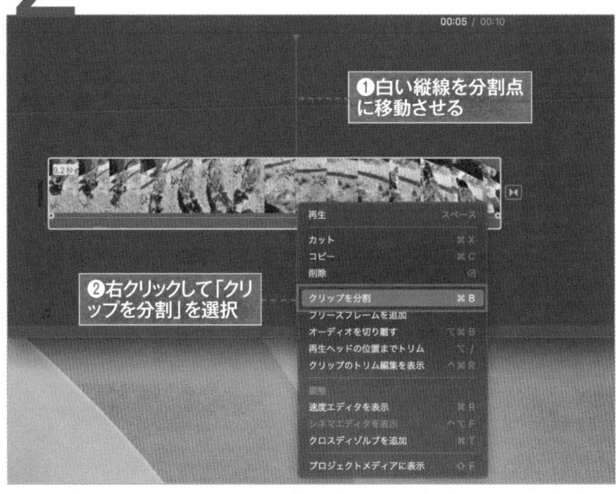

マウス操作で白い縦線を分割したい場所に移動させ、右クリックして「クリップを分割」を選択しよう。

3 余計なクリップを削除する

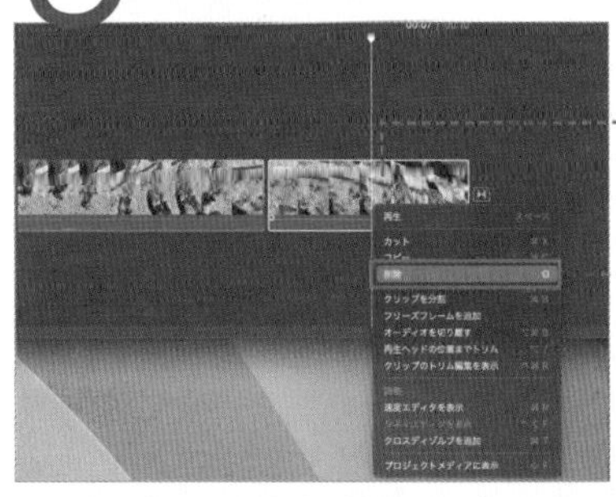

クリップが分割されたら、余計な方のクリップを選択して右クリックし、「削除」を選択しよう。

動画に字幕を挿入する

1 「タイトル」画面を開く

「タイトル」タブを開き、使用したい字幕のパターンを選択してタイムラインにドラッグ&ドロップしよう。

2 字幕の位置と内容を設定する

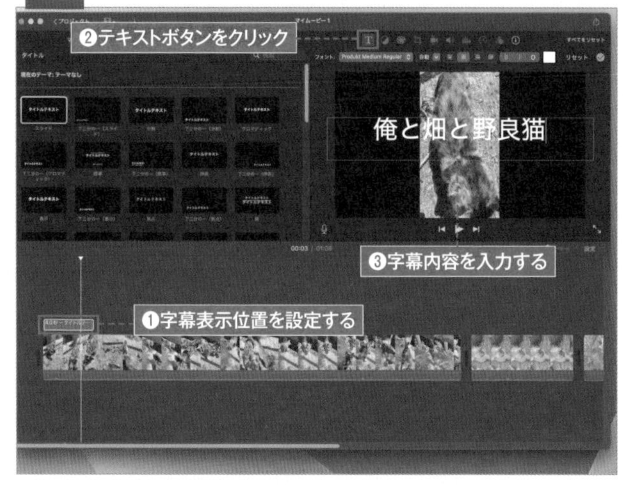

字幕の表示する位置をマウス操作で設定し、字幕内容を設定しよう。

3 字幕をカスタマイズする

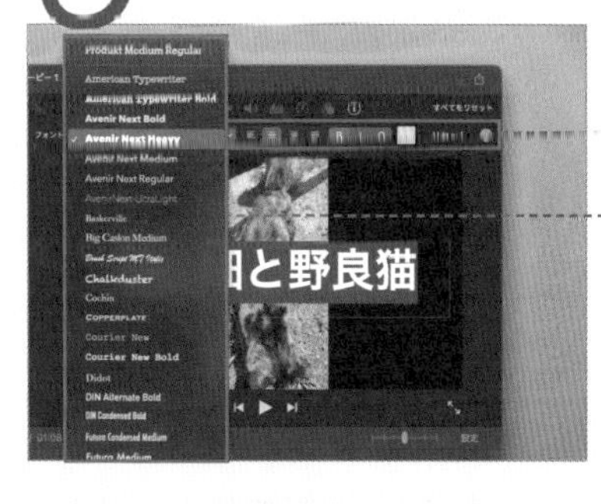

字幕のサイズ、カラー、フォントをカスタマイズできる。上部のツールバーでカスタマイズしよう。

まとめ 初心者には便利だが慣れてくると物足りない点も

iMovieはシンプルな動画編集にはとても便利なツールだが、利用できる機能は無料だけあって最小限だ。たとえば、重ねられる映像、画像の数が少なく、また使える字幕のパターンの数や、文字の入力位置も固定であったりと物足りない。動画編集の基本を理解し、今後さらにYouTubeで多くの人に見てもらえる動画を作りたい人は、無料だが多機能な「DaVinci Resolve」や有料の「Final Cut Pro」などに乗り換えを検討しよう。これらのアプリは格段に機能が豊富であり、より高度な編集作業を行うことができる。

ベスト・テクニック!!

動画編集はここまで楽に!? 「CapCut」の文字起こし機能に注目!

動画編集と聞くと数万円もするアプリやサブスクリプションが必要。といったイメージもある。しかし、趣味で楽しむのであれば、無料で使いやすい「CapCut」を試してみよう。

有料アプリ顔負け! 多機能とわかりやすさを両立した動画編集アプリ

YouTube や TikTok など、現代のコミュニケーションは動画が中心。昨今はスマホやタブレットでもカジュアルに動画編集や投稿ができるが、作業効率と編集の多彩さを考えるとやはりデスクトップアプリの方が有利だ。特に動画編集の入門としておすすめなのが「CapCut」だ。

スマホやタブレット用アプリもリリースされているが、Mac版はさらに機能が強化。プロ向けの「Final Cut Pro」風な画面レイアウトで、ほぼ同様のタイムライン編集を行うことができる。また、編集に必要となるBGM、SE、エフェクトなどの特殊効果も標準で用意されており、簡単に凝った動画を作成可能。ビギナーは手軽で楽しく、上級者はこだわり抜いた動画を作成できるアプリになっている。

特にユニークなのが、動画でしゃべった内容を自動でテロップにしてくれる、「文字キャプション」という機能。動画編集の中でテロップ付けは非常にウエイトの重い作業で時間がかかるが、CapCutであれば一瞬。Googleの自動文字起こし機能と肩を並べるレベルで正確にセリフを認識し、動画にキャプションを自動追加してくれる。手動でイチから手入力するのに比べると、作業時間は雲泥の差だ。

なお、文字は動画のシーンごとにバラバラの状態であり、ひとつのテキストファイルにまとめることはできない。議事録を作成したい場合やインタビュー動画の文字起こしなどには「Vrew」アプリがいい。このあたりは用途に合わせて使い分けていこう。

CapCut
作者:Bytedance Pte. Ltd
価格:無料
カテゴリ:写真/ビデオ

3

プロ用アプリ並の編集機能が備わったCapCut

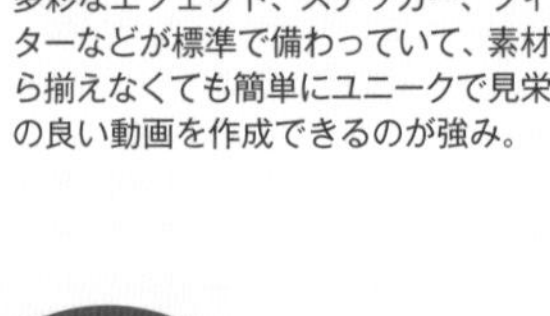

多彩なエフェクト、ステッカー、フィルターなどが標準で備わっていて、素材から揃えなくても簡単にユニークで見栄えの良い動画を作成できるのが強み。

プロ向け動画編集アプリをお手本にしたかのように、見やすく使いやすいレイアウトでタイムライン編集が可能。機能も豊富で、動画を重ねたり、テロップを追加したり。本格的な動画編集がカジュアルに楽しめる。

BGMやSEなど、オーディオ素材も揃っている。趣味の範囲で利用するならこれらを使っても良い。TikTokやSNS、YouTubeにアップロードする場合は楽曲の著作権の確認も行っておこう。

このテクニックのポイントは?

- 本格的なタイムライン編集ができる。
- 多彩なフィルターやスタンプが利用できる。
- リモート会議の文字起こしなどにも効果大。

動画ファイルに自動でテロップを追加する

1 「自動キャプション」をクリック

自動で字幕を作るには、「テキスト」メニューをクリックして「自動キャプション」→「作成」とクリックする。

2 字幕が自動で追加される

動画のセリフ（音声）を解析して、文字起こし→字幕の追加までを自動で行ってくれる。

3 追加された字幕は編集が可能

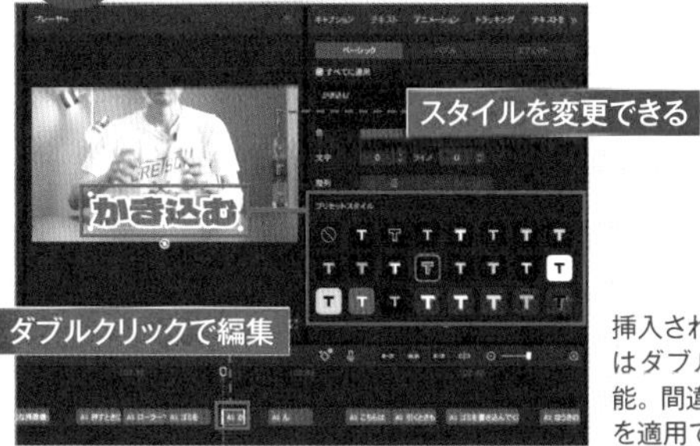

挿入された字幕（キャプション）はダブルクリックから編集可能。間違いを直したりスタイルを適用できる。

オンライン会議動画の文字起こしにも

1 Zoomの録画を読み込ませて自動字幕

Zoomの録画データで自動キャプションを実行すれば、字幕が見返す際に役に立つ。ただしひとつのテキストにまとめることはできない。

POINT

文字起こしをテキスト出力したいなら「Vrew」アプリを使ってみよう

議事録やインタビュー動画の文字起こしなど、会話のテキスト化には「Vrew」アプリがいい。動画に自動でキャプションを振れるアプリで、文字起こしされたデータはタイムスタンプ付きのテキストファイルとして出力可能。この音声分析はひと月に120分まで無料で利用できる。

Vrew
作者名:Voyager X Co., Ltd
価格:無料（音声分析は120分/月まで）
URL:https://vrew.voyagerx.com/ja/

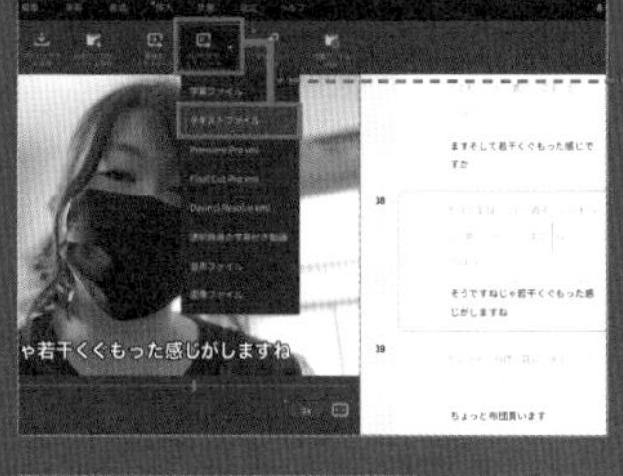

Vrewで動画を読み込み、自動でキャプションを振ったら「他の形式でエクスポート」→「テキストファイル」とクリック。

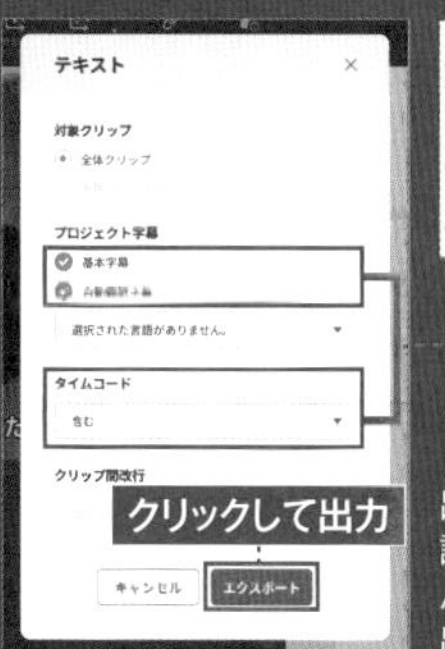

出力する字幕の種類、タイムコードの有無を設定して「エクスポート」をクリック。読み込んだ動画と同じ場所にテキストファイルとして出力される。

まとめ この使いやすさは「動画」への機会がもっと身近で手軽になる

CapCutはシンプルにも、こだわった編集にも、どちらにも応えてくれる優秀な動画編集アプリ。これだけの機能が無料で開放されているのは、正直驚きを隠せない。Macでの動画編集は「iMovie」が備わっているが、機能としては物足りないので、このCapCutも考慮してはどうだろうか？ 編集時間を短縮できつつ、動画のクオリティもアップするはずだ。

用意されたBGMの中には、著作権に気をつけなければならないものもあり、利用範囲が非営利目的に限定されるといった点は留意するポイントだが、趣味での動画編集がグンと身近になることは確かだ。

Mac周辺機器紹介 **Mac Gadgets!!!**

外付けストレージを考える

現代の SSD は内蔵ストレージとさほど変わらない印象で作業できる！

Macの内蔵ストレージだけでは、どうしても使っているうちに容量の限界がくるので、外付けのストレージ、つまりHDDやSSDが必要となる。これらも容量、価格、速度などでさまざまなタイプがあるので、ベストなものを考えよう。

データを貯めておければいいのか、そのデータを作業に使うのか？

Macは購入時にストレージのサイズを選べるが、多くの人は価格的に、256～512GBぐらいを選ぶのではないろうか。その後半年ぐらいはそのままのストレージ容量でもったとしても、その後のことを考えると、頻繁に使わないデータは外付けに逃がしておかないと、内蔵ストレージの空きがなくなり、作業に問題が発生してしまうだろう（少なくとも20～30％の空き容量を確保しておくのが、快適な速度でMacを使い続けるポイントである）。ここでは、外付けに逃がすデータを3つに分類して考えてみよう。

一通りの作業を終えた状態の、ほぼ保存しておくだけのファイルを保存しておくならHDDタイプで充分だろう。動画編集を終えて、残ったデータや使わなかったもの、すぐに必要とはならないような写真のRAWデータやJpgファイル、そのほか雑多なPDFファイルやオフィスのファイルなどが該当する。USB3.0ぐらいで接続できるHDDであれば問題ないので価格重視で選ぶのがおすすめだ（USB2.0接続でもOKかもしれない）。

頻繁に使うファイルや、すぐに参照する必要のあるデータなら、USB接続のSSDを選ぶのがベストだ。現在編集中の動画ファイルや写真のファイルなどはもちろん、細かいテキストファイル、PDFファイルなどもSSDの方が圧倒的にアクセスが速いので、ここは価格よりもストレージの速度を重視した方がいいだろう。その際は、ある程度大きめの容量を選んだ方がコスパが高くなる。

そして現在、普通にSSDを考えると、USB接続が王道ではあるが、とにかく速度を重視するなら、Thunderbolt接続を選ぶ手もある。Thunderbolt接続を謳うSSDは価格はかなり高く、また選択肢が限られてしまうが、ケースとSSD自体を別購入して、一部を自作するという方法ならば比較的低価格でThunderbolt接続環境を構築できる。はんだゴテが必要！というわけではなく、比較的失敗しにくいものなので、意欲がある人はぜひ挑戦してみよう。

1 外付けHDD

とにかく保存容量が必要なら、まずはHDD！

頻繁にアクセスするデータではなく、ひとまず捨てずにとっておければいいデータの保存にはHDDが最適だ。価格は非常に安くなっており、Amazonの最安レベルの製品ならば、4TBで1万円ちょい、8TBだと、なんと2万円以下で買えてしまう（USB3.0接続となる）。HDDは容量重視で選ぶのがおすすめだ。ポータブルや、USB3.2接続のタイプは少し割高となる。

2 USB接続のSSD

種類も多く、安心して使える王道のSSD！

製品ラインナップも多く、コンパクトでどこにでも持ち運べ、安心して使えるのがUSB接続のSSDだ。多くの製品で、読み込み、書き込みともに、600～1,000MB/Sぐらいの速度が出るので、Mac内蔵のSSDと同じ、とまではいえないものの、使用感は極めて快適なはずだ。

1,000MB/Sに近い速度が出る、高速モデル！

KIOXIA SSD 1TB USB3.2 Gen2
価格：13,480円（Amazon）

国産メーカーKIOXIAの製品。書き込み、読み込みともに1,000MB/S近い速度が出る。30cmのケーブルがついているので使い勝手もよい（通常はもう少し短いものが多い）。

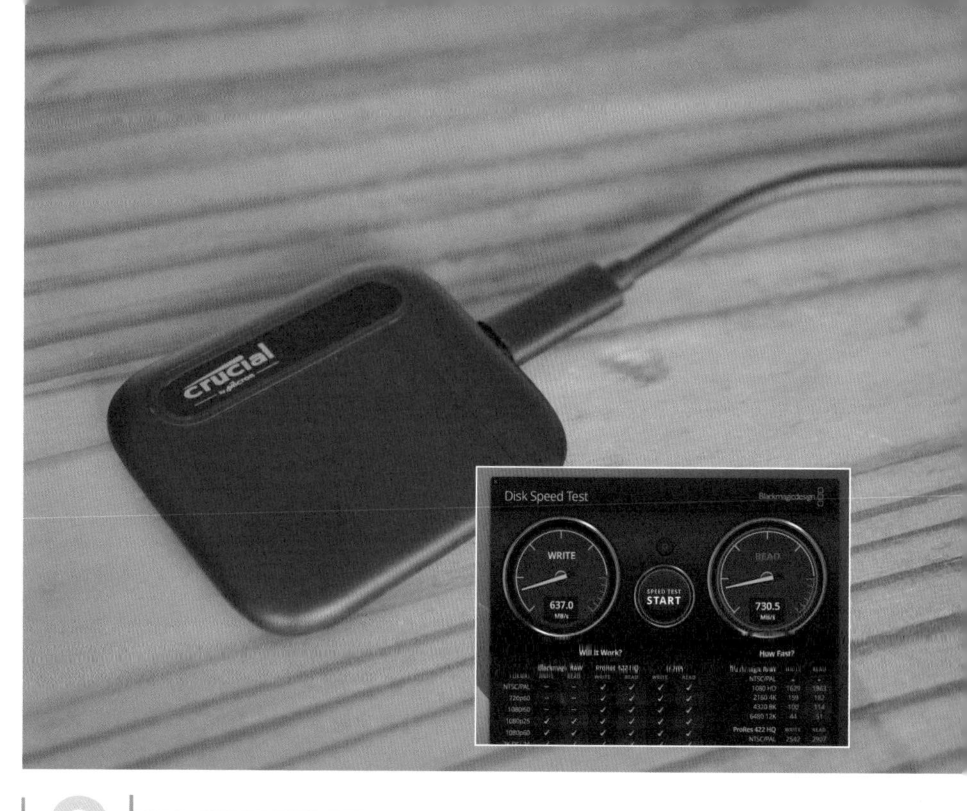

写真は1TBのUSB接続の外付けSSD「Crucial X6」だ。とてもコンパクトなボディで、重さはわずか40g。見た目は非常に地味だが、性能は申し分なく、ベンチマークでも書き込みが637.0MB/S、読み込みが730.5MB/Sの速度を出したので、使い勝手はさほど内蔵ストレージと変わらず、あらゆる作業に利用できる。動画編集や写真のRAW現像など、大量のストレージを必要とする人でも安心して使えるだろう。

Crucial X6（実勢価格：9,800円）
USB「3.1 Gen-2」「3.2 Gen-1」「3.1 Gen-1」「USB 3.0」の環境で利用できる。Type-Cで接続する。

Buffalo 外付けHDD HD-AD8U3
（Amazon限定商品）
価格：19,980円（Amazon）

Amazon限定の製品ではあるが、8GBの容量でファンレスの静音・防振設計であり、安心して使用できる。据え置き型なので、電源が必要となる（ACアダプターは付属）。

1TBあたり、2,500円以下の
脅威のコスパ！

評判の高い、
SanDiskのSSD！

SanDisk SSD 1TB
USB3.2Gen2
価格：11,813円（Amazon）

人気、評判の高いSanDiskのベーシックモデル（読み出しが最大520MB/S）。ちょっと値段は張るが、さらに高速な上級タイプもある。

3 Thunderbolt 3 接続のSSD

速度はかなり速い！しかし値段がネック……

Mac内蔵のSSDに近いレベルの速度が出るので、作業環境の拡張に最適なのが、Thunderbolt 3で接続できるSSDだ。製品の数は少なく、価格もかなり高いが、読み込み2,800MB/S、書き込み2,300MB/Sぐらいの速度が出るので、必要な人なら買って損はないだろう。Thunderboltポートの空きを確保しておくのもお忘れなく。

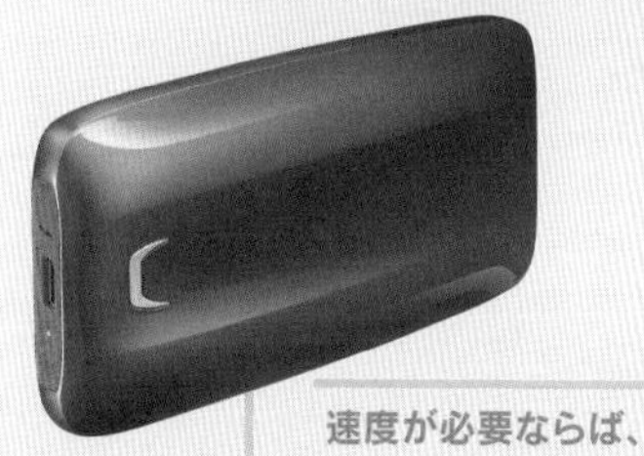

速度が必要ならば、
価格を無視して買うべし！

Samsung 外付けSSD X5 1TB Thunderbolt3
実勢価格：5～6万円

容量1TBのThunderbolt 3接続のSSD。2TBモデルは10万近い価格となっている（このタイプの製品は最近はあまり発売されておらず、在庫はどこも僅少だ）。

4 SSDケース＋M.2 NVMeタイプのSSD

自作するのは少し面倒だが、恐ろしい速度が出せる！

放熱性に優れたケースに「M.2 SSD」を入れて使用することで、Macの内蔵SSDに迫る速度を出せるという、話題の製品だ。最近盛り上がっているジャンルで非常にたくさんのケース、SSDが販売されている。自作の工程は難しくはないが、ケースとSSDの相性などがあるので、事前にブログやYouTubeなどで情報を入手する必要があるだろう。

こちらがSSD本体

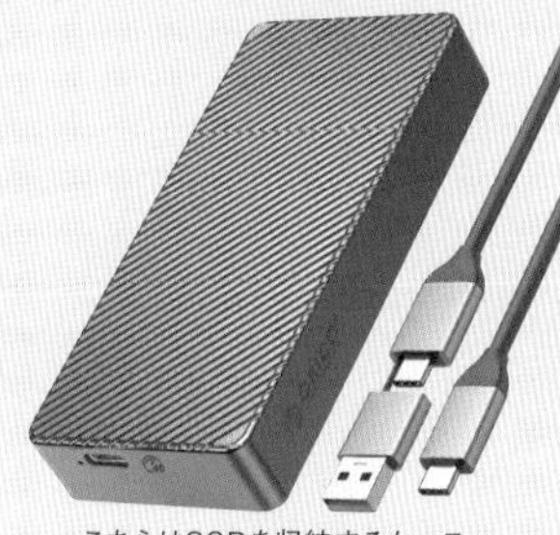

こちらはSSDを収納するケース

やはりThunderboltの
実力は凄い！激速だ！

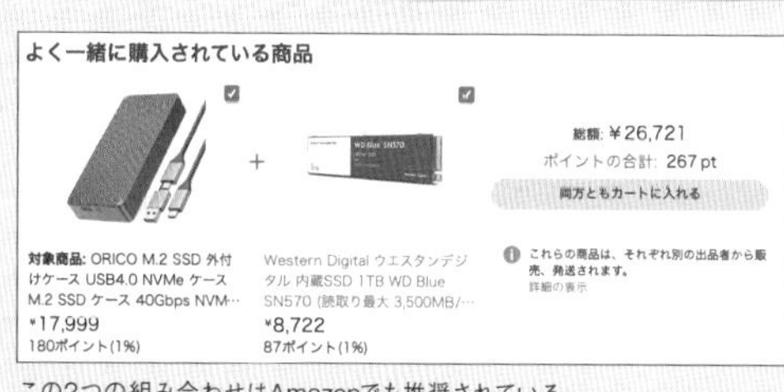

この2つの組み合わせはAmazonでも推奨されている。

ORICO M.2 SSD 外付けケース M214C3-U4
価格：17,999円（Amazon）

Western Digital 1TB SSD SN570 NVMe
価格：8,722円（Amazon）

このようなタイプの組み合わせで自作すれば、Thunderbolt 3の速度で接続でき、読み込み3,500MB/S、書き込み3,000MB/Sの速度を出せるという。「3」で紹介している製品と比較するとだいぶお得だ。

実戦テクニック!!

労力は最小限で済む! Macのインカメラで YouTubeを撮ろう

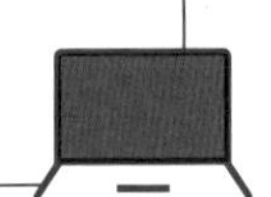

即出しに効果的! Macのカメラで スピーチ動画を撮影する

商品やサービス紹介動画、HowTo系の解説動画などでは、画面の手前に自撮り映像をワイプで重ねる表現も多い。

見栄えはいいが、この動画を撮影しようと思うとかなりの手間だ。画面を収録しつつ、別のカメラで自分を撮影するといった撮影方法が必要で、撮影時には視線がカメラへ向くように気をつけたり、撮影後もワイプ編集が必要になる。しかし、MacBookやiMacの内蔵カメラを使えば、この面倒な撮影を極限まで効率化することができる。

これは「QuickTime Player」を使ったウラワザ的撮影テクニック。「QuickTime Player」でムービーを収録すると、カメラのプレビュー映像が画面に表示される。通常であればこのままカメラ映像を撮影することになるが、この状態で「新規画面収録」を選ぶことで、カメラのプレビューを含めたまま、画面全体や範囲を指定して動画収録が可能。

もちろん、カメラのプレビュー画面は好きな位置とサイズに変更できる。常に画面の手前に表示する設定を行えば、操作しながらでもプレビューが隠れてしまうこともないので、別撮りで合成するワイプ風動画と同じものをわずか数手順で撮影できるのだ。

この方法なら、カメラなど高価な機材も必要なく、商品レビューなども手軽になる。イベントの発表まとめなど、急いで動画を出したい場合にも便利なので、ぜひ一度試してみよう。

最近のMacBookはインカメラもフルHDへと進化していて、光量が確保されている場所であれば十分な画質で撮影できる。

撮影された動画はデスクトップとワイプのカメラが重なった状態になるので、最低限の編集で素早く公開できる。

現行MacBookのインカメラ解像度

MacBook Air(M1)……720p
MacBook Air(13/15インチ、M2)……1080p
MacBook Pro(13インチ、M2)……720p
MacBook Pro(14/16インチ、M2 Pro/Max)……1080p

QuickTime Playerでワイプ動画を撮影する

1 「新規ムービー収録」をクリック

QuickTime Playerを起動したら「新規ムービー収録」でカメラ映像を表示。「常に手前に表示」をクリックする。

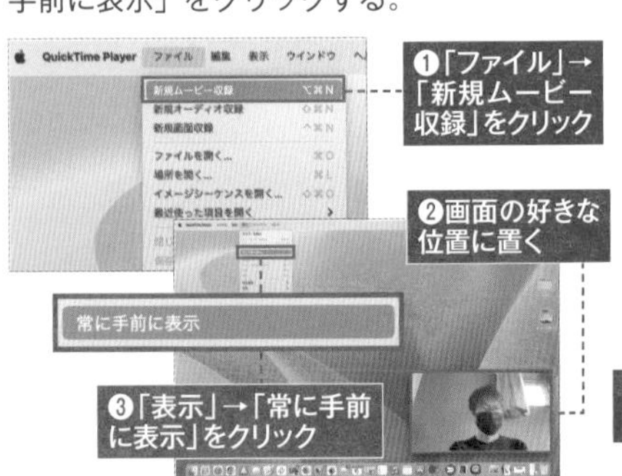

2 「新規画面収録」をクリック

「新規画面収録」をクリックし、収録範囲を決めて、フローティングメニューから利用するマイクを設定する。

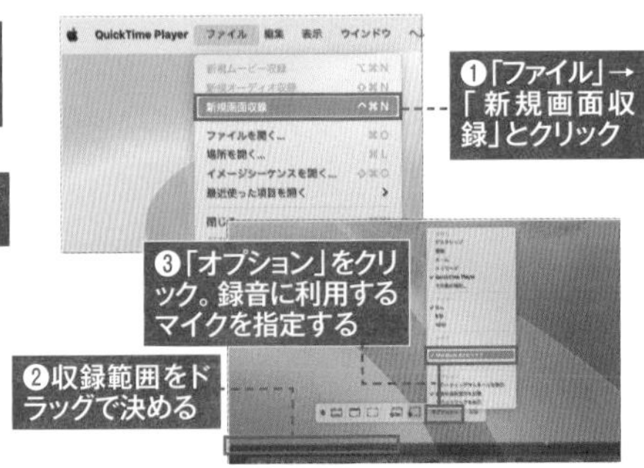

3 画面の収録をスタート

最後に「収録」ボタンをクリックすれば、指定した画面の範囲を撮影できる。合成が面倒なワイプ映像の撮影も、この方法なら一瞬だ。

「収録」をクリックして撮影開始
撮影の停止
撮影中も画面を好きな場所・サイズに変更できる

Remote Work Quality Up Technic!!!!

クオリティアップ

リモートワークテクニック

すっかり世の中に定着したリモートワーク。コロナの猛攻はほぼ収まった状況となりつつあるが、一度根付いた体制はそう簡単に変わらないはずだ。そこでもっとリモートワークの質、効率を上げるために、ここではリモートワークの重要なポイントであるオンライン会議のやり方に絞って解説していこう。基本から解説しているが、新たな発見、新しいテクニックもあるはずだ。

リモートワークを充実させるために、重要なポイントであるオンライン会議のポイントをチェックしておこう!

事前にZoomの公式サイトから発行　催中のZoomミーティングに招待す　ると、ミーティングに参加するためいた方が良い設定もいくつかある。

まず、メニューバーの「zoom.us」から「環境設定」をクリックして設定画面にアクセスしよう。設定画面では「ビデオ」と「オーディオ」の設定を見直していく。

ビデオ設定では、利用したいカメラが機能するか？を確認。MacBookシリーズでは、内蔵カメラを利用する設定になっているが、Webカメラを接続すればこちらからカメラを選択できる。背景にノイズになるものがないか？　ちゃんと顔が映っているか？　などを確認しておこう。

オーディオ設定では、利用するスピーカーとマイクの設定。Zoomは強力なノイズキャンセル機能が備わっているので、MacBook標準のスピーカーやマイクでもノイズやハウリングを抑えてくれるが、お気に入りのイヤホンを利用したい場合は、こちらから利用するデバイスを変更しておこう。

Zoomでは背景ノイズの除去も行ってくれる。基本的に「自動」設定でOK!

3

「環境設定」からカメラとマイクの設定を見直す

Zoomを起動したら、ミーティングに参加する前にかならず「環境設定」をクリックし、カメラとマイクが利用できることを確認する。

4

「ビデオ」からカメラの設定を見直す

「ビデオ」では利用するカメラの選択やソフトウェア補正のオン・オフなどが設定できる。外部Webカメラを利用したい場合はこちらで切り替える。

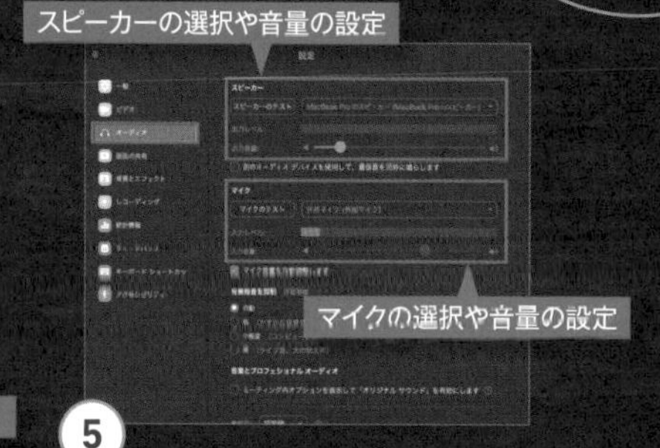

5

「オーディオ」から音声設定を見直す

同じく「オーディオ」から利用するスピーカー・マイクの設定を見直しておく。必ずテストボタンから出力・入力レベルも確認しておこう。

3

「新規ミーティング」をクリック

Zoomのメイン画面。ミーティングを主催するには「新規ミーティング」をクリック。カメラ映像が映し出されたら「コンピュータ オーディオに参加する」をクリックする。

4

参加者を招待する

ミーティングに招待するには「参加者」をクリックして、「招待」をクリックする。

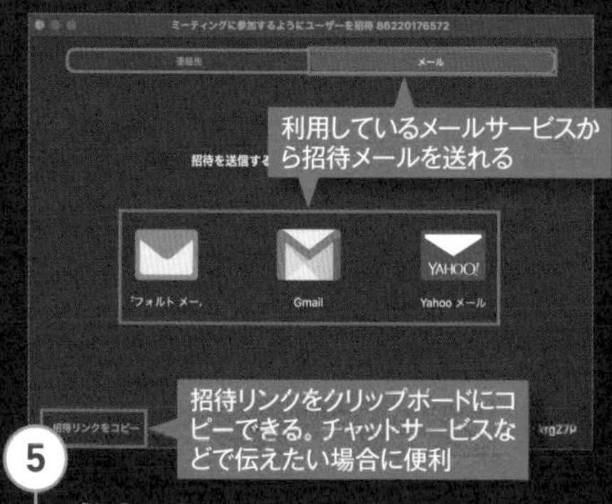

5

参加者に招待を送る

招待リンク、もしくはメールなどを使って、参加して欲しい相手にこのZoomのミーティングへの招待を送ろう。

のURLリンクがコピーされるので、こちらを伝えてもOK。また、画面に表示されるミーティングIDと、ミーティングパスコードを伝えることでも参加できる。

Zoomを使ってミーティングをはじめる

Zoomにサインインしてミーティングを主催してみよう!

Zoom実践テクニック

会議やプレゼンに必須! 自分のMacの画面を共有しよう

Zoomがミーティング用の「定番」として支持されているのは、MacやPCの画面を手軽に共有できるところ。実際のミーティングシーンでは、自分のPCの画面をプロジェクターで投影しつつ話を進めることも多いが、Zoomでも同様に自分の画面を参加者に共有しつつのプレゼンテー

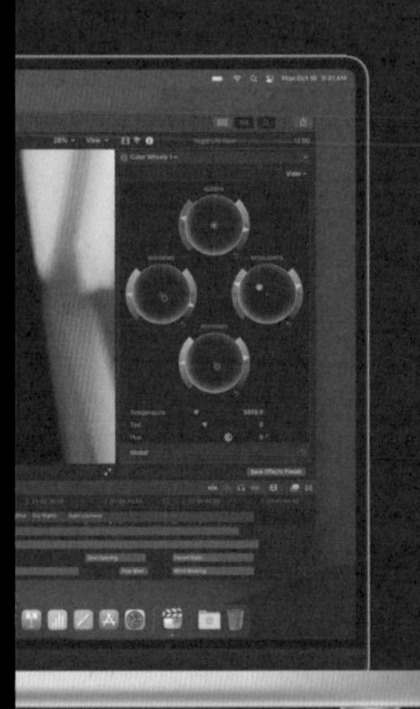

Macの画面やアプリ、iPhone・iPadの画面まで! なんでも共有できる!

1 「画面の共有」をクリックする

相手にMacの画面やアプリのウインドウを見せるには、Zoomのメイン画面で「画面の共有」をクリック。

2 共有したいデスクトップやアプリを選ぶ

相手に見せたいデスクトップや、アプリの画面を選ぼう。なお、ホワイトボードを共有して手書きで指示したり、iPhoneやiPadの画面を映し出すこともできる。

1 バーチャル背景の設定方法

バーチャル背景はZoomの設定画面から、「背景とエフェクト」の「バーチャル背景」タブから設定できる。

2 シンプルなバーチャル背景を追加する

「+」ボタンから「画像を追加」とクリックすると、Macに保存した画像をバーチャル背景として利用できる。

住まいのかたち
Magazine for MUJI LIFE
https://house.muji.com/life/resident/virtual_image/about/

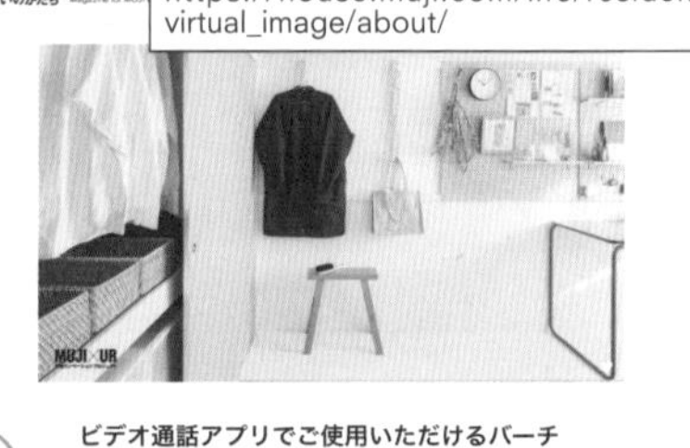

3 無料で使える無印のバーチャル背景が優秀!

バーチャル背景は「無印良品」で配布しているものがおすすめ。ロゴこそ入るが、シンプルで整った背景を無料で利用できる。

Zoomのビデオミーティングではどうしても自分の背景まで映り込んでしまう。部屋が乱雑だと恥ずかしさや、映ってはいけないものが映り込んでしまったり……。ミーティング前には部屋の整理整頓が求められ、映り込む画角の調整も必要と、自宅でのZoomミーティングは環境づくりの難易度が高い。

しかし、この背景問題は「バーチャル背景」を利用することで解決できる。設定画面の「背景とエフェクト」の「バーチャル背景」からは、自分の背景だけをぼかしたり、ほかの画像に差し替えることができる。この機能を利用すれば、たとえ部屋が散らかっていようと、プライベートなアイテムがあろうと問題なし。気軽にミーティングに挑むことができる。

ビジネスシーンでは、シンプルで清潔感のある背景の方が望ましい。おすすめは「無印良品」で配布しているバーチャル背景画像。シンプル

ションが可能となっている。
画面の共有は非常に簡単だ。oom会議中に「画面の共有」ボタンから、共有する画面を選択していけばいい。この際は、デスクトップ全体を共有するだけでなく、アプリやウインドウ単位で共有が可能。アプリ単位で選ぶことで、相手にデスクトップの様子やほかのアプリの情報が漏れることもなく、安心して画面を共有できる。

また、画面共有の便利な機能として、ホワイトボードを共有して手書きで文字を書いたり、iPhoneやiPadの画面を共有することも可能。手書きのラフやイラストでイメージを相手に伝えたり、iPhone・iPadの使い方やアプリの操作方法をレクチャーするなど、業務以外にも活用できるシーンも多いので、ぜひ活用してみよう。110ページの記事も参考にしよう。

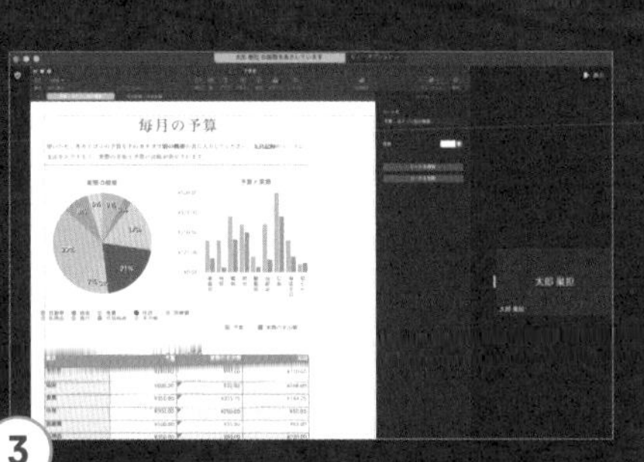

3

相手に画面が共有される

Zoom参加者に自分が選択したデスクトップやアプリの画面が共有される。

4

画面共有を終了する

画面共有を終了するには、ツールボタンから「共有の停止」をクリックすればいい。

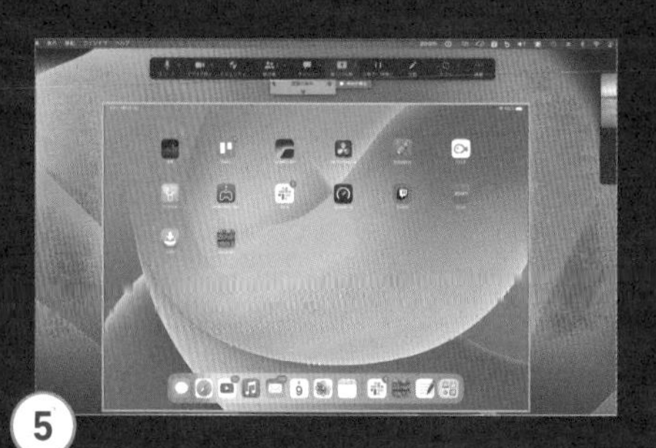

5

iPhone·iPad画面の共有も便利

iPhoneやiPadのアプリの画面を見せたい場合は、有線やAirPlayで接続しての画面共有が便利。Mac上に画面を表示して共有できる。

4

外見の補正も適用すると盛れる!

「ビデオ」の「マイビデオ」項目にある「外見補正」にチェックを入れると、肌の質感などを補正してくれる。マスクなしでも盛れるのでぜひ利用しよう。

ついにZoomもバーチャルアバターに対応! 素顔を隠して会議に参加できる!

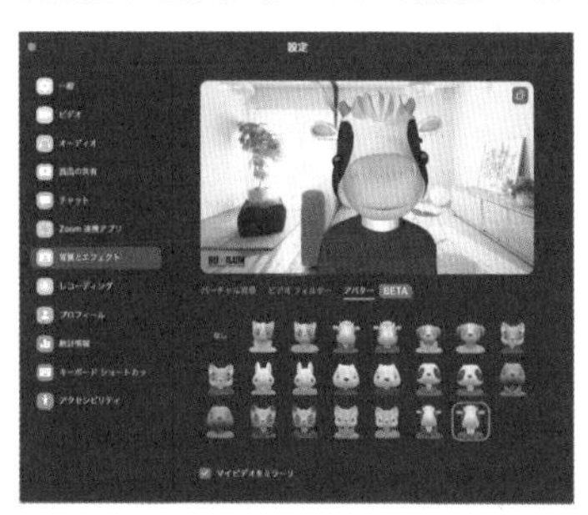

「背景とエフェクト」では「アバター」タブから自分の見た目を動物のアバターに変更できる。表情や瞬きなどもトレースする本格的なアバター機能となっているので、素顔を見せたくない人は利用してみよう。

かつおしゃれな室内画像を無料でダウンロードできるので、そちらをぜひ試してみよう。また、ビデオの設定から「外見補正」にチェックを入れると、見た目を「盛れる」ので、そちらも合わせて利用していこう。

好印象を与える背景の選び方と外見補正

違和感なく会議が進められるシンプルなバーチャル背景を使ってみる

ミーティングの見直しができる!

Zoom会議の保存は無料プランでも可能! 録画・録音を試してみよう

Zoomの優れているところは、外部ツールを用意しなくても、ミーティングをレコーディング（録画・録音）できるところ。しかもこれは無料プランのユーザーにも開放されている。保存先はMacのローカル上に限定されるが（有料プランではクラウド上に保存可能）、気軽に議事録を

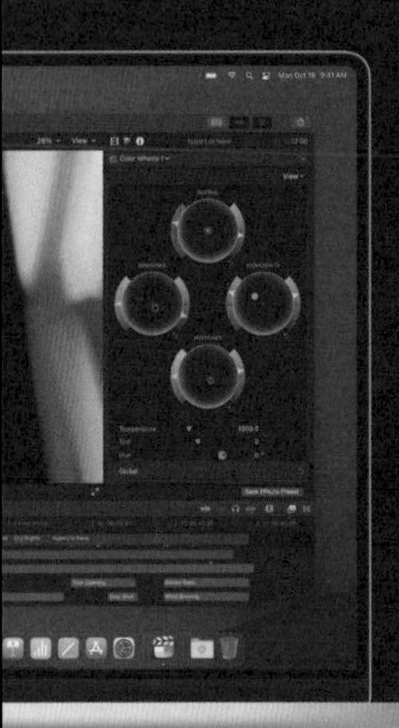

ミーティングの途中からでもレコーディングを始められる!

1

「レコーディング」をクリックする

Zoomのミーティング中に「レコーディング」をクリックすると録画が開始される。

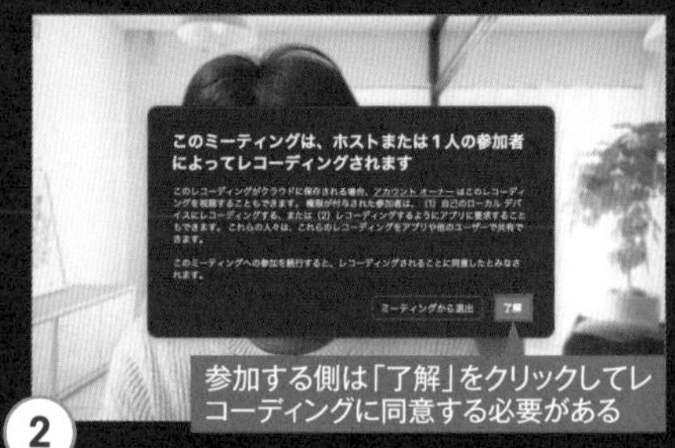

参加する側は「了解」をクリックしてレコーディングに同意する必要がある

2

参加する側は確認が求められる

録画しているミーティングに参加する際には、レコーディングが行われていることが通知され、了解が求められる。

1

ミーティングを予約する

ホーム画面から「スケジュール」をクリックすると、将来のミーティングをスケジューリング

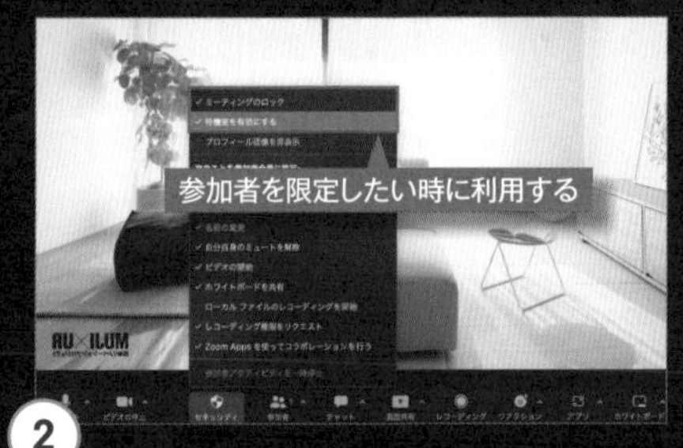

参加者を限定したい時に利用する

2

関係者以外を制限する待機室とミーティングのロック

「待機室を有効にする」では、ミーティング参加にホストの承認が必要になる。「ミーティン

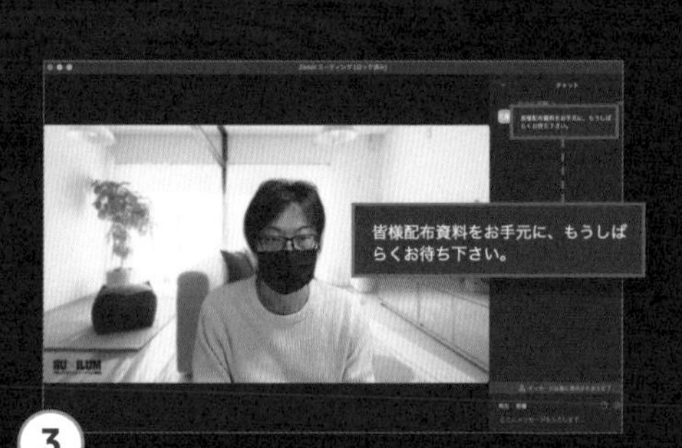

皆様配布資料をお手元に、もうしばらくお待ち下さい。

3

チャットでメッセージを送る

「チャット」では参加者にテキストチャットを送れる。URLやお知らせなど、テキストで伝え

保存できるので、ぜひ活用していこう。

レコーディングを行なうには、ミーティング中に「レコーディング」ボタンを押すだけでOK。すぐに画面の録画が始まる。なお、この際はプライバシーに配慮して、レコーディングしているミーティングでは、参加者にレコーディング中であることが通知される。参加者は「了解」をクリックしてレコーディングに同意する必要があるので注意しよう。主催者側もレコーディングを行なう際は、必ず事前に一言断りを入れてからレコーディングを行なうこと。これはZoomのマナーとして心がけておこう。

ミーティングを終了するとレコーディングも終了する。その後、自動的に変換が行われ、ローカル（/Users/ユーザ名/Documents/Zoom）へと動画と音声が保存される。これらを見直せばいつでも、Zoomミーティングを振り返ることができる。

3

ミーティング終了でレコーディングの保存

ミーティングを終了すると、自動でミーティングのレコードが動画や音声ファイルへと変換されていく。

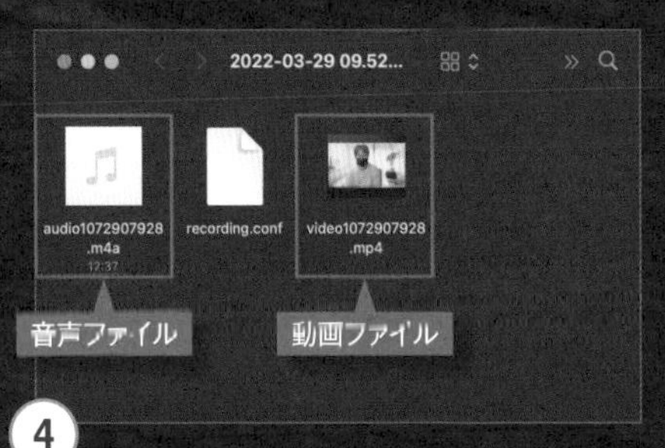

4

音声と動画がMacに保存される

変換が終わると、音声ファイル（m4a）と、動画ファイル（mp4）がそれぞれ生成される。再生して内容を確認してみよう。

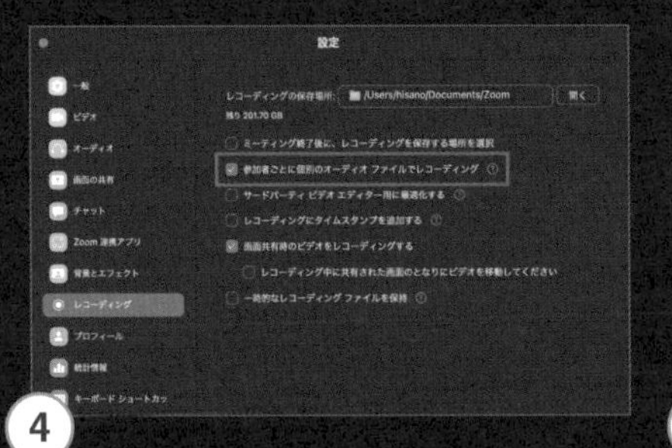

4

参加者ごとにオーディオファイルを分けて保存する

議事録を作るなら「レコーディング」から「参加者ごとに個別のオーディオファイルでレコーディング」にチェック。参加者ごとにオーディオファイルが分けて作成される。

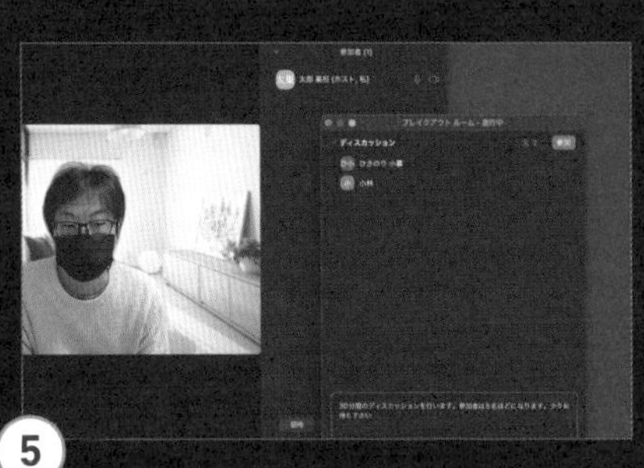

5

ミーティング参加者を個別のルームに分ける

「ブレイクアウトルーム」を使えば、参加者を小さな部屋に分けることができる。会議中にディスカッションを行なったり、雑談部屋として便利な機能。

Webから
Zoomにログインし、
マイページの「設定」
から機能を有効に
する必要がある

ング参加者を個別のルームに分ける「ブレイクアウトルーム」機能が便利。例えば議題について30分間ディスカッションし、まとまった内容を発表する。といったシーンでは、Zoomミーティングを個別に立てずとも、部屋を分けて対応することができる。

知っているとさらに便利に!
Zoom会議を円滑に進めるためのピンポイントテクニック

Googleサービスとの連携力!

Google Meetはさまざまな方法でミーティングを開始できる

Zoomも便利だが、もうひとつ押さえておくべきミーティングツールがある。それがGoogle謹製の「Google Meet」だ。GoogleらしいWebベースのサービスとなっているが、アプリをダウンロードすることもできる。これにはChromeでGoogle Meetのページ（https://meet.goo

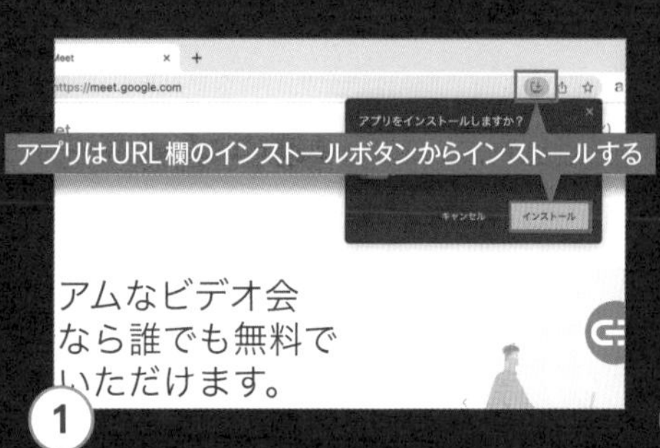

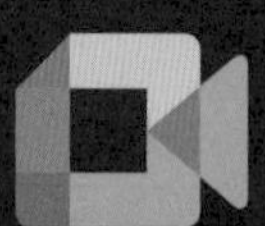

Google Meet
作者:Google
URL:https://meet.google.com/

1 アプリはURL欄からインストール

アプリを入手するには、Google MeetのWebサイトをChromeで開き、URL欄のインストールボタンからインストールしていく。

2 アプリから会議を始める

アプリを始めるには「新しい会議を作成」をクリックし、「会議を今すぐ開始」。もしくは「次回以降の会議を作成」からスケジュールの予約ができる。

Google Meetでカジュアルにビデオ会議を始めよう!

Googleアカウントで利用でき、Webサービスとの連携力も強いのが「Google Meet」だ。機能面はZoomの方が勝っているが、こちらはカジュアルに利用できるミーティングサービスとなっている。利用可能時間は、無料版で1対1のミーティングは1回につき24時間、グループミーティングでも1回につき最大1時間。これだけあれば、たいていのミーティングをこなせてしまう。

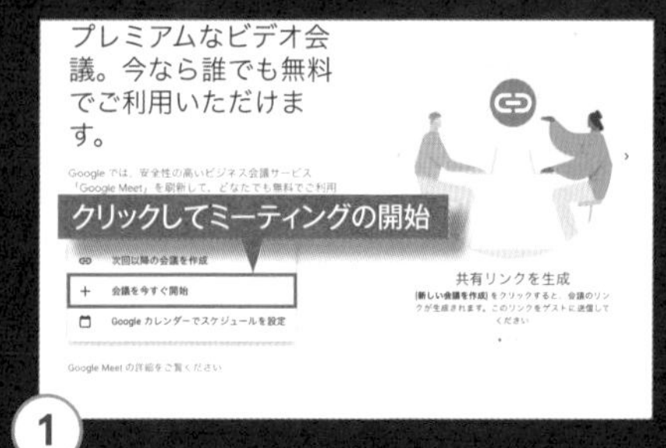

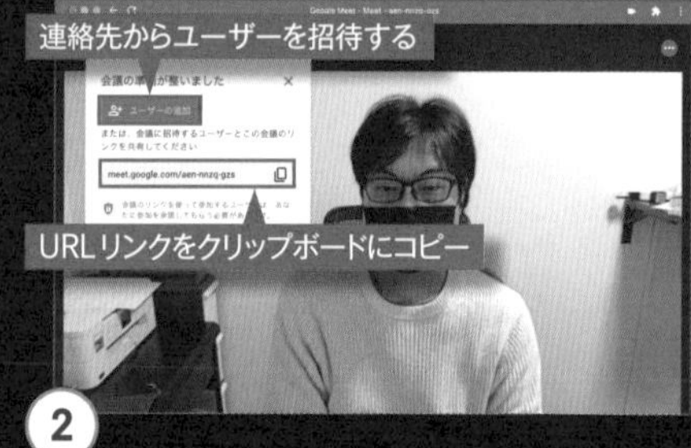

1 Google Meetの会議を始める

アプリからミーティングを始めるには、「新しい会議を作成」から、「会議を今すぐ開始」を選べばいい。

2 ユーザーを会議に招待する

会議にユーザーを招待するには「ユーザーの追加」から相手を指定したり、URLリンクをコピーして伝えよう。

早速ミーティングを始めてみよう。下準備としてはブラウザ（Chrome）でGoogleアカウントでサインインしていればOK。Google Meetアプリを起動したら、「新しい会議を作成」をクリックし、「会議を今すぐ開始」を選ぶ。すぐにビデオミーティングが開始されるので、続けてユーザーを招待していけばいい。なお、招待したユーザーが参加するには、主催者が承諾する必要がある。もしミーティングのURLが漏れてしまった場合でも、主催者の許可なしには参加できないので安心しよう。

ユーザーを招待する前に、主催者は音声とカメラの設定を見直しておくことをおすすめする。これにはホーム画面にあるギアアイコン。もしくはミーティング画面にある「︙」ボタンをクリックし、「設定」から設定画面を表示。「音声」と「動画」の項目から、利用したいデバイスへ切り替えたり、音量や映り方を確認しておこう。Webベースのアプリなが

gle.com/）にアクセスし、URL欄のインストールボタンをクリック。プログレッシブアプリとしてMacにインストールすることができる。
　ミーティングを開始するには、Googleアカウントでサインインし、アプリの「新しい会議を作成」をクリックして「会議を今すぐ開始」を選べばいい。スケジュールを決めて会議の予約も行える。
　ほかにもさまざまなGoogleサービスと連携してミーティングを始められるのが便利だ。たとえば、Googleカレンダーに予定を追加する際もビデオ会議の予約が可能。また、Gmailからでも「Meet」ボタンから「会議を新規作成」でGoogle Meetのミーティングを始めたり、招待メールを送信できる。Googleサービスは今やビジネスにおいても標準化されているので、この手軽さと共有しやすさは大きなメリットだと言える。

3

Googleカレンダーから会議を始める

Googleカレンダーで予定を追加する際、Google Meetのビデオ会議を予約できる。スケジュールを追加するのと同時にミーティングを予約できるのは非常に便利だ。

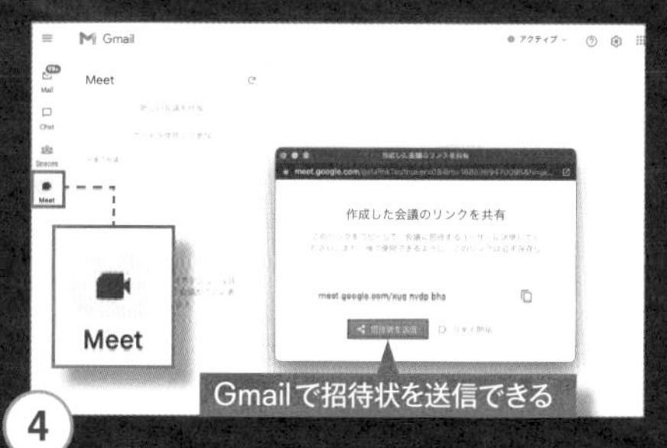

4

Gmailから会議を始める

Gmailからでもビデオ会議を始められる。「Meet」項目の「会議を新規作成」をクリックすればOKだ。作成した会議へのリンクをGmailで参加者へ送信することもできる。

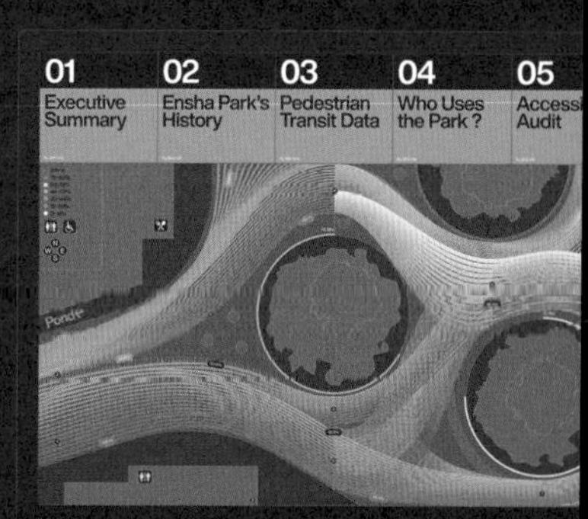

3

通話への参加リクエストを確認

招待したユーザーが接続すると、主催者に参加リクエストが送られる。参加させる場合は「承諾」をクリックすればいい。

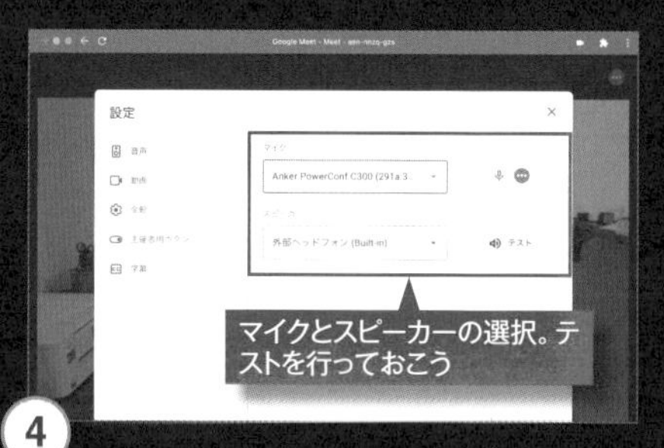

4

音声の設定を見直す

「⋮」ボタンからは各種設定が見直せる。最初に見直すべきは「音声」の設定。利用するマイクとスピーカーを選択しておこう。

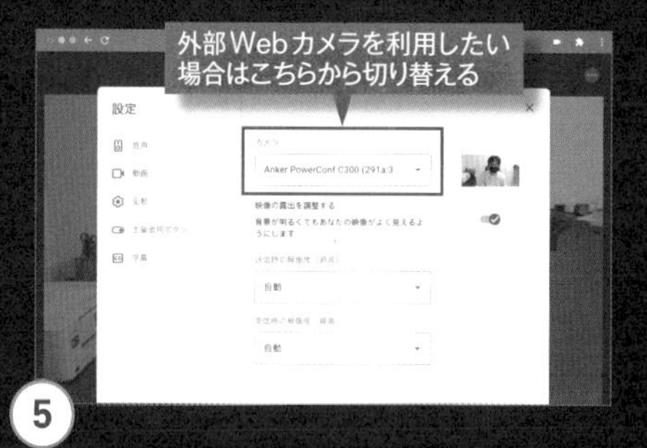

5

ビデオの設定を見直す

同じく「動画」の設定項目からは、利用するカメラを選べる。カメラのあるMacの場合、標準ではMacの内蔵カメラが有効だが、外部Webカメラへ切り替えることも可能だ。

ら、Macに接続されている外部Webカメラやイヤホンなども問題なく利用できる。
　なお、招待された参加者側は、接続前にカメラと音声の設定を行えるので、そのタイミングで見直せばいい。

Webベースでも本格派！

Google Meetで会議しながらセッティングを詰める！

Google Meet便利テクニック

バーチャル背景や画面共有も多彩な便利ツールでミーティングの快適化

シンプルながらも、昨今のWebミーティングには必須な便利機能は無料で利用できる。例えば背景をぼかしたり、バーチャル背景を利用することも可能なので、事前に設定しておこう。また、画面を共有したり、ホワイトボードの共有も可能だ。

Macの「セキュリティとプライバシー」設定の「画面収録」をChromeに許可する必要があるので、事前に設定しておく

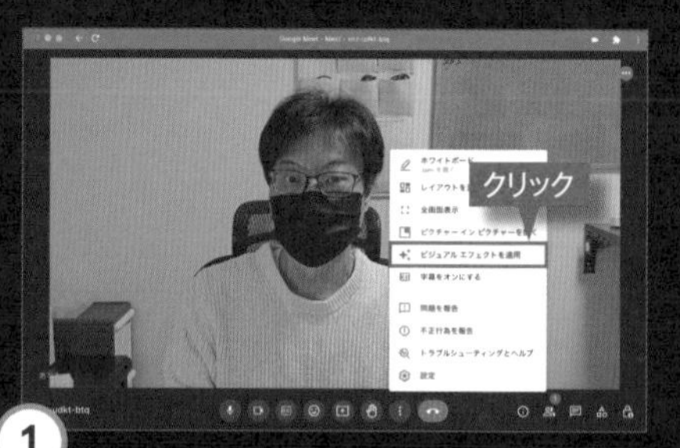

1 背景を隠すには「ビジュアルエフェクト」を利用する

Google Meetでも背景を隠すことができる。メニューボタンから「ビジュアルエフェクトを適用」をクリック。

2 背景画像を選ぶ

「背景」項目から背景にしたい画像を選ぼう。Macに保存した画像を適用することもできる。

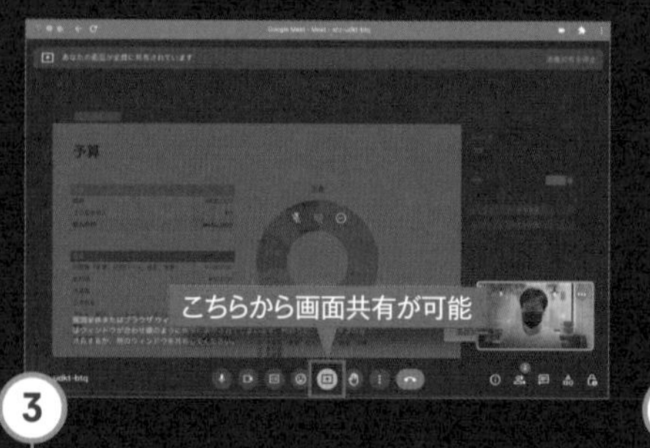

3 画面やアプリウインドウの共有

「画面を共有」ボタンからは、Zoomと同じようにデスクトップやアプリのウインドウを共有できる。プレゼンテーションに利用していこう。

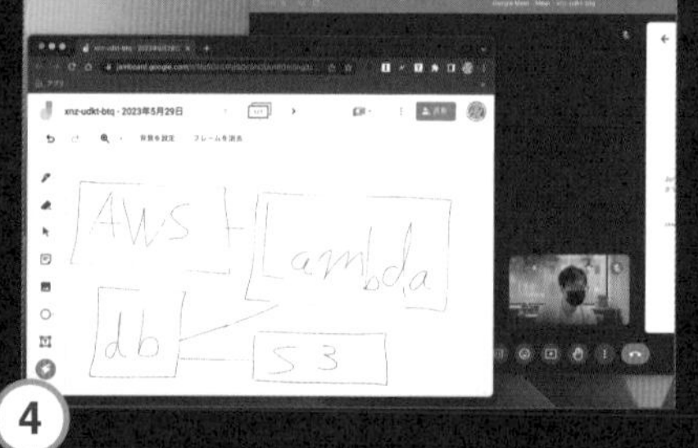

4 ホワイトボードを共有する

ホワイトボード(Google Jamboard)を参加者と共有。ひとつのホワイトボードに、それぞれがアイデアを出し合ったり、イラストで解説できるのも便利だ。

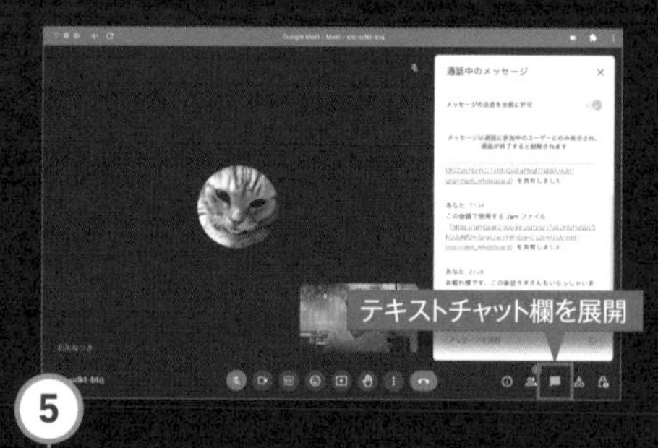

5 チャットでのテキストメッセージもOK

メッセージボタンからは参加者とテキストチャットが利用できる。URLを貼ったり、テキストで伝えたい情報を掲載する際に利用していこう。

アンケートや録画はビジネスオーナー向け機能として用意

Google Meetでも録画機能が用意されているが、「Google One プレミアム」か「Google Workspace Individual」以上のプランで利用できるオプションとなる。

Google MeetはGoogleアカウントさえあれば、誰でも気軽にオンラインミーティングを利用できるが、基本的にはビジネス向けのツール。ビジネスユーザーに向けてはさらに便利な機能が開放されている。例えば「Google Workspace Individual」以上のプランを利用している事業主の場合は、録画機能や「ブレイクアウト ルーム」機能、参加者からの挙手機能、アンケートなども利用できる。こうして、機能を制限してシンプルに利用できつつ、企業には本格的なWebミーティングツールとしても選べるのもGoogle Meetのポイントだ。

IMPROVE

Chapter......04

効率化

MacBook Pro

Finder

Macでのファイル、フォルダ操作と管理に不可欠な標準アプリ

Macとともに起動し、どのアプリを使っていても常に背後で動作し続けている「Finder(ファインダー)」。見過ごされがちだが、実はFinderもMac標準アプリの1つで、ファイルやフォルダ操作と管理に不可欠なものとなっている。ここでは、そんなFinderの基本操作を改めて解説するとともに、Macでのファイル操作がより快適になるような活用テクニックを紹介する。

Finder
作者/Apple 価格/無料
標準アプリ

実はFinderもMacに標準搭載されている「アプリ」だ。その証拠に、ほかのアプリと同様にDockやアプリケーションスイッチャーに「Finder」のアイコンが表示され、選択するとFinderに切り替えることができる。

Finderは主に、デスクトップ上で操作する。デスクトップのいずれかの部分をクリックするとFinderに切り替わり、同時にメニューバーにも「Finder」というメニュー項目が表示される。

フォルダのアイコンをダブルクリックするとウインドウ(ほかのアプリのものと区別するため、「Finderウインドウ」と呼ぶこともある)が開き、その中にフォルダの中身が表示され、ここからファイルを開くなどの操作が可能だ。

Macのすべての操作は、Finderからはじまる

FinderはMacに標準搭載されている多機能ファイルビューアで、macOSに完全に統合されているものの、れっきとしたアプリの1つだ。Macとともに起動し、ユーザーの手で終了させることができないなど特殊な点はあるものの、Dockやアプリケーションスイッチャーには Finderのアイコンが表示されること、これらのアイコンをクリックしたり、デスクトップをクリックしたりすれば、メニューバーに「Finder」という項目が表示される点は、ほかのアプリと同様だ。

Finderは上図で示したように、デスクトップと(Finder)ウインドウが主な構成要素となっている。ファイルを開く、中身をプレビューする、フォルダで整理する、場合によってはアプリを起動するといった、Macで日常的な操作のすべてはFinderを介すると言っても過言ではないため、その使い方やテクニックをマスターすることで、作業効率のアップに直結し、Macをビジネスに、趣味に、さらに活用できるようになるはずだ。

01 マスト! 基本

4つの表示モードを使い分けよう

Finderウインドウには、「アイコン」「リスト」「カラム」「ギャラリー」という、4種類の表示モードが用意され、ユーザーが自由に切り替えることができる。各モードでファイルやフォルダのアイコンだけでなく、表示される情報も異なるので、それぞれの特徴を理解した上で、必要に応じて使い分けるようにしよう。

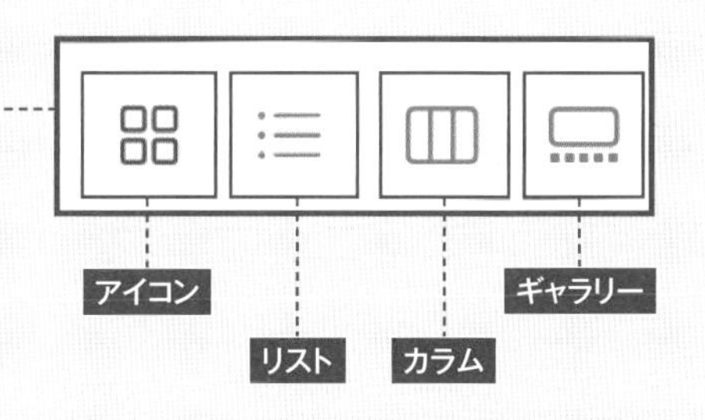

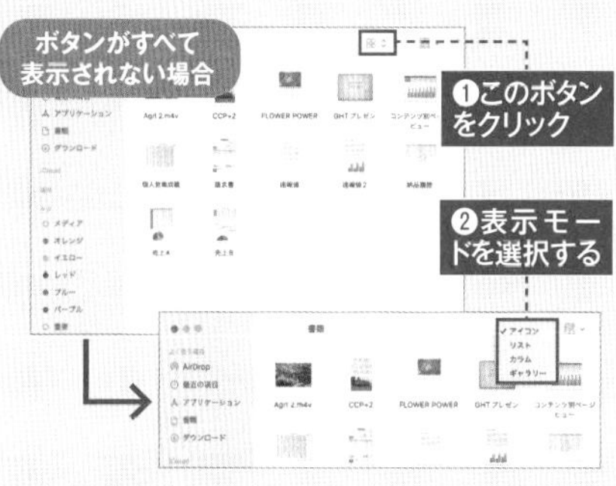

「アイコン」の表示モードでは、ファイルやフォルダのアイコンとその名前が表示される。対応ファイル形式であれば、その内容がサムネイル（縮小）表示される。アイコンサイズは、ウインドウ表示中に「command+J」キーを押すと表示される「表示オプション」から変更できる。

表示モードは、Finderウインドウの上部にある各モードのボタンをクリックすると切り替えられる。また、各表示モードには「command+1〜4」のショートカットキーが割り当てられている。

ウインドウサイズによっては、表示モードの切り替えボタンが省略表示されることがある。この場合は、省略表示されたボタンをクリックすると表示されるメニューから、目的の表示モードを選択する。

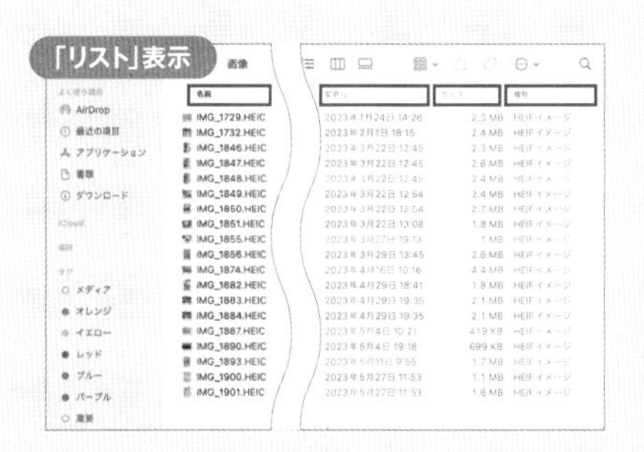

「リスト」の表示モードでは、ファイルやフォルダが一覧表形式で表示される。アイコンは小さくなってしまうが、変更日やサイズ、ファイルの種類などの情報が同時に確認できる。一覧上部にある見出しをクリックすると、その見出し項目を基準に並べ替えられる。

「カラム」の表示モードでは、ウインドウがカラムで分割表示され、目的のファイルやフォルダに至る階層を確認できる。ファイルやフォルダを選択すると、右端のカラムにそのプレビューや作成日、ファイルサイズなどの情報が表示される。

「ギャラリー」の表示モードでは、ファイルやフォルダはウインドウの下端に表示され、その中から目的のものをクリックして選択すると、上部にプレビューが大きく表示されるので、対応形式のファイルの中身をしっかり確認したい場合に便利だ。

写真や動画、音楽などのメディアファイルは、アプリで開かなくてもFinder上で直接再生できる。再生方法は、ファイルを選択してスペースキーを押し、表示されるウインドウ内で再生が開始される「Quick Look」と、アイコン表示時にアイコン中央に表示される再生ボタンをクリックする、2種類が用意されている。なお、PDFやKeynoteで作成したスライドショーファイルも、アイコンからページを切り替えることができる。

02 マスト! 基本

Finder内の複数のファイルを選択するには?

ファイルやフォルダをコピー／移動したり、開いたりするには、まず選択する必要がある。単一のファイルの選択はただクリックすればいいが、複数のファイルをまとめて選択したい場合もあるはず。隣接するファイルを選択する、離れた位置のファイルを選択する、フォルダ内すべてを選択するといった、目的別に異なる操作方法を覚えよう。

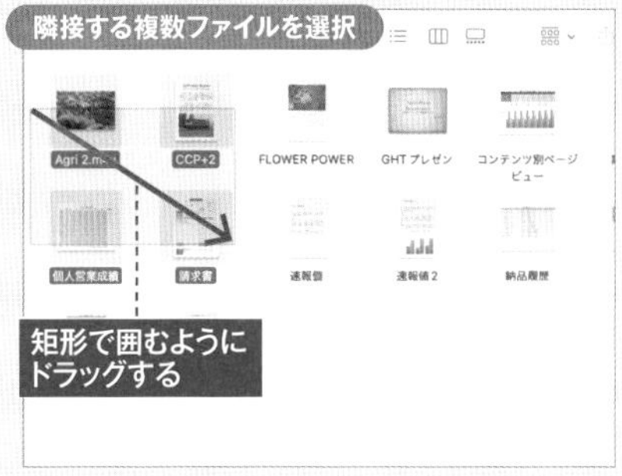

ドラッグすると表示される矩形で、複数ファイルを囲むようにドラッグすると、矩形の範囲内にあり、隣接するファイルが選択される。

離れた位置にあるファイルを複数選択する場合は、commandキーを押しながら目的のファイルをクリックする。選択したファイルを再度commandキーを押しながらクリックすると、そのファイルだけが選択解除される。

フォルダの中身をFinderウインドウで表示しておき、command+Aキーを押すと、その中にあるファイルやフォルダすべてが選択される。

効率化

03 マスト 基本

緑色のボタンでウインドウを移動、リサイズする

Split Viewはもちろん、Finderウインドウでも利用できるが、Finderウインドウを画面の左右いずれかに寄せたいものの、その片側には別ウインドウを表示したくないこともある。このような場合は、単にウインドウを片側に寄せてリサイズする方法を覚えて、それを実行しよう。

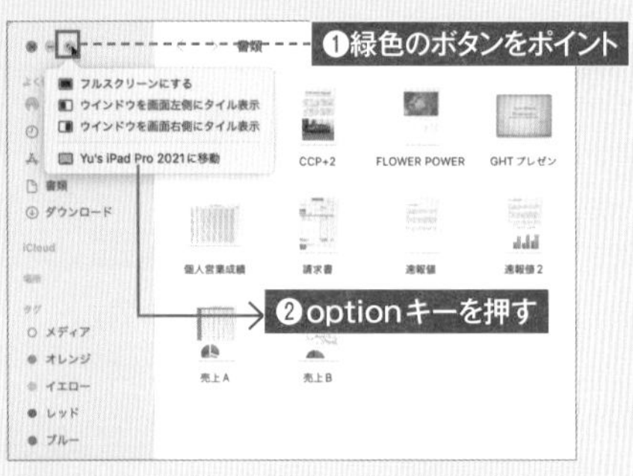

1 Finderウインドウ左上にある緑色のボタンをポイントすると、メニューが表示される。ここで「〜タイル表示」を選ぶとSplit Viewになり、続けてもう一方に表示するウインドウを選択する必要がある。

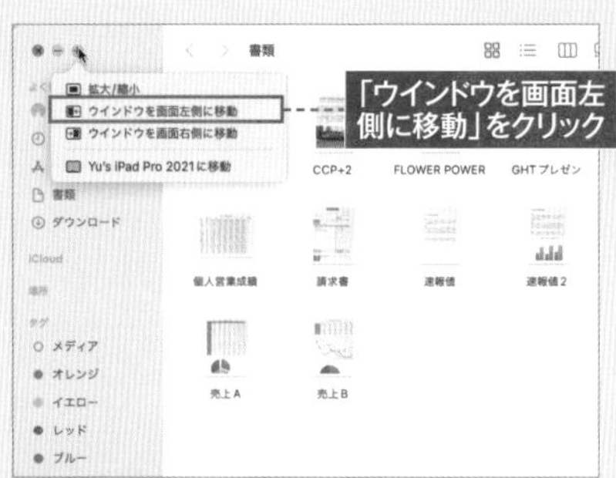

2 メニューを表示した状態でoptionキーを押すと、メニューの表示内容が変わる。ここで「ウインドウを画面左側に移動」をクリックする。

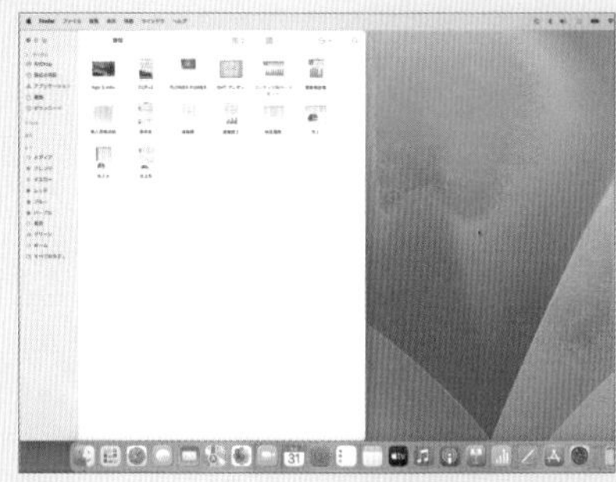

3 ウインドウが左端に寄せられた上で、画面上端から下端（Dockの直上）までの大きさに自動的にリサイズされる。Split Viewとは異なり、もう一方に表示するウインドウを選ぶ必要はない。

04 ファイルの移動

ファイルのドラッグ移動を高速化するテクニック

スプリングローディングは、フォルダ上にファイルを重ねるようにドラッグすると、自動的にそのフォルダが開くというものだが、その際に一定時間待つ必要がある。この待ち時間を短縮したい場合は、重ねた際にスペースキーを押すと、すぐにそのフォルダが開く。またこの待ち時間は、システム環境設定の「アクセシビリティ」で変更できる。

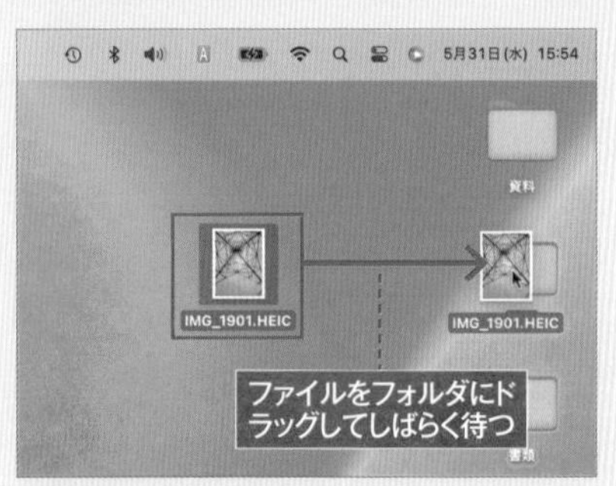

1 ファイル（フォルダ）を、移動／コピー先のフォルダのアイコンに重ねるようにドラッグして、そのまま一定時間待つ。

2 ドラッグ先のフォルダが自動的に開き、どこにドロップするか、どのサブフォルダに移動、コピーするかを選択できる。重ねた際、スペースキーを押すとすぐにフォルダが開く。

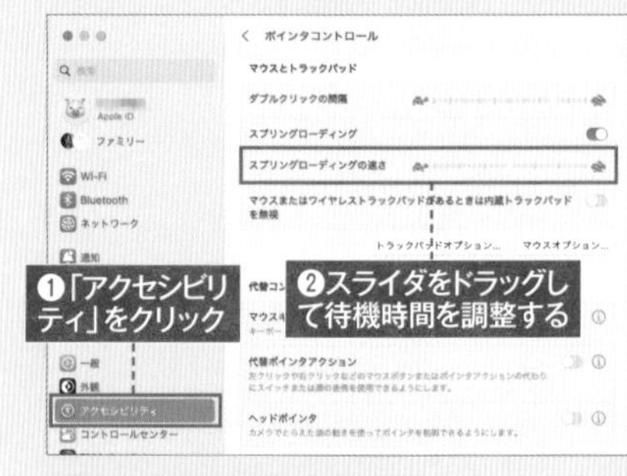

3 システム設定の「アクセシビリティ」→「ポインタコントロール」の画面で、「スプリングローディングの速さ」のスライダーをドラッグすると、重ねた際の待ち時間の長さを変更できる。

05 Mission Control

Mission Controlはドラッグ中でも呼び出せる

たくさんのウインドウが開いている状態では、ファイルの移動先を見失ってしまいがちだ。このようなことが頻発するような場合は、Mission Controlのホットコーナーを有効にしておこう。これにより、ファイルをドラッグしながらMission Controlを呼び出せるようになり、目的のウインドウをすばやく見つけられる。

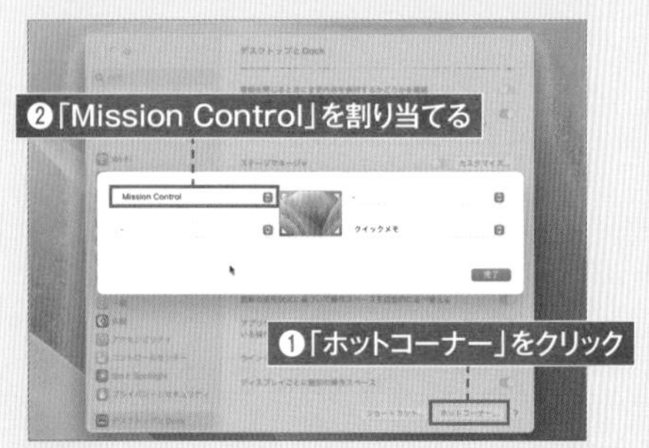

1 システム設定の「デスクトップとDock」の画面で「ホットコーナー」をクリックし、画面四隅のいずれかで「Mission Control」を選択する。以降、マウスポインタが画面四隅の指定した位置に移動すると、自動的にMission Controlが表示される。

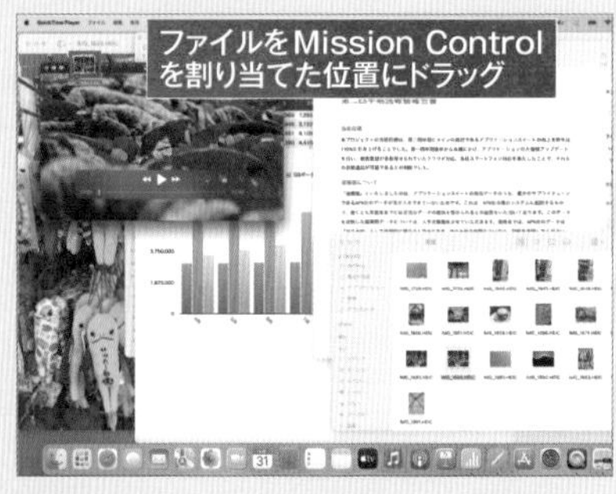

2 Finderウインドウが見えていない状態でも、ファイルをホットコーナーで指定した位置（この場合は左上）にドラッグすると、Mission Controlが表示される。

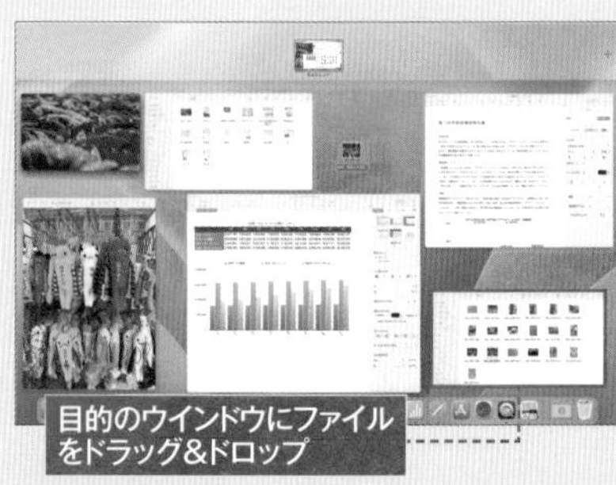

3 Mission Controlでは、Finderも含めた現在開いているすべてのウインドウが表示されるので、そのままファイルを目的のウインドウにドラッグすると、そこに移動／コピーされる。

06 基本

サイドバーをカスタマイズしよう

Finderウインドウ左側にあるサイドバー には、「アプリケーション」や「書類」といった特定のフォルダや、「AirDrop」などの特定機能にすばやくアクセスするための項目が並んでいる。サイドバーの項目は、以下のように操作することで追加／削除したり、並べ替えたりすることができるので、自分の使いやすいようにカスタマイズしてみよう。

サイドバー項目の表示／非表示を切り替える

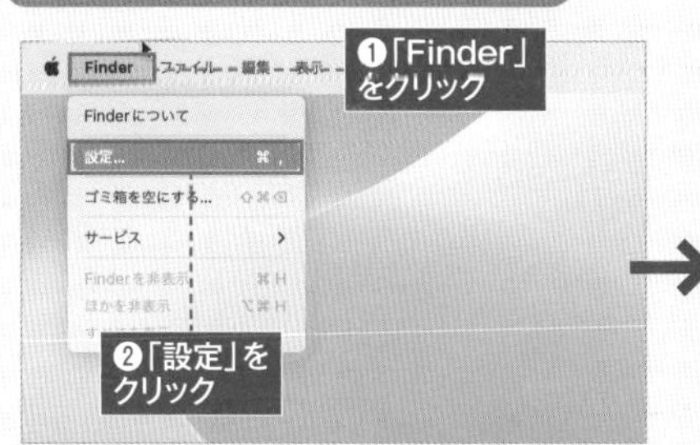

デスクトップなどをクリックして、Finderをアクティブしておき、「Finder」メニューの「設定」をクリックする。

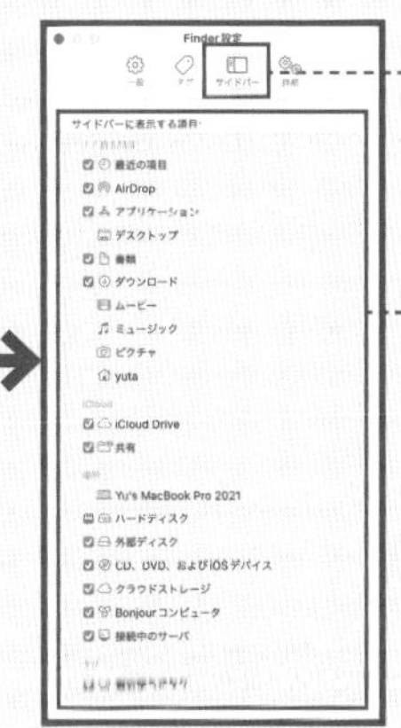

「Finder設定」が表示されるので、「サイドバー」タブをクリックして、サイドバーに表示する項目をオンに、非表示にする項目をオフにする。

サイドバーにフォルダを追加する

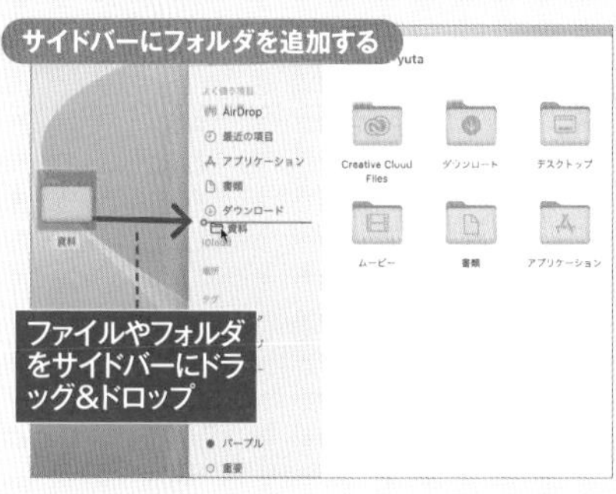

サイドバーには、任意のファイル、フォルダを項目として登録できる。登録するには、目的のファイルやフォルダをサイドバーの「よく使う項目」内にドラッグ&ドロップすればいい。

サイドバーからフォルダを削除する

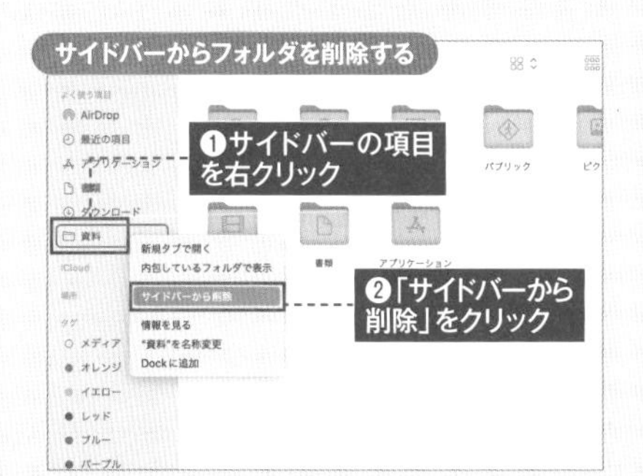

サイドバーに後から登録したファイル、フォルダを削除するには、その項目をFinderウインドウ外にドラッグ&ドロップするか、右クリックメニューから「サイドバーから削除」をクリックする。

項目を並べ替える

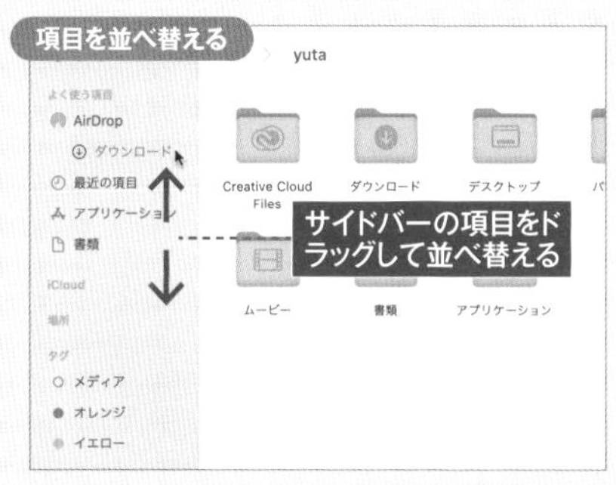

サイドバーの項目は、ドラッグ&ドロップで並べ替えることができる。ただし、「よく使う項目」や「iCloud」などのセクションを超えて並べ替えることはできない点に注意しよう。

セクションを展開する、閉じる

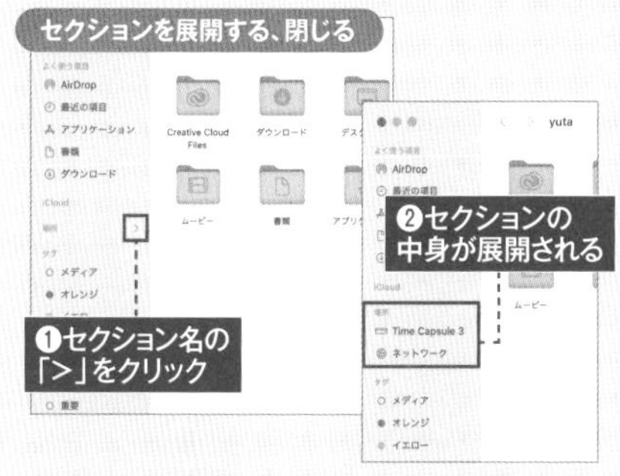

サイドバーの項目は、セクションごとに展開したり、折りたたんだりできる。項目が増えすぎた場合などは視認性を高めるためにも、折りたたんでおくといいだろう。

上で解説しているとおり、フォルダはドラッグ&ドロップでサイドバーに登録できるが、そこから目的のフォルダの中身を表示するためには、まずはFinderウインドウを開くというワンアクションが必要になる。特に頻繁にアクセスするフォルダは、サイドバーよりも常時表示されるDockに登録しておくことをおすすめする。Dockへの登録もドラッグ&ドロップで可能だが、その位置はDockの「ゴミ箱」の左側のエリア限定となる。

07 基本

特定の場所を一発で表示する

「書類」「ダウンロード」「ホーム（ユーザー）」などの主要なフォルダには、サイドバーだけでなくFinderの「移動」メニューからすばやくアクセスできる。またこれらのメニュー項目にはすべて、ショートカットキーが割り当てられているので、よく表示するフォルダに割り当てられているものを覚えておくと便利だ。

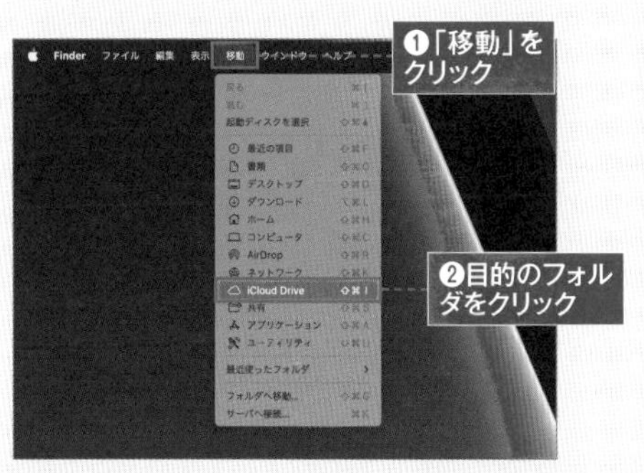

1 Finderをアクティブな状態（メニューバー左端に「Finder」という項目が表示された状態）で、「移動」メニューをクリックし、目的のフォルダをクリックする。

2 クリックしたフォルダの中身が、新しいFinderウインドウで表示される。前の手順のメニュー項目にはすべてショートカットキーが割り当てられているので、よく使うフォルダのものを覚えておこう。

3 主要フォルダ以外にすばやくアクセスするには、「移動」メニューから「フォルダへ移動」をクリックし、表示される画面で目的のフォルダへのパスを入力して、Enterキーを押す。パスは半角のスラッシュ（／）でフォルダ名を区切って入力する。

効率化

08 基本

デスクトップのファイルを整理する方法

作業に必要なファイルやフォルダを、とりあえずデスクトップに置くという使い方をしていると、ついついアイコンが雑然となってしまう。この問題を解消してくれるのが、Finderのグリッド機能と整頓、並べ替え機能だ。グリッドは見えない基準線に沿ってアイコンを配置する機能で、これと整頓を組み合わせれば手早くアイコンを整理できる。

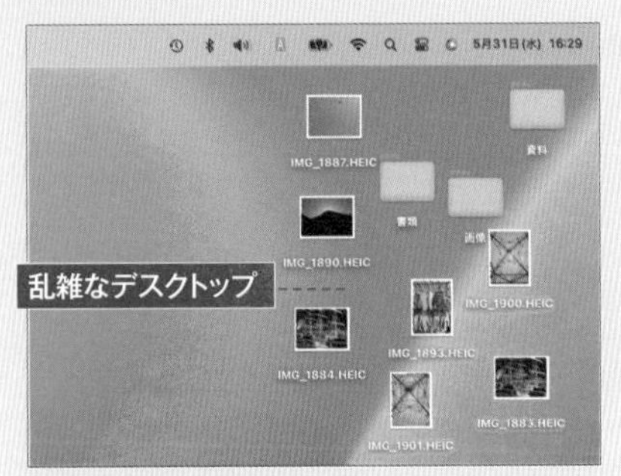

1 デスクトップのファイルを整理するには、まずはFinderをアクティブにする。

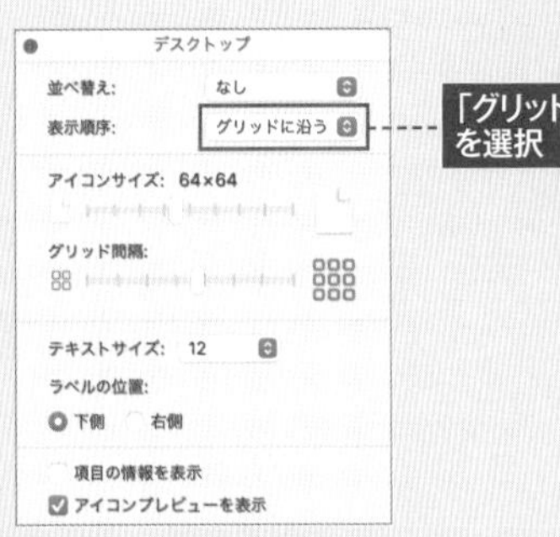

2 Finderの「表示」メニューから「表示オプションを表示」をクリックすると、デスクトップの「表示オプション」が表示されるので、「表示順序」で「グリッドに沿う」を選択する。

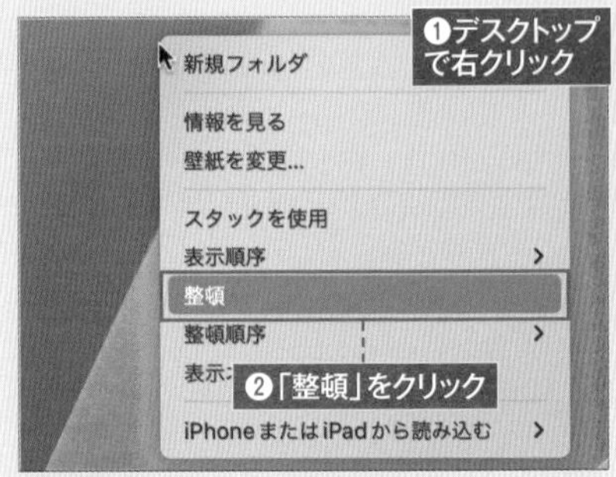

3 表示オプションを閉じてから、デスクトップ上で右クリックすると表示されるメニューで、「整頓」をクリックする。

4 デスクトップのアイコンが見えない方眼状の基準線（グリッド）に沿って配置され、整頓される。以降、デスクトップにアイコンを追加すると、そのアイコンもグリッドに沿って配置される。

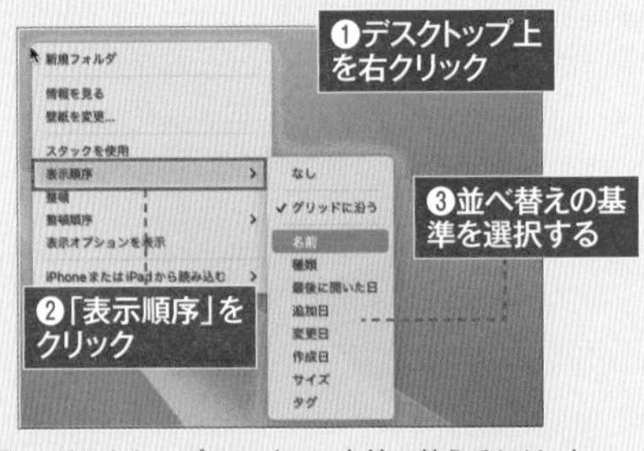

5 デスクトップのアイコンを並べ替えるには、右クリックメニューの「表示順序」のサブメニューで、並べ替えの基準を選択する。この基準は永続的で、以降アイコンを追加するとこの基準に従って自動的に並べ替えられる。「整頓順序」のサブメニューでも同様に並べ替えるが、こちらでは永続的にはならない。

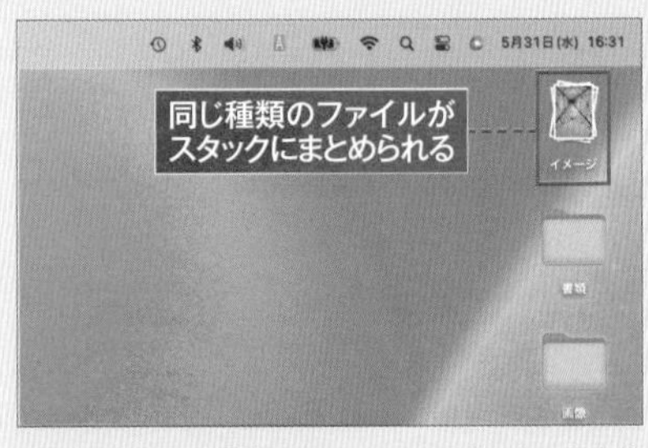

6 Finderの「表示」メニューで「スタックを使用」をクリックすると、画像や音楽、動画など、種類ごとにファイルが「スタック」という単一のアイコンにまとめられる。このスタックをクリックすると中身が展開され、まとめられたファイルが表示される。

表示オプションでは、デスクトップのアイコンとともに表示されるファイル、フォルダ名のテキスト（ラベル）のサイズを変更できる。テキストサイズを変更するには、「テキストサイズ」のリストから目的の大きさを選択すればいい。また、ラベルの表示位置も変更可能だ。ラベルは通常、アイコンの下に表示されるが、表示オプションの「ラベルの位置」で「右側」を選択すると、ラベルはアイコンの右側に表示されるようになる。

---

09 基本

アイコンをカスタムして見分けやすくする

Macでは一部のシステム関係のフォルダを除き、すべてのフォルダは同じアイコンで表示される。これではフォルダの数が増えてくると名前でしか区別できないため不便だ。実はFinderでは、PNG形式などの画像をフォルダのアイコンとして使うことができるので、フリーのアイコン素材サイトなどで好きなアイコンを入手してカスタマイズしてみよう。

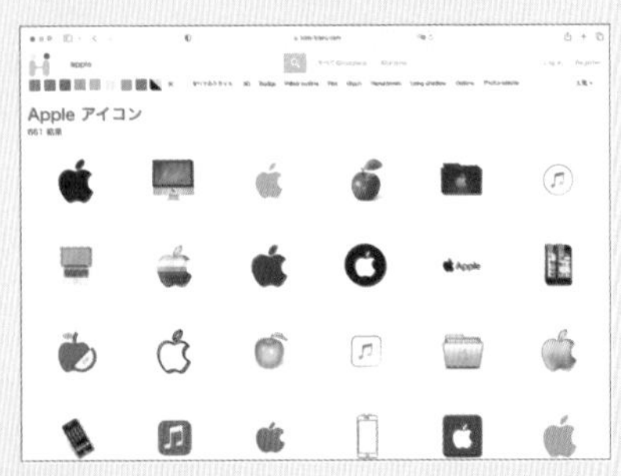

1 フリー素材として、さまざまなデザインのアイコンを配布しているサイトは、ウェブ検索で簡単に探すことができる。こうしたサイトから、ICO、ICNS、PNG形式のアイコン画像をダウンロードする。例=https://icon-icons.com/ja/

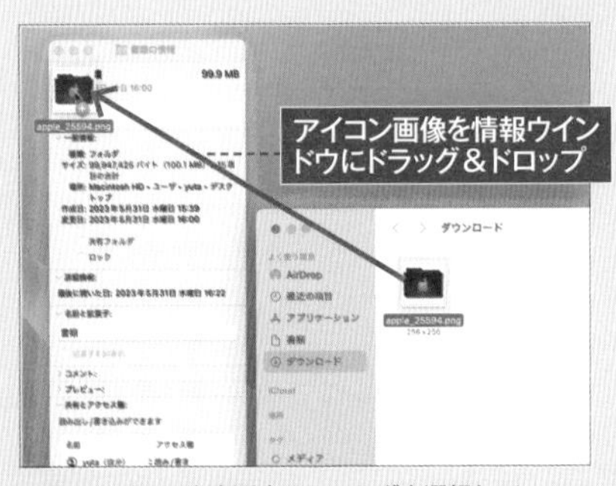

2 アイコンを変更するフォルダを選択して、command+Iキーを押すと情報ウインドウが表示される。ダウンロードしたアイコン画像を、情報ウインドウのフォルダアイコンにドラッグ＆ドロップする。

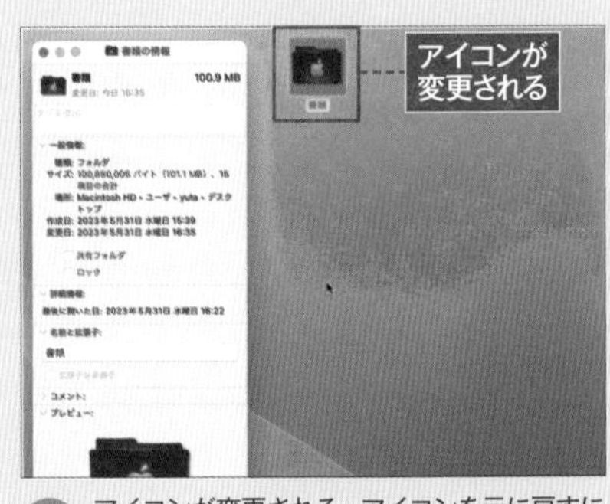

3 アイコンが変更される。アイコンを元に戻すには、情報ウインドウでアイコンをクリックしてから、deleteキーを押す。

10 グループ

Finder内をグループで分類する

1つのフォルダ内に、画像やPDFなどの文書といったように、種類が異なるファイルが混在していると、目的のファイルを見つけづらいことがある。このような場合はグループ分け機能を使うと、種類ごとにファイルがグループ化して表示される。なおこの機能は、Finderウインドウがアイコン、リスト、カラムの各表示モードでのみ利用できる。

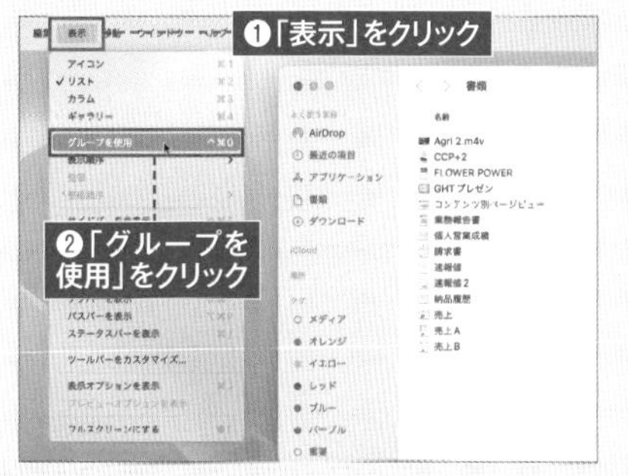

1 グループ分けするフォルダをFinderウインドウで開き、「表示」メニューから「グループを使用」をクリックする。

2 ウインドウ内のファイル、フォルダが、種類ごとにグループ分けされて表示される。グループ分けの表示は、ギャラリーの表示モードやデスクトップでは利用できない。

3 ファイルの種類だけではなく、関連付けられたアプリ、追加日や作成日、ファイルサイズなどを基準にグループ分けできる。グループの基準は、「表示」メニューの「グループ分け」のサブメニューから選択する。

ピンポイントテクニック早見表

テクニック 1 複数のウインドウを一度に閉じる

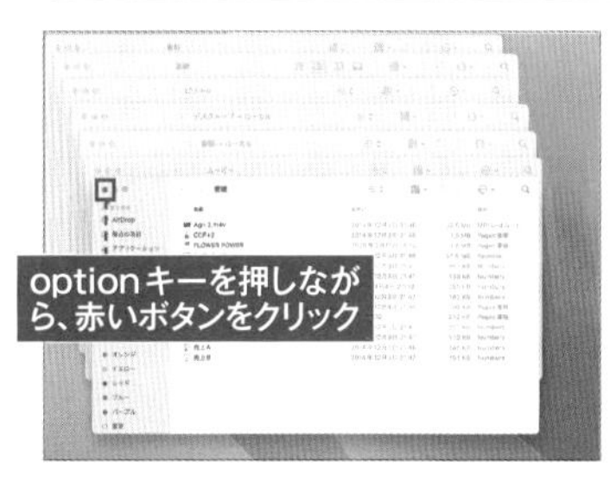

複数のFinderウインドウをまとめて閉じるには、いずれかのウインドウ左上の赤いボタンをoptionキーを押しながらクリックする。また、オレンジのボタンを同様にクリックすると、まとめてDockにしまうことができる。

テクニック 2 フォルダをタブで開く

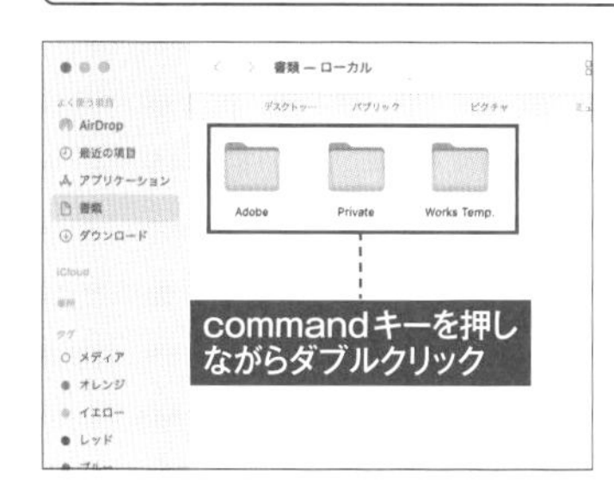

フォルダ内のフォルダをダブルクリックすると、通常は同じウインドウの内容がダブルクリックしたフォルダのものに切り替わるが、これを新たなタブで開くこともできる。タブでフォルダを開くには、フォルダをcommandキーを押しながらダブルクリックする。

テクニック 3 ファイルのプレビューを表示する

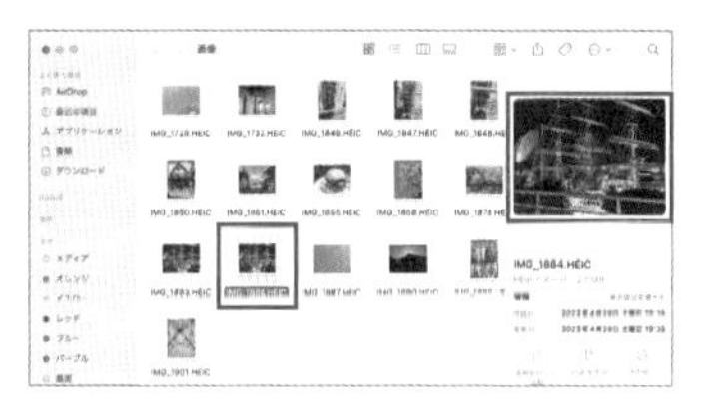

Finderウインドウでは、ウインドウ内で選択したファイルのプレビューを見ることができる。プレビューを表示するには、「表示」メニューの「プレビューを表示」をクリックする。なお、デスクトップではプレビューを表示できないので、QuickLookを利用しよう。

テクニック 4 フォルダを新規ウインドウで開く

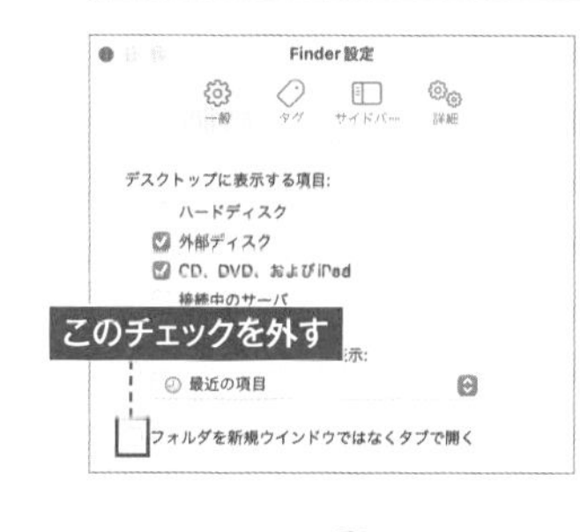

❷で紹介したテクニックでは、フォルダのダブルクリックで新規タブにフォルダの中身を表示しているが、タブではなく新規ウインドウで表示することもできる。このようにするには、「Finder」メニューで「設定」をクリックし、「一般」タブで「フォルダを新規ウインドウではなくタブで開く」のチェックを外す。

テクニック 5 アイコンサイズを変更する

Finderウインドウの表示モードが「カラム」以外のときは、アイコンの表示サイズを変更できる。アイコンの表示サイズは、「表示」メニューから「表示オプションを表示」をクリックすると表示される画面の「アイコンサイズ」で変更できる。

テクニック 6 ウインドウ内でフォルダを常に先頭に表示する

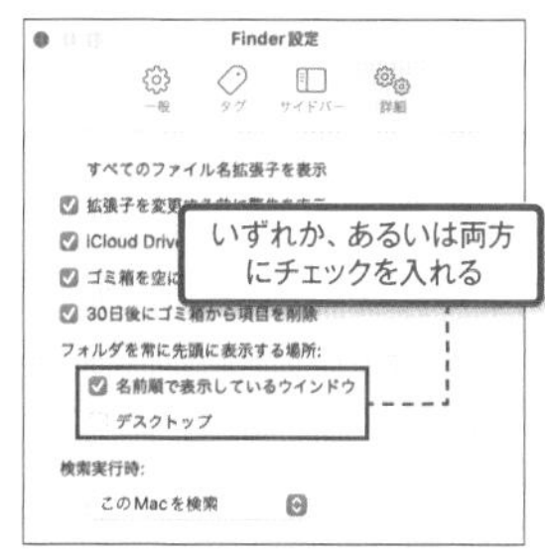

デスクトップやFinderウインドウで、ファイルよりもフォルダを先頭に表示するには、「Finder」メニューから設定を表示し、「詳細」をクリックすると表示される画面で、「フォルダを常に先頭に表示する場所」のいずれかにチェックを入れる。Finderウインドウは、並べ替えを名前順にしておく必要がある。

効率化

ベスト・テクニック!!

「ショートカット」の便利アクションを使って作業を効率化!

日常的な作業の手間を省きたいなら、標準のショートカットアプリを使用することが欠かせない。このアプリを使えばクリック1つで予め指定した処理を自動的に行ってくれる。

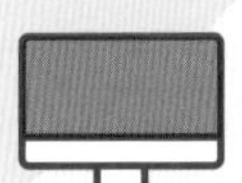

作業の手間を減らすショートカットアプリを使ってみよう

毎回同じパソコン作業をする際は、標準で備わっている「ショートカット」アプリを使おう。ショートカットを使うと、さまざまなパソコン作業を自動化してくれる。1回クリックするだけで、複数のアプリ操作をまとめて完了させることができる。

たとえば、FaceTimeで特定の人に電話をかける際、FaceTimeアプリを起動し、連絡先から相手の番号を選択して…といった手間を省くことができる。また、写真編集の作業を行う場合、画像編集アプリを起動し、必要なツールを選択し、特定のフィルターを適用するなどの手順をショートカットアプリで一括で実行することができる。

作成したショートカットはDockに追加して、いつでもどこでも呼び出すことが可能だ。また、ショートカットアプリはキーボードを使った、さまざまなショートカット操作が苦手な人にも便利だ。マウスでクリックするだけでキーボードのショートカット操作と同じことができる。

ショートカットアプリを使えば、繰り返し行う作業を効率化できるだけでなく、作業のミスを減らすこともできる。時間の節約だけでなく、作業を正確に行えるメリットも発生する。自分の作業の中で、効率化が可能なものを洗い出してみよう。まずは、あらかじめ用意されているショートカットを使って利便性を体験しよう。

ショートカット
作者:Apple　価格:無料
標準アプリ

4

ショートカットの基本的な操作を理解しよう

1 追加ボタンをクリックする

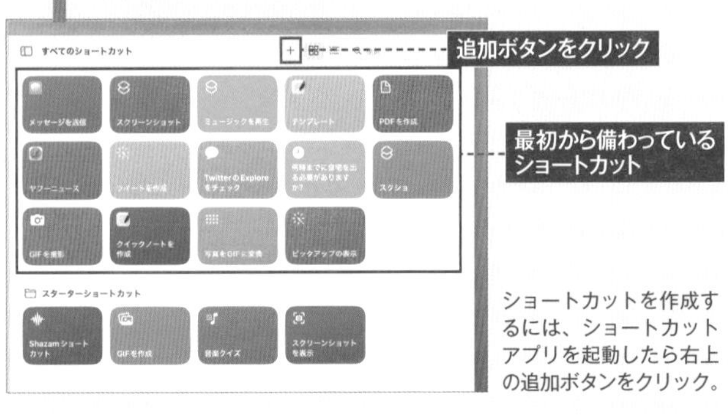

ショートカットを作成するには、ショートカットアプリを起動したら右上の追加ボタンをクリック。

2 アクションを追加する

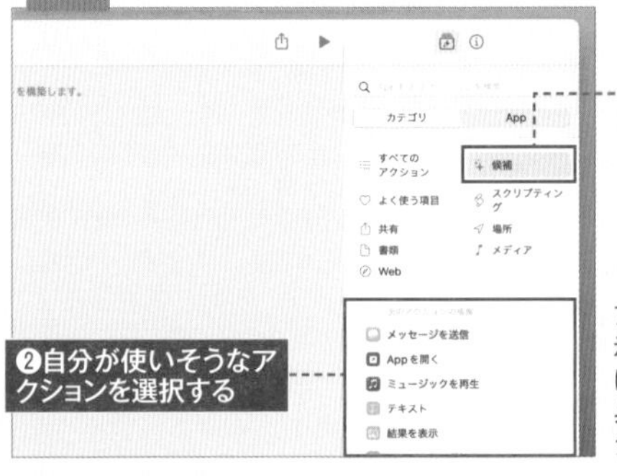

アクション追加画面が表示される。初めて使う人はまず「候補」から、自身がよく使いそうなアクションを選択してみよう。

3 アクションの詳細を設定する

「ミュージックを再生」アクションを追加した場合は、作成したショートカットをクリックしたときに再生する曲を指定する設定を行おう。

4 ショートカットを実行する

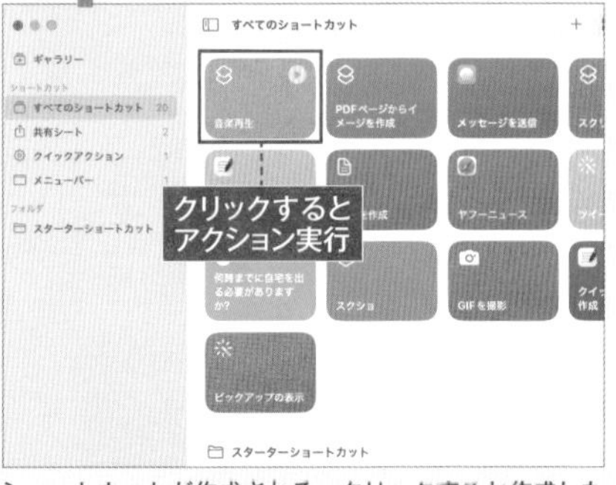

ショートカットが作成される。クリックすると作成したアクションが実行される。右クリックからDockに登録することもできる。

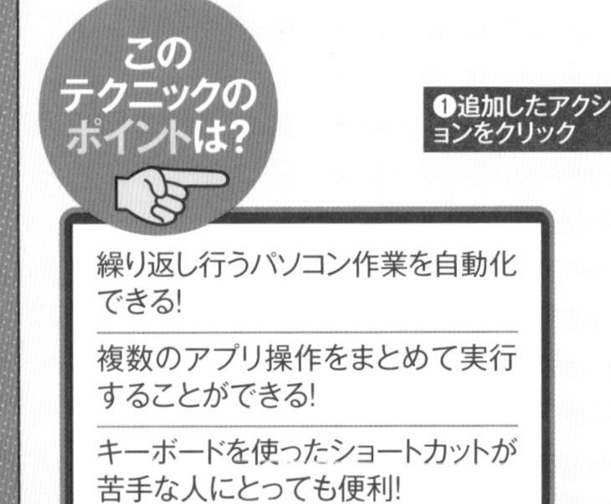

特定の相手に FaceTimeオーディオをかける

1 アプリから FaceTimeを選択

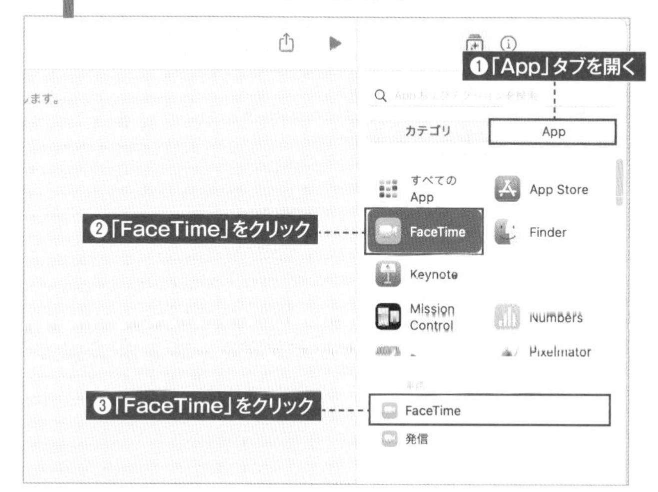

日常的に、特定の人にFaceTimeオーディオをかける人を想定してショートカットを作成してみよう。「App」タブから「FaceTime」を選択し、「FaceTime」を選択する。

2 通話相手と FaceTimeの種類を選択

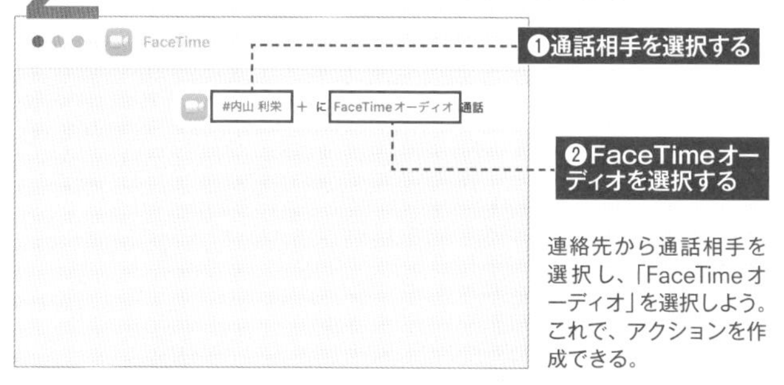

連絡先から通話相手を選択し、「FaceTimeオーディオ」を選択しよう。これで、アクションを作成できる。

POINT

FaceTimeオーディオを使うには iPhone同士である必要がある

FaceTimeオーディオを使えば、無料で通話を行なうことができる。ただし、利用できるのはお互いiPhone同士である必要がある。Androidユーザーや固定電話ではFaceTimeオーディオの通話はできないので注意しよう。なお、MacでFaceTimeオーディオを利用するには、112ページを参照しよう。

Googleで複数ワードを一発検索

1 ギャラリーから ダウンロードする

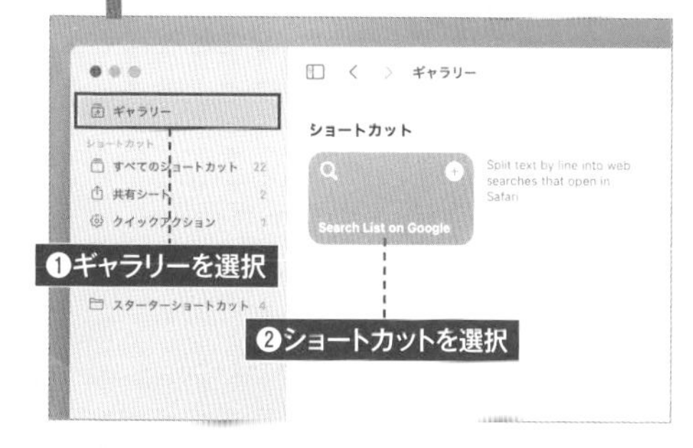

どのようなショートカットが存在するのかを調べるには「ギャラリー」を見てみよう。ここでは例として、Googleで複数ワードを一括検索する「Search List on Google」を使ってみよう。

2 キーワードを設定する

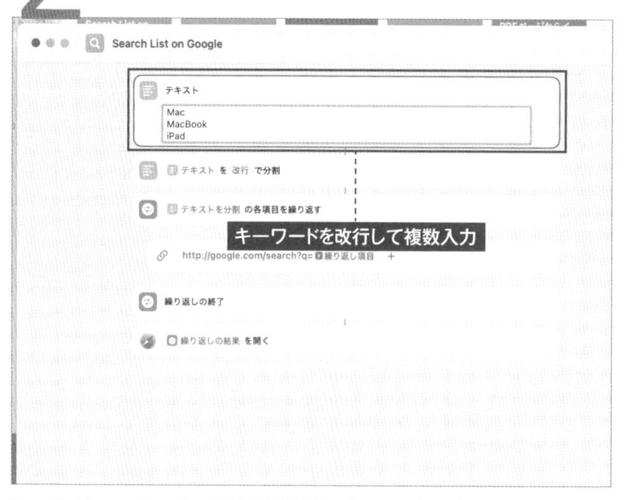

Search List on Googleの設定画面を開き、「テキスト」に検索したいキーワードを改行しながら入力していこう。

3 複数のキーワードを まとめて検索

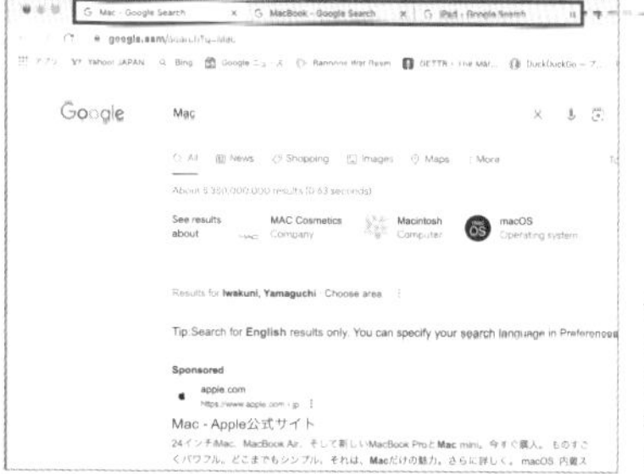

作成後、ショートカットを実行しよう。既定のブラウザが起動して、設定したキーワードの検索結果をタブごとに開いてくれる。

まとめ どんなショートカットを 実行したいか考えてみよう!

多彩な操作を効率的に行えるショートカットアプリだが、自分が欲するアクションがどのようなものか、じっくり考えることが重要となる。ウェブ検索や、メールでの決まった操作、画像編集の定形操作などがイメージしやすいだろう。もしアイデアが思い浮かばない場合は、ギャラリーページでほかのユーザーが作成した既存のアクションから選ぶか、それをヒントに考えてみればよい。

なお、作成したアクションのアイコンはデフォルトでは、すべて同じになってしまうので、各アクションごとにカラーやデザインをカスタマイズすることで、より使いやすくできる。

実戦
テクニック!!

デスクトップにたくさん開いたウインドウはMission Controlで効率的に管理する

仮想デスクトップとウインドウの一覧表示でデスクトップを整理する

デスクトップでウインドウを開き過ぎると、目的のウインドウを最前面に出すのが面倒になってくる。そんなときは「Mission Control」を活用しよう。Mission Controlを起動すると、現在、Mac上で開いているウインドウのすべてを一覧表示してくれる。目的のウインドウを選択すると、すぐに最前面に表示することが可能だ。

Mission Controlの起動方法はたくさんある。Dock内に表示されているアイコンをクリックするほか、キーボードの「F3」キーを押す、トラックパッド上で3本、または4本指で上にスワイプする、といった操作で呼び出せる。また、設定をカスタマイズして好きなキーをショートカットに設定したり、ホットキーから呼び出すことも可能だ。

Mission Controlには、仮想デスクトップを作成・管理する機能も搭載している。ウインドウをたくさん開きすぎて、デスクトップが使いづらくなったときは、仮想デスクトップを追加して、ウインドウを複数に分散させると使いやすくなる。「原稿作成用デスクトップ」「コミュニケーション用デスクトップ」など、作業内容ごとにデスクトップを使い分けよう。仮想デスクトップは、特に画面領域が狭く、ウインドウをたくさん開きづらいMacBook Airなどでかなり重宝するはずだ。

ほかに、フルスクリーン化状態のアプリやSplit View状態のアプリもMission Controlで管理できる。

Mission Controlでデスクトップを追加する

1 追加ボタンをクリックしてデスクトップを追加する

デスクトップにウインドウがたくさん開いて使いづらくなったら、Mission Control画面で右上にカーソルを移動すると表示される追加ボタンをクリック。

2 追加したデスクトップに切り替える

上部メニューにデスクトップが追加される。切り替えたいデスクトップをマウスでクリックしよう。また、ウインドウをデスクトップにドラッグ＆ドロップして、移動することができる。

3 追加したデスクトップをカスタマイズする

作成したデスクトップを開くとウインドウのないデスクトップが現れる。なおデスクトップごとに壁紙を変更することができる。アプリケーションやデスクトップに設定していたファイルは新しいデスクトップでもそのまま利用可能。

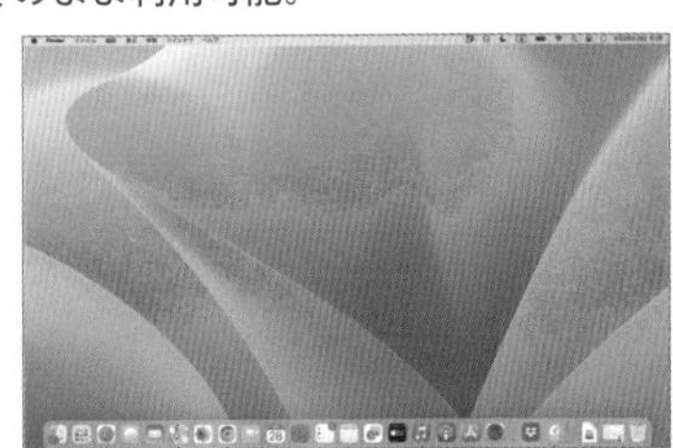

Mission Controlを使いやすくカスタマイズする

Mission Controlは、F3キーやDockにあるアイコンをクリックすると起動できるが、起動方法は自分好みにカスタマイズできる。

好きなキーをショートカットキーに指定したり、トラックパッドやマウス操作でMission Contorlを起動させることが可能。デフォルトでは機能がオフになっているが、ホットコーナー（デスクトップの両端角）にマウスカーソルを移動するだけで起動させることもできる。これら動作の設定は、「システム設定」の「デスクトップとDock」から行おう。

Misson Controlの設定を変更するには、「システム設定」から「デスクトップとDock」を開き、「ショートカット」をクリック。

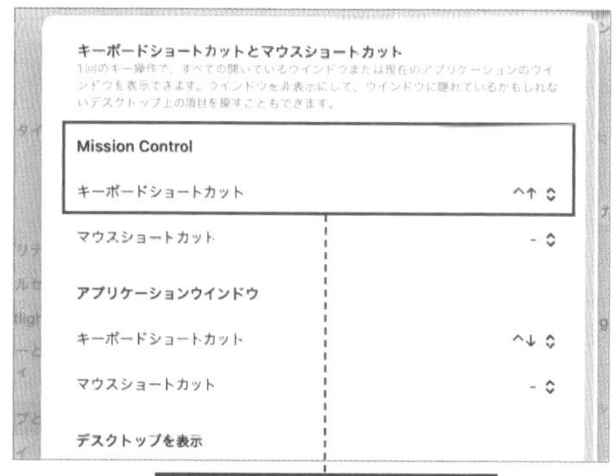

ショートカット設定画面が開いたら、「Mission Control」の「キーボードショートカット」でショートカットを指定しよう。通常は「Control+↑」でMission Controlが起動する。

1 2

3 4

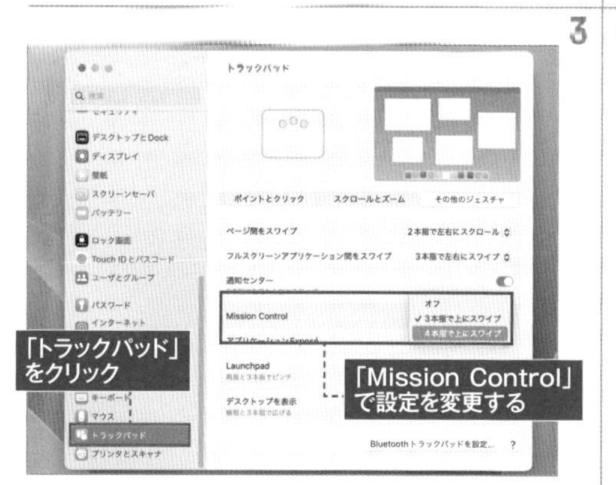

トラックパッド操作での起動のカスタマイズは、「システム設定」の「トラックパッド」画面で「その他のジェスチャ」を選択。「Mission Control」で、トラックパッド上での起動設定が行える。3本指か4本指を選べる。

Mission Controlを起動することなく、ウインドウを隣の仮想デスクトップに移動することもできる。ウインドウをデスクトップ右端にドラッグするだけでよい。また「Control」+「→」キーや3本指スワイプでデスクトップ切り替えが可能だ。

ここがポイント

アプリごとにグループ化された状態にする

Mission Contolは、現在では標準だとウインドウがバラバラに一覧表示されるが、以前のようにアプリごとにウインドウをグループ化させることも可能だ。「システム設定」の「デスクトップとDock」設定画面から設定を変更できる。以前のほうが使い勝手が良かったユーザーは元に戻すのもいいだろう。

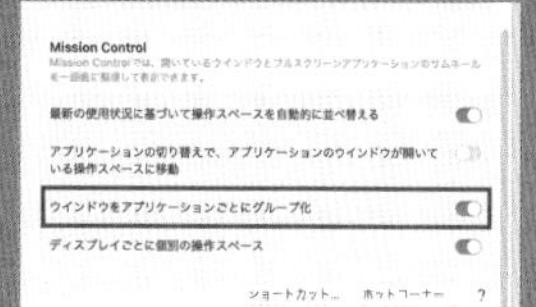

「デスクトップとDock」画面を開いて、「ウインドウをアプリケーションごとにグループ化」にチェックを入れると、以前のMission Controlに戻すことができる。

4 Split View化したアプリを管理する

Split Viewで2つのアプリを使っているときにMission Controlを起動すると、Split Viewを解除せず、デスクトップ画面に戻りほかのアプリの操作ができる。

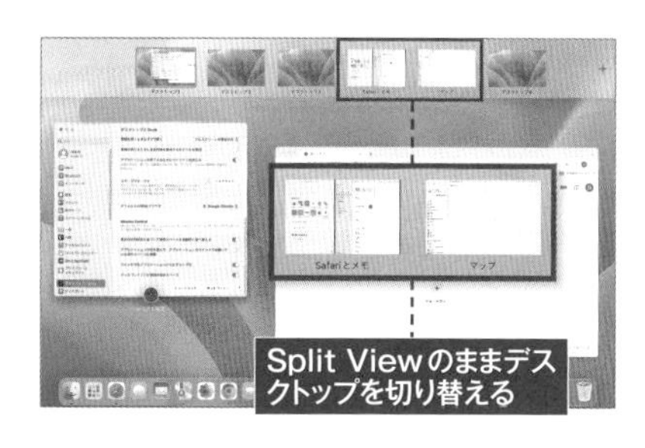

5 フルスクリーン化アプリを効率よく切り替える

Safariやメールなど、広いスペースで作業したいアプリは、フルスクリーン表示にしたあと、Mission Controlで切り替えて使うのが便利。フルスクリーン化したアプリは、デスクトップと同じく上部で管理できる。

6 デスクトップを削除する

追加したデスクトップの画面を削除したい場合は、対象となるデスクトップにマウスカーソルを移動すると表示される「×」ボタンをクリック。

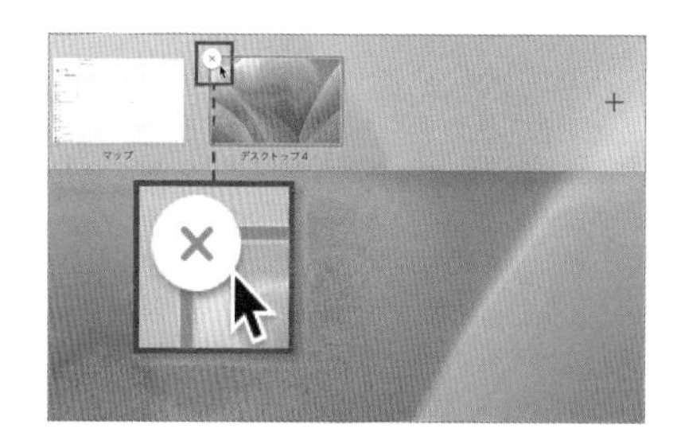

実戦テクニック!!

Split ViewとSpectacleでウインドウ制御は完璧!

マルチタスクはSplit Viewとアプリの併用がおすすめ!

ウェブブラウザで情報ソースを見ながら、それを元にPagesで資料を作るといった、いわゆるマルチタスクを便利にしてくれるのが、Macに標準搭載されている機能である「Split View」だ。複数のウインドウを並べてマルチタスクするという作業スタイルは、MacをはじめとするPCの得意とするところだったので、以前からそのような使い方をしてきたという人も多いかもしれない。ただ、デスクトップでウインドウが雑多に、バラバラの大きさで並んでいる状態は、人によっては集中力を削ぐ要因ともなり得る。Split Viewの便利なところは、2つのウインドウできれいに画面を分割できる点と、最小限の操作手順で実行できることにある。特に冒頭で述べたように、一方を参照しながら、もう一方のウインドウで作業するといったことが多いなら、Split Viewを積極的に活用したい。

作業中、3つ以上のウインドウが開いていることが多い、という場合は「Spectacle」というアプリがおすすめ。SpectacleはSplit Viewと同様に、複数ウインドウで画面を分割、整理できるアプリだが、Split Viewが2ウインドウまでなのに対し、Spectacleでは4ウインドウ、5ウインドウを同時かつ整頓して表示できる。また、ショートカットキーによるウインドウ整理にも対応しているので、キーボードから指を放さずマルチタスクしたいというニーズにマッチする。

Spectacle
作者／Eric Czarny 価格／無料
URL／https://www.spectacleapp.com

純正機能とアプリ、自分のマルチタスクスタイルに合うものを選ぼう

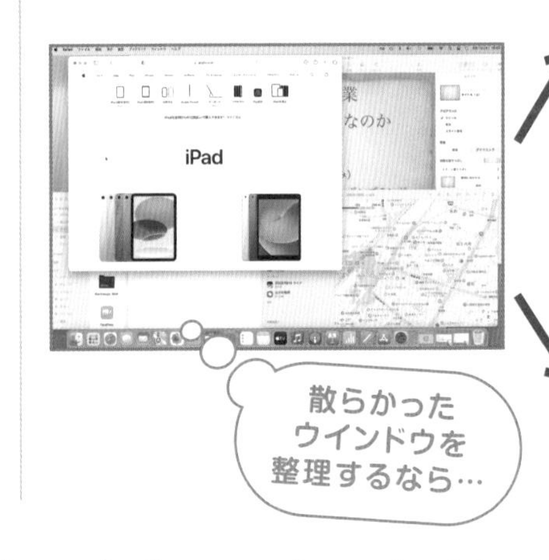

● 2ウインドウの分割表示なら「Split View」

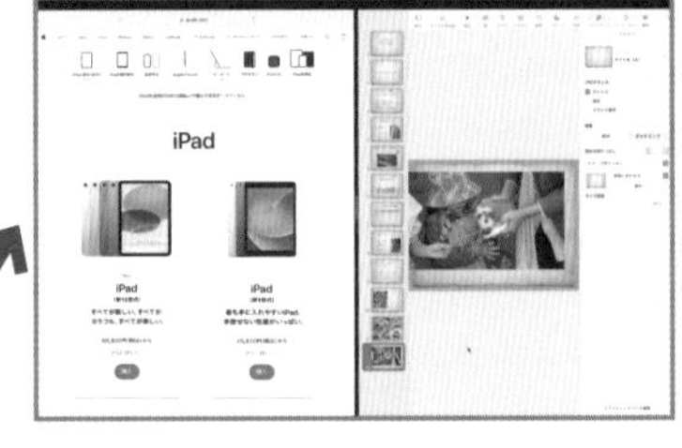

純正機能なので、アプリの追加なしで2ウインドウの分割表示ができる点がSplit Viewのメリット。操作方法もMacらしく洗練されているが、やや煩わしい点と、対応アプリでないと動作しない点に難がある。

● 3ウインドウ以上なら「Spectacle」

3ウインドウ以上で分割表示するのであれば、Spectacleが便利。Split Viewのような左右2分割だけでなく、上下の分割、上下左右の4分割などにも対応し、さらにはウインドウのセンタリングも可能。分割直後にアンドゥー機能で操作を取り消し、やり直しもできる。

Split Viewの使い方をマスターする!

1 緑のボタンをポイントする

対応アプリのウインドウ左上にある緑色のボタンをポイントすると、メニューが表示されるので、「ウインドウを画面左側にタイル表示」をクリックする。

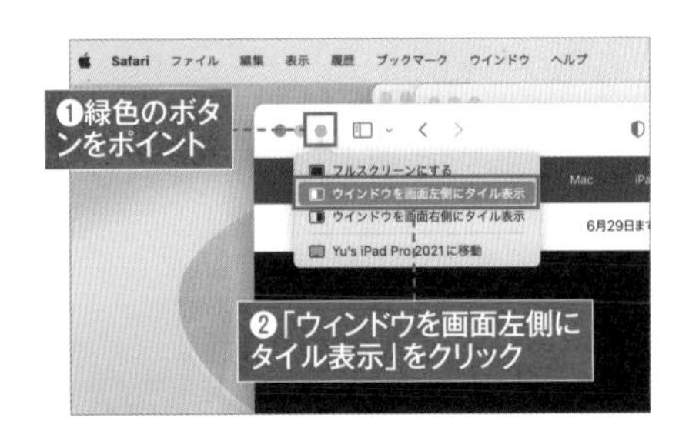

2 ウインドウがリサイズ、移動される

ウインドウが画面左半分にリサイズされ、移動する。画面右半分には、現在デスクトップで開いているほかのウインドウが表示されるので、右側に表示したいものをクリックする。

3 ウインドウで画面が2分割される

クリックしたウインドウが画面右半分にリサイズ、移動され、画面が左右に2分割される。各ウインドウの大きさは中央の分割線を左右にドラッグして変更できる。

Spectacleで自由自在のウインドウコントロール!

Spectacleの使い方はシンプル。メニューバーのSpectacleアイコンをクリックして、メニューから目的の表示位置をクリックすれば、その時点でアクティブなウインドウがその表示位置に移動し、リサイズされる。このメニューで注目したいのが、ほとんどのコマンドにショートカットキーが割り当てられているところ。これにより、ウインドウ分割の操作はキーボードから手を放さず行えるようになり、この点は、Split Viewにはないアドバンテージだ。

なお、ショートカットキーの組み合わせはアプリの設定画面から変更できる。自分の使いやすいようにカスタマイズして、作業効率のアップを目指そう。

1

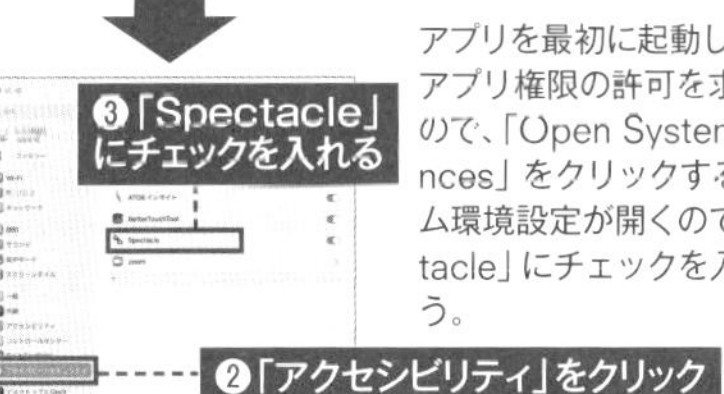

アプリを最初に起動したときに、アプリ権限の許可を求められるので、「Open System Preferences」をクリックする。システム環境設定が開くので、「Spectacle」にチェックを入れておこう。

2

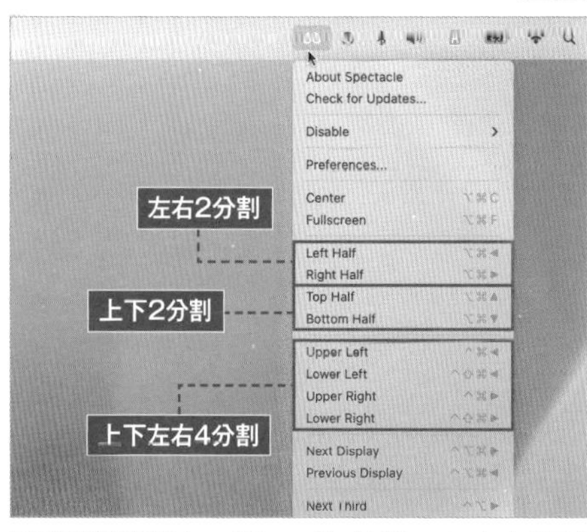

アプリを起動すると、メニューバーに「Spectacle」のアイコンが表示される。これをクリックすると表示されるメニューには、ウインドウの配置方法のコマンドが並んでいる。ここから目的の配置方法のコマンドをクリックすると、アクティブなウインドウがその位置に移動、リサイズされる。

3

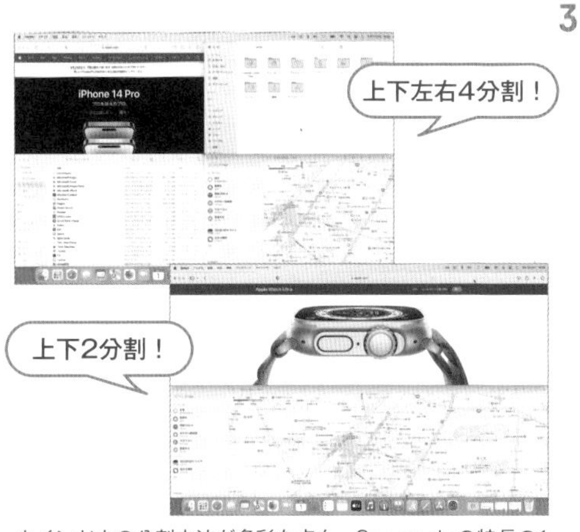

ウインドウの分割方法が多彩な点も、Spectacleの特長の1つ。上下2分割、上下左右4分割、中央表示、フルスクリーン表示、さらには外部ディスプレイへの移動なども、メニューやショートカットキーで実行できる。

4

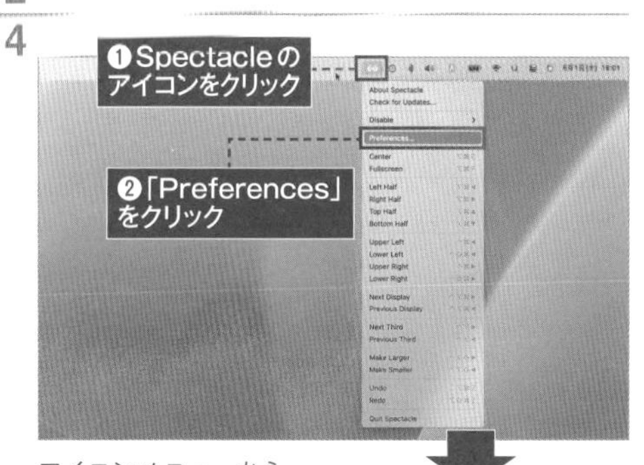

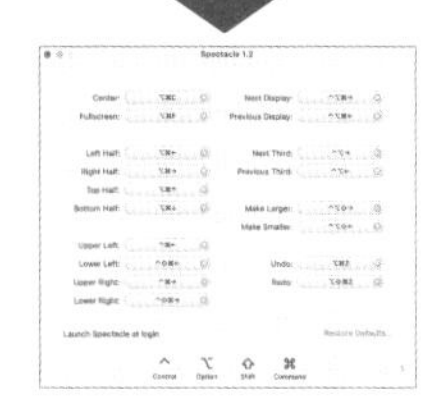

アイコンメニューから「Preferences」をクリックすると、設定画面が表示される。ここでは、アプリをMacの起動時に同時起動する設定のほか、メニューコマンドに割り当てられたショートカットキーの変更が可能。

マウス操作主体なら、Magnetがおすすめ

Spectacleと同様にウインドウの分割表示を可能にするのが「Magnet」(Mac App Store、990円)だ。Magnetではウインドウを所定の位置にドラッグすることで、その位置に固定、リサイズしてくれるので、マウスやトラックパッド主体でMacを操作する場合は、こちらがおすすめだ。

ウインドウを画面左端にドラッグで左半分に、左上にドラッグで左上に固定、リサイズするなど、直観的にウインドウ操作できる。

4 別のウインドウに置き換える

ウインドウを別のウインドウと置き換えることができる。置き換えるウインドウの緑色のボタンをポイントして、「タイル表示されたウインドウを置き換える」をクリックする。

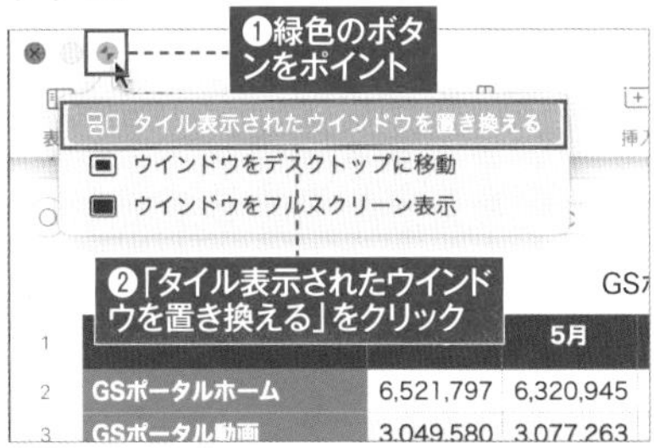

5 置き換えるウインドウをクリックする

現在デスクトップで開いているウインドウが表示されるので、置き換えるウインドウをクリックする。

6 ウインドウが置き換えられる

ウインドウが別のウインドウに置き換えられる。なお、分割表示を解除するにはEscキーを押す。その際、もう一方のウインドウはフルスクリーン表示になる。

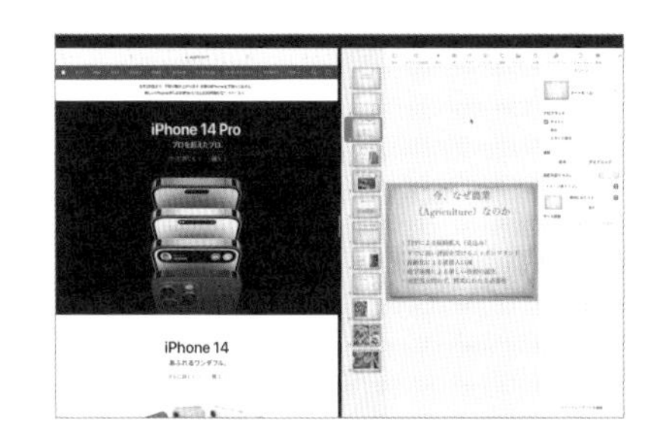

Mac周辺機器紹介 **Mac Gadgets!!!**

Macのディスプレイを考える

作業効率をもっとも左右させるのは、やはりディスプレイ

Mac miniやMac Studioのユーザーはもちろん、MacBookやiMacを使う際にも「もうひとつディスプレイが欲しいなあ」と思う人は多いだろう。ディスプレイにも接続方法やサイズなど種類がある。自分にピッタリなものを考えてみよう。

これから買うなら、USB-C接続タイプがおすすめ!

Macのディスプレイにも選択肢は多くあるが、接続方法で大きく2つに分けると、HDMIで接続するもの、USB-Cで接続するもの、にまず分けられる。そして、一応選択肢として残しておきたいのが、意外に便利なモバイルディスプレイというタイプだ。

まずはHDMI接続のディスプレイを考えてみよう。このカテゴリーは、サイズや価格、機能などかなり多彩なタイプが存在するが、代表的なものでいうと、21～32インチの2K～4Kディスプレイが中心になるだろう。製品が非常に多く、価格的にもこなれているので失敗する可能性も低い。価格を最優先で選ぶなら4Kではなく、フルHDの解像度を選ぶ方法もあるが、解像度が低いと文字がにじんで表示される場合もあるので、4K、または2K以上のディスプレイがおすすめだ（古いMacを使っているならフルHDでも問題ない！）

また、一応選択肢として考えておきたいのが、モバイルディスプレイというタイプだ。スペースもとらず、縦置きも可能で、MacBookと一緒に外に持ち出すこともできる。フルHDの13～15インチが標準だが、4K解像度の製品もあり、目的に合わせて選ぶことができる。

そして、もっともおすすめであり、製品数も最近増えているのが、USB-Cケーブル1本で接続できるディスプレイだ。特にM1以降のMacBookにディスプレイを追加したいと考えているならUSB-PD（給電）に対応したディスプレイが非常に便利だ。MacBookへの給電とディスプレイへの出力が1本のケーブルでスマートに行えるだけでなく、ディスプレイ側に拡張できるUSB-Cポートが備えられている機種も多いので、ディスプレイをUSB-Cハブのように使うこともできる。また、Apple純正品などの、Thunderbolt接続のディスプレイも非常に魅力的だ。

また、Macでは機種によって、接続できる外部ディスプレイの数が細かく決まっているので注意しておこう（初代M1のAir、Pro、mini、iMacは1台しか接続できない）。

1 HDMI接続のディスプレイ

スペックは千差万別！画面の大きさ、解像度、そのほかの機能を考慮しよう

HDMI接続のディスプレイはもっとも製品数やタイプが多いだけに選択肢も多い。画面の大きさ、解像度、パネルの種類、リフレッシュレート（応答速度）など考慮すべき項目が多いが、どんな作業をするにしても無難なのが、24～32インチぐらいで2K～4Kの解像度をもったディスプレイだ。そして、長時間の作業が必至ならば、目が疲れにくい曲面ディスプレイを選んだり、動画編集が中心であったら、リフレッシュレートの高いディスプレイを選ぶなど、自分の重視したいポイントで製品を絞り込んでいこう。

とにかく低価格で4Kの環境が手に入る！

HP V28 4K（価格.com限定モデル）
価格：25,801円（価格.com）

3万を切る価格で購入できる28インチの4Kディスプレイ。パネルはTNパネルとなり、IPSのものより視野角は狭くなるが、コスパの高さは圧巻だ。

写真はLGのUltraFine 4Kシリーズの21.5インチサイズのもの。Thunderboltで接続でき、MacBookを給電しながらケーブル1本で利用できるのがポイントだ。Apple公認機種であり、サイズは21.5インチとコンパクトながら4,096×2,304の解像度を誇るので、画素密度は219ppiと高く、通常のMacのRetina Displayとほぼ同レベルだ(13インチMacBook Pro、Airは227ppi)。Mac専用の設計でスイッチ類は一切なし。

22MD4KA-B(現在は販売完了だが、中古ならば3~5万円で入手可能)

低価格で
曲面ディスプレイの
快感を味わえる

Dell S2722DGM
価格:27,800円(直販)

27インチの曲面ディスプレイで攻撃的なデザインが素晴らしい。解像度は2K(2560×1440)で、リフレッシュレート=144hz(HDMI接続)と非常に高速だ。

2 モバイルディスプレイ

家でも外出先でも同じように使えるのがポイント!

27インチぐらいの大きさのディスプレイとはまるで違うサイズだが、人によっては非常に便利なのがモバイルディスプレイだ。iMacやデスクトップ機のサブディスプレイとして使ったり、MacBookの横に並べて使うにも快適だ。USB PD機能を装備している機種も多い。解像度が必要な場合は4Kタイプも購入できる。

フルHDの解像度でも、
作業効率はアップできる!

IODATA EX-LDC161DBM
価格:22,800円(Amazon)

15.6インチのスタンド一体型モバイルディスプレイ。フルHDの解像度ではあるが、IPSパネルで表示も問題なく、USB-C接続(給電にも対応)、HDMI接続が可能。

3 USB-C接続できるディスプレイ

MacBookユーザーなら、スマートに使える このタイプを選びたい!

ディスプレイを電源につなげば、あとはそこからUSB-Cケーブルを1本Macに接続するだけで環境が構築できるUSB PDタイプはとてもスマートなのでおすすめだ。MacがM2 MacBook Proだったり消費電力が多い場合はディスプレイ側の電力供給量をチェックしておく必要がある。接続・表示のクオリティ、拡張性を重視するなら、写真のLG製品、またはApple純正のStudio Displayなど、Thunderboltで接続できるタイプを選ぶのもおすすめだ。

まったく死角なし!
コスパの超高い
4Kディスプレイ

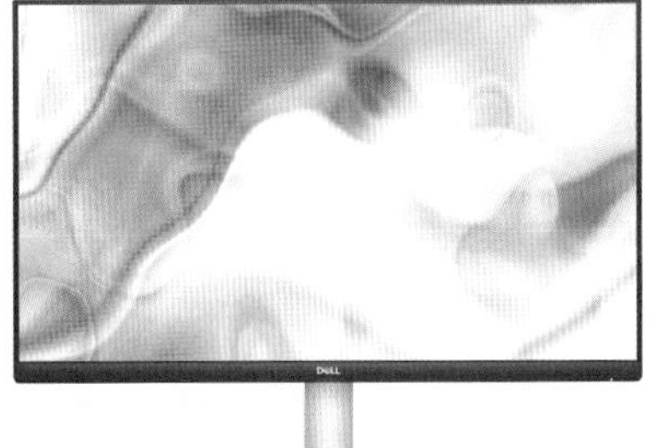

Dell S2722QC
価格:44,800円(直販)

27インチの4K、IPS(ノングレア)パネルのディスプレイ。USB-C接続で65Wの給電が可能だ。HDMIでの接続にも対応している。

完全にMac専用!
高精細なUltraFineシリーズ

LG UltraFine 4K 24MD4KL-B
価格:81,460円(Amazon)

ずっとApple標準のモニタとしても評価されていたLGのUltraFineシリーズの27インチ・4Kモデル。完全にMac専用となっていて非常に使いやすく、表示クオリティも極めて高い。USB-C接続で85Wの給電が可能で、USB 3.0のポートを3つ備えている。

ベスト・テクニック!!

iPhoneとiPadの便利な連係テクニックをマスターしよう

iPhoneやiPadを持っているなら、Macとの連携テクニックをぜひマスターしておきたい。それぞれを連携させることで、活用範囲を劇的に広げることができるはずだ。

iPadのマークアップ機能、iPhoneの高性能カメラをMacから利用!

MacとiPhoneやiPadを連携する機能には、Macの画面をiPadに出力するサイドカー、キーボードやマウス、トラックパッドを複数デバイスで共有するユニバーサルコントロールなどがあるが、その中でも特におすすめしたいのがマークアップ機能だ。これはMacで開いたPDFや画像などに、Apple Pencilを使って、iPhoneやiPadの画面に直接手書きすると、Mac上のPDF、画像にそれが反映されるという機能。Macで手書きをするためには、高価なペンタブレットを導入する必要があったが、この機能を使えば追加投資も必要ない。

もう1つ、注目すべき連携機能が「連携カメラ」だ。これはMacの対応アプリからワイヤレスでiPhoneの内蔵カメラにアクセスし、撮影した写真をそのままMacに取り込み、利用できるという機能だ。ノート型Macはカメラを内蔵しているが、iPhoneの内蔵カメラには画質の面で遠く及ばない。iPhoneの高性能カメラを、まるでMacの内蔵カメラのように利用でき、撮影した写真も自動転送されるなど、シームレスな使用感は、アップル純正のデバイス同士だからこそ味わえるものだ。

なお、マークアップ機能、連携カメラともに、すべてのデバイスでWi-FiとBluetoothがオンであり、同じApple IDでサインインしている必要がある。

4

MacとiPhone、iPadを連係させて使おう!

マークアップはiPadやiPhoneの画面上に、Apple Pencilを使って直接書き込む機能。これをMac内のPDFや画像に対して実行できるのが、連携マークアップだ。

iPhoneの高性能カメラを、あたかもMacの内蔵カメラのように使える連携カメラ。写真撮影だけでなく、FaceTimeのビデオ通話のカメラとしても利用できる。

このテクニックのポイントは?

- PDFや画像にメモや注釈を手書きしたい。
- iPhoneのカメラをMacからシームレスに利用したい。
- iPhoneのカメラをスキャナ代わりにして文書を取り込みたい。

iPadとMacで 連携マークアップを利用する

1 PDFを クイックルックで開く

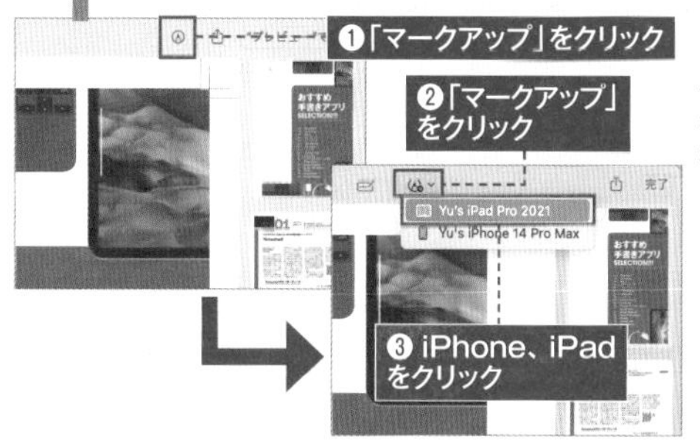

Macで PDF や 画像のファイルを選択、スペースキーを押してクイックルックで開き、「マークアップ」ボタンをクリックして、再度「マークアップ」ボタンをクリックし、メニューから手書きに使うデバイスをクリックする。

2 PDFに 手書きする

iPhone、iPadの画面にPDFが表示されると同時に、マークアップ機能が起動する。画面下のパレットでペンの種類や色を選び、Apple Pencilを使って手書きする。手書きが終わったら、「完了」をタップしよう。

3 MacのPDFに 反映される

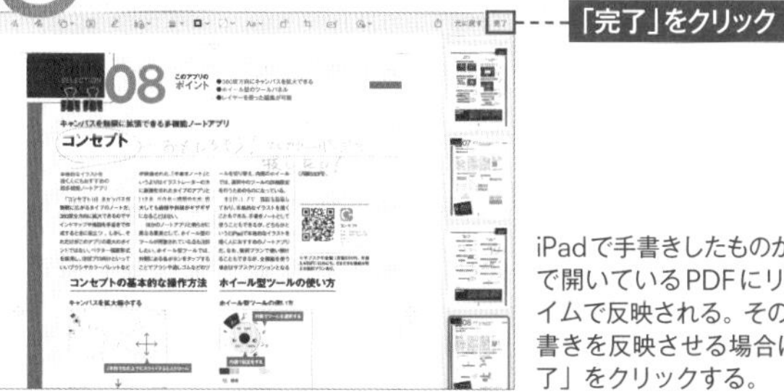

iPadで手書きしたものが、Macで開いているPDFにリアルタイムで反映される。そのまま手書きを反映させる場合は、「完了」をクリックする。

iPhoneとMacで 連携カメラを利用する

1 メニューから iPhoneを選ぶ

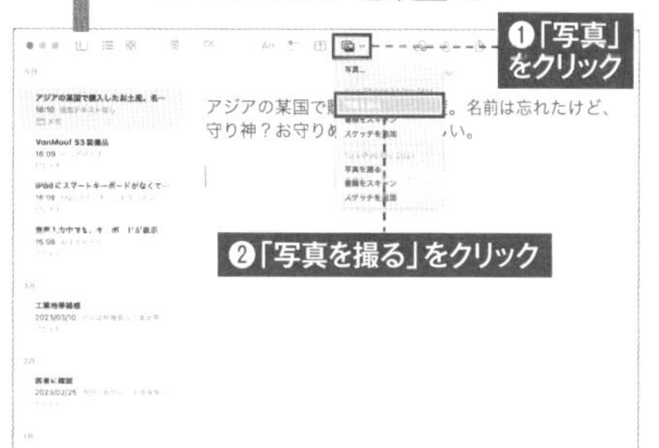

メモやPages、Numbersなど、連携カメラ対応の純正アプリでは、写真の挿入機能に、連携するデバイスを選択するメニュー項目が用意されている。メモアプリでは、「写真」ボタンをクリックするとそのメニューが表示されるので、目的のデバイスの「写真を撮る」をクリックする。

2 iPhoneの「カメラ」で 撮影する

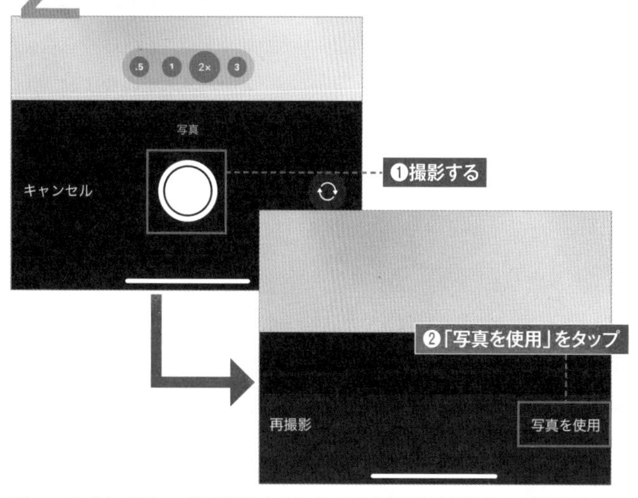

iPhoneの「カメラ」アプリが起動するので、そのまま写真を撮影する。撮影した写真をそのままMacに送る場合は、「写真を使用」をタップする。

3 Macに写真が 送られる

撮影した写真がMacに自動転送され、メモアプリであれば本文に写真が挿入される。iPhone側には撮影した写真が残らない点もいい。

まとめ Macに「足りないもの」を iPhoneやiPadで補おう

今回紹介したのはいずれも、iPhoneやiPadを使って、Macに「足りないもの」を補うための連携テクニックだ。未だに画面に直接触れるタッチ操作に対応していないMacで、Apple Pencilを使ったPDFや画像への手書きを可能にするのが連携マークアップであり、貧弱な内蔵カメラよりも高精細な美しい写真を撮影できるのが連携カメラとなる。ここでは紹介できなかったが、特に連携カメラではメモアプリから使える「書類をスキャン」も便利。撮影した書類内の文字がテキストとして認識されるので、スキャナもOCRアプリも不要になる。

ベスト・テクニック!!

iPadを使えばWeb会議のホワイトボードを200%活用できる!

Zoomの「ホワイトボード」共有は便利だが、iPadが手元にあれば、さらに便利に手書きメモを披露することができる。iPadオーナー必見の共有機能を紹介していこう。

オンライン会議を効率よく進めるためのiPad活用法

オンライン時代のビジネスミーティングツールとして、必要不可欠な存在となったZoom。ただ相手の顔を見て会話できるだけでなく、こちらのMac/PCの画面を相手に見せられたり、板書代わりとなる「ホワイトボード」の共有機能などもある。

このホワイトボードをもう1段階使いやすく、なおかつクオリティを上げられる方法がある。それがiPadの画面共有だ。

Zoomの画面共有機能では、Macの画面のみならず、手元にあるiPhoneやiPadの画面も共有することが可能。MacBookでのホワイトボード共有と違って、こちらはApple Pencilも利用できるので、手書きのハードルが大きく下がる。「フリーボード」など手書きアプリと組み合わせれば、フリーハンドで描画しての解説も、ストレスなく行うことができるだろう。

接続も簡単だ。Zoomの標準機能として用意されているので、Macユーザーであれば特に複雑な設定は不要。ミーティング画面の「画面共有」から「iPhone/iPad」画面共有を選ぶだけ。有線はもちろん、AirPlayを使った無線接続での画面共有もできるため、Zoom会議で利用しているMacBookと同じネットワークに参加していれば、ケーブルレスで手軽に手元のiPadの画面をミーティング参加者に披露できる。

なお、参加者側も表示されている画面に手書きで注釈を加えられるので、意見を出し合うブレストなどでぜひ使ってみてほしい。会議の質の向上を狙えるはずだ（参加者はiPadを持っていなくてもOK）。

Zoom Video Communications
作者名:Zoom Video Communications
価格:無料
URL:https://zoom.us

4

iPadの画面をZoom会議で共有しながら手書きメモ

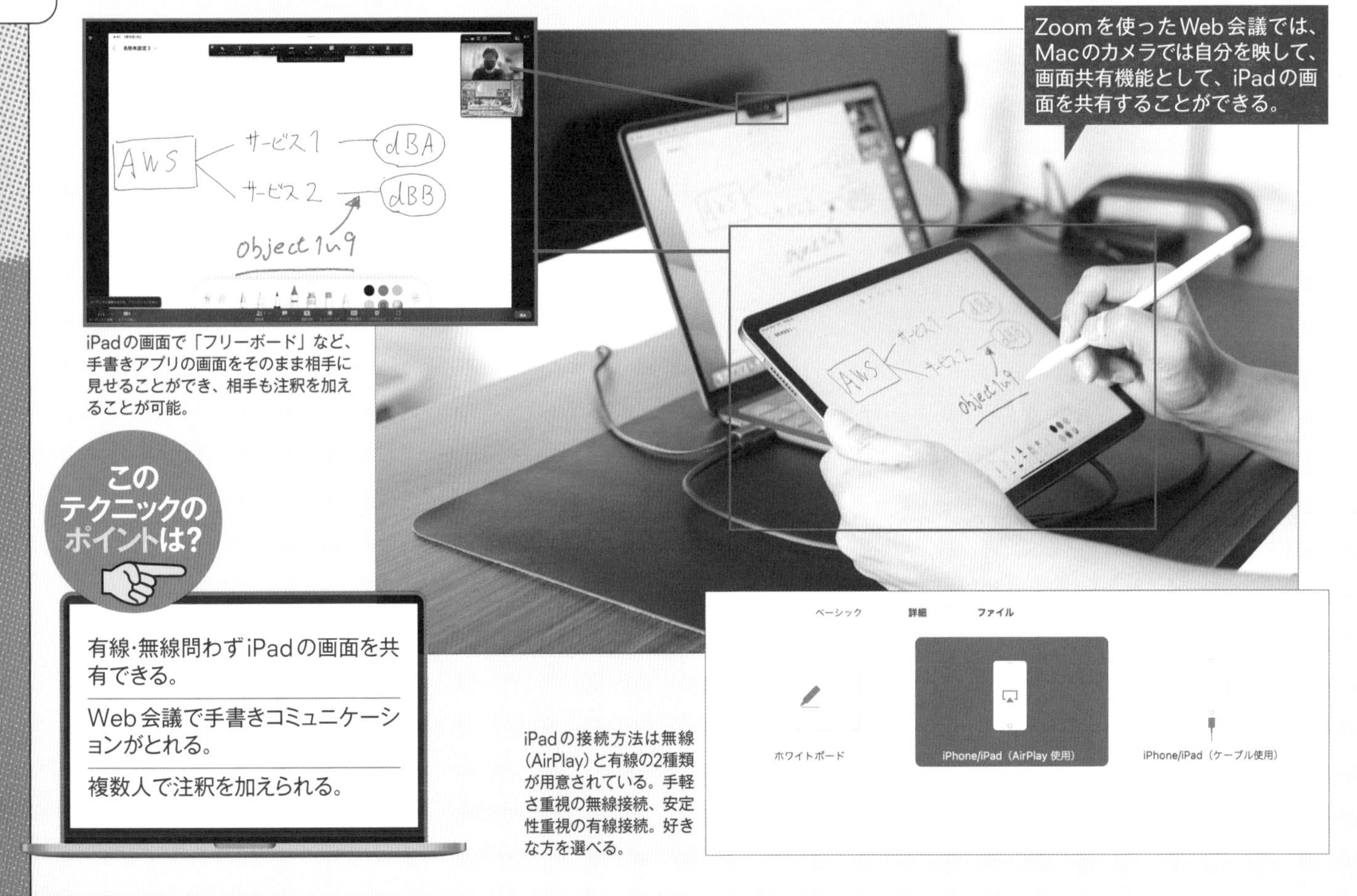

iPadの画面で「フリーボード」など、手書きアプリの画面をそのまま相手に見せることができ、相手も注釈を加えることが可能。

iPadの接続方法は無線（AirPlay）と有線の2種類が用意されている。手軽さ重視の無線接続、安定性重視の有線接続。好きな方を選べる。

このテクニックのポイントは?

- 有線・無線問わずiPadの画面を共有できる。
- Web会議で手書きコミュニケーションがとれる。
- 複数人で注釈を加えられる。

「画面共有」で iPadの画面を共有する

1 「画面共有」をクリック

Zoomでミーティングを始めたら、画面下部の「画面共有」をクリック（画面共有にはホストの権限が必要になる）。

2 接続方法を選択する

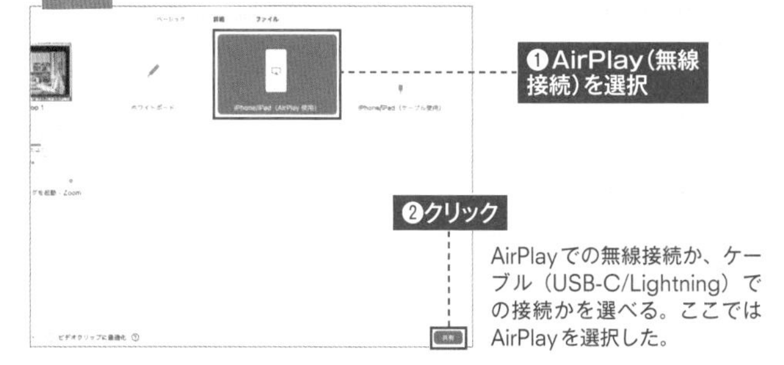

AirPlayでの無線接続か、ケーブル（USB-C/Lightning）での接続かを選べる。ここではAirPlayを選択した。

3 ミラーリング機能から接続する

Macの画面に接続方法が表示される。iPadでコントロールセンターから「スクリーンミラーリング」タップし、接続するMacを選ぼう。

4 iPadの画面が共有される

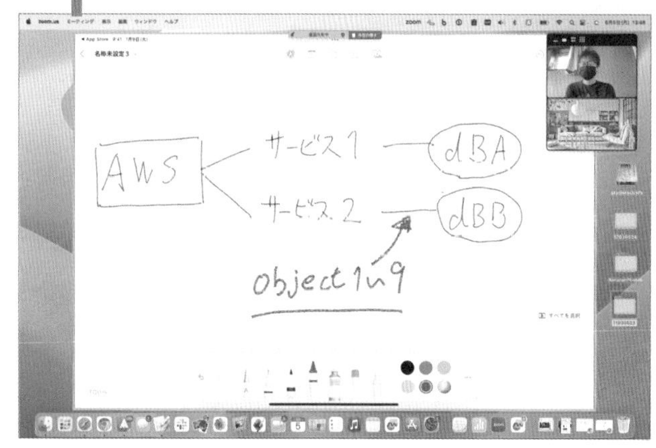

手元のiPadの画面がZoomの画面共有機能で参加者に共有される。手書きで利用したいアプリ [illegible]

5 参加者は手書きに参加できる

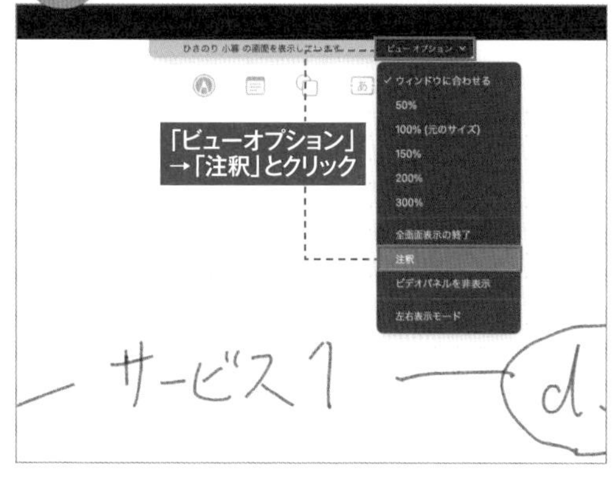

iPadの画面を見ているユーザーは、「注釈」機能で手書きに参加（オーバーレイ表示）できる。これには「ビューオプション」→「注釈」と選択。

6 iPadの共有画面に注釈を追加

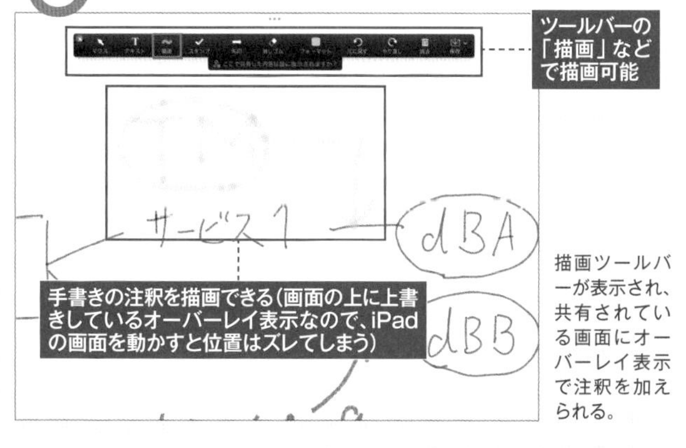

描画ツールバーが表示され、共有されている画面にオーバーレイ表示で注釈を加えられる。

まとめ Zoom会議には手書きでの板書機能は必須ではないだろうか？

iPadがあることで、オフライン会議のメリットでもある、「板書を使って、意見を出し合う・まとめる」といった、情報の精査がZoom上で向上するのは大きなメリットだ。Zoomの「ホワイトボード」共有でもいいが、こちらはiPadの画面そのものを共有できるため、特定のアプリ画面を相手に披露したり、Apple Pencilを使った精度の高い手書きをZoomの板書で利用できるのも嬉しい。

手書きが使えるだけで、Zoom会議での情報の伝達しやすさが何倍にもなるので、Zoom会議に臨む際は手元にiPadを用意しておこう。

実戦テクニック!!

電話はMacで受けるのが便利。かけることも可能!

作業時の体勢を変えずそのままの状態で電話に出られる

パソコンを使っている最中に電話がかかってきても、iPhoneを利用している人であれば、キーボードから手を離すことなくMacを使って相手と通話することができる。

Macで通話するには「FaceTime」アプリを利用しよう。Macに標準搭載されているFaceTimeアプリの設定画面を開き、「iPhoneから通話」にチェックを入れることで、近くにiPhoneがあり、Wi-Fiに接続されている場合に限り、Macで通話ができるようになる。

なお、事前にiPhone側でもMacで電話ができるように設定しておく必要がある。Macで使用しているApple IDと同じApple IDでログインし、「設定」画面の「電話」メニューで、電話として利用するMacを指定しておこう。

着信があると、デスクトップの右上から着信通知のバナーが表示されるので、それをクリックしよう。Macに向かって話しかけることで通話ができる。逆にMacから発信することも可能だ。

FaceTime
作者/Apple
標準アプリ

1 iPhone側で「電話」の設定を変更する

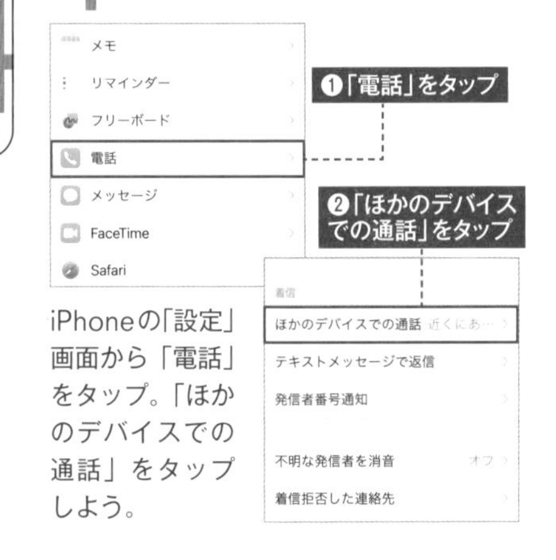

iPhoneの「設定」画面から「電話」をタップ。「ほかのデバイスでの通話」をタップしよう。

2 電話に利用するMacにチェックを入れる

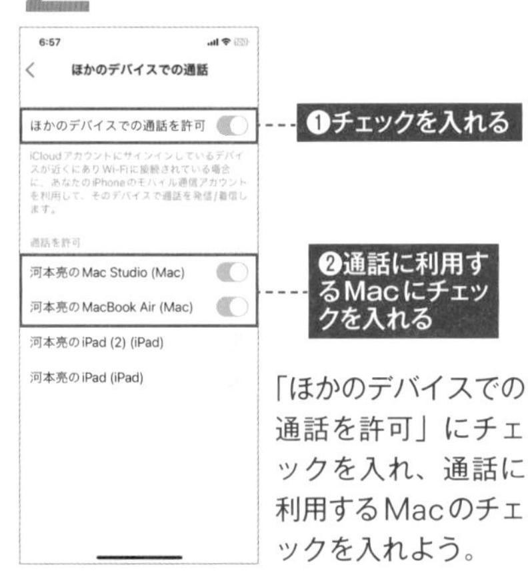

「ほかのデバイスでの通話を許可」にチェックを入れ、通話に利用するMacのチェックを入れよう。

3 Mac側のFaceTimeの設定メニューを開く

MacのFaceTimeアプリを起動して、メニューの「FaceTime」から「設定」を選択する。

4 「iPhoneから通話」にチェックを入れる

「一般」タブを開き、iPhoneと同じApple IDでログインする。次に「iPhoneから通話」にチェックを入れよう。

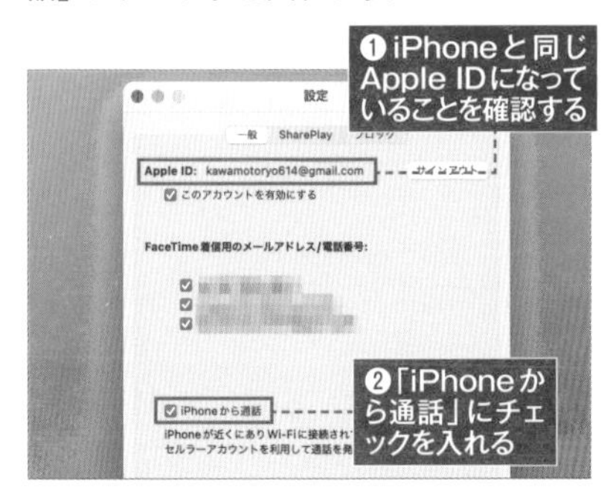

5 デスクトップ右上の通知画面から通話を行なう

iPhoneから着信があるとデスクトップ右上に通知画面が表示される。通話をする場合は「応答」をクリックして、Macに直接話しかけよう。

6 「連絡先」アプリからFaceTimeで通話する

Macから電話をかける場合は、連絡先アプリを起動。相手の連絡先を選択して「FaceTime」欄の電話アイコンをクリック。相手がFaceTimeを使える場合は、FaceTimeオーディオを使うと無料で電話ができる。

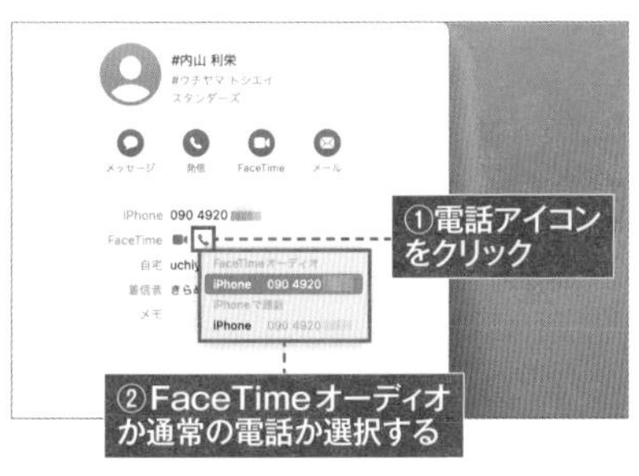

MANAGEMENT

Chapter......05

管理

Mac Pro

ベスト・テクニック!!

ベストなコミュニケーションツールは、Discord!

ゲーム実況の音声配信ツールとしての用途が有名な「Discord」。しかしその正体は、テキストや音声、映像など多様な形態に対応する万能型コミュニケーションツールだ。

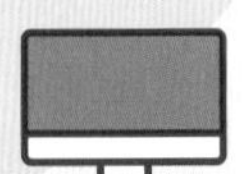

無料で使い続けられるのに万能! Discordは新たな定番となる!?

コロナ禍を経て、対面でのコミュニケーション機会が大きく減ったが、その代わりに台頭したのが、テキストチャットやオンライン会議などの新たなコミュニケーションだ。これらのサービスやアプリが注目された当初は、その多くが完全無料、無料でもほとんどの機能が使えることを訴求していたが、現在では主要サービスが軒並み有料化に舵を切ったことで、「乗り換え先」を探している人も多いのではないだろうか。そんな人におすすめしたいのが「Discord」だ。

Discordは新しいアプリではなく、元々は多くのゲーム配信、実況者に、音声中心のコミュニケーションツールとして使われたことで有名になった。また、PS4やPS5の標準コミュニケーションツールとして採用されていることでも知られている。

その特長は、テキストチャットや音声、ビデオ通話といった多様なコミュニケーションに対応していることに加え、「コミュニティ」が充実している点にある。音声やビデオ通話は、元々がゲーム分野で使用されてきたこともあり、ほかアプリと比べても非常に高品質なのもうれしいポイント。コミュニティは文字通り、同じ趣味や興味関心のユーザー同士がつながる「場」のことで、コミュニティを通じてほかのユーザーと意見交換できる。コミュニティはアプリから検索でき、日本語で運営されているものも多数存在するので、いろいろ検索するだけでも楽しい気分になれるはずだ。

Discord
作者:Discord
価格:無料
URL:https://discord.com

5

Discordはこんなアプリ

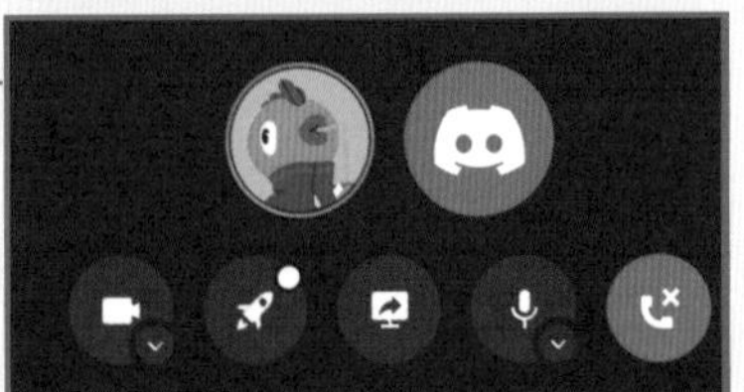

1つのアプリで多様なコミュニケーション方法に対応

基本はテキストチャット(ダイレクトメッセージ)が主体で、絵文字やスタンプにも対応している。さらに高音質の音声通話とビデオ通話など、主要なコミュニケーション手段すべてをカバーしているので、すぐに使い始められるはずだ。

ウェブブラウザでも使える

公式サイトでログインすれば、ウェブブラウザ上でDiscordの各コミュニケーションツールを利用できる。自前のマシンがないような環境でも、フレンドや所属コミュニティのほかのユーザーと連絡が取れる。

スマホやタブレットでも使える

WindowsとMac用のアプリに加え、iOS/iPadOS/Android向けにも無料アプリが提供されているので、あらゆるプラットフォームのユーザーとDiscordを通じてやり取りできる。

このテクニックのポイントは?

- メールよりも手軽に始められるテキストチャットを無料で使いたい。
- 音声通話、ビデオ通話のためのツールは、やっぱり品質重視で選びたい。
- 仕事だけでなく、趣味や興味対象ベースのコミュニケーションも充実させたい。

Discordの ユーザー登録をする

1 アプリを起動する

初めてアプリを起動するとログインが求められるので、未登録の場合はまず、「Register」をクリックして手順を進める。

2 ユーザー情報を入力する

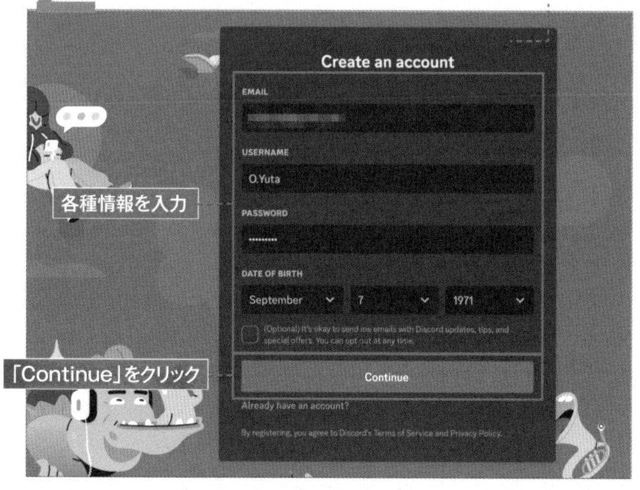

メールアドレス、任意のユーザー名とパスワード、生年月日を入力して、「Continue」をクリック。その後メールアドレス認証や画像認証などを経て、ユーザー登録が完了する。

POINT
アプリを日本語化する

アプリは、初期設定では英語表記だが、それになじめない場合は、日本語に切り替えよう。切り替えるには、「Discord」メニューで「Setting」をクリックし、「Languages」とクリックして、「日本語」を選択する。

コミュニケーションする フレンドを招待する

1 招待するユーザー名を入力する

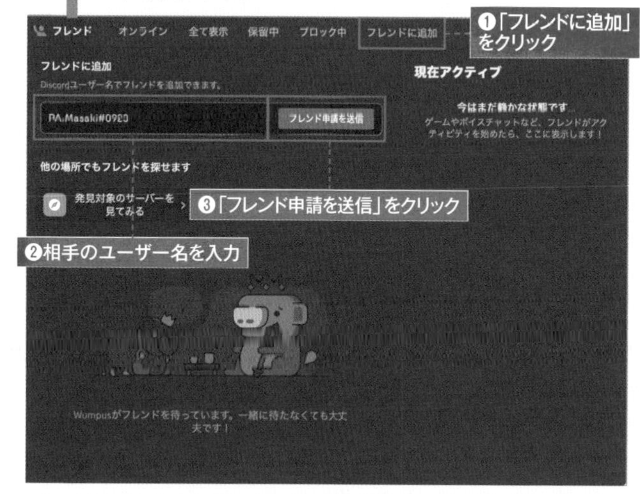

コミュニケーションするためには、その相手となる「フレンド」を招待する必要がある。招待するには、画面上部の「フレンドに追加」をクリックし、相手のDiscordユーザー名を入力して、「フレンド申請を送信」をクリックする。

2 相手に招待が届く

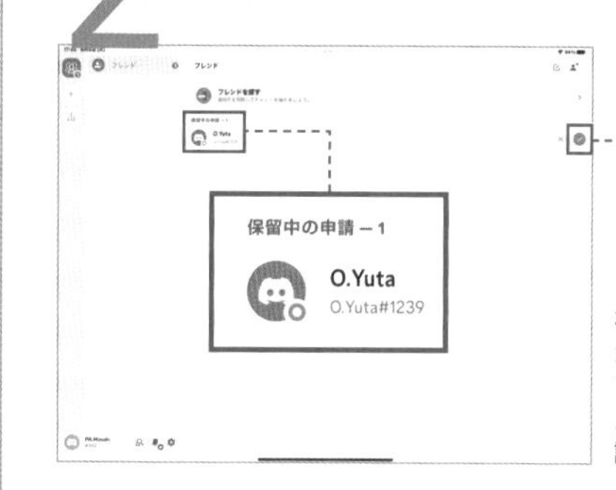

相手に招待の申請が届く。相手がこの申請を開き承認すると、フレンドとしてつながり、テキストチャットや音声、ビデオ通話ができるようになる。

3 コミュニティに参加するには?

画面左のツールバーの「Explorer Discoverable Servers」をクリックすると、Discordのコミュニティがジャンル別にピックアップされる。「コミュニティを探す」にキーワードを入力してコミュニティを検索し参加できる。

まとめ 自分でコミュニティを立ち上げるならサーバーを作成しよう

ここではDiscordの基本的な使い方や機能を駆け足で解説してきたが、コミュニケーションをさらに深化させたいのであれば、自分でコミュニティを立ち上げたり、固定メンバーのみが参加できるチャットルームを開設したりするのもおすすめだ。自分がコミュニケーションの主催者となって管理することはDiscordの醍醐味の1つでもある。ただし、これらの機能を使うためには、「サーバー」を作成する必要がある。これは物理的なサーバーではなく、Discordの世界の仮想的な「場」を意味しており、アプリで「+」をクリックして簡単に作成できる。

ベスト・テクニック!!

Google カレンダーの便利テクを再確認しよう

Googleのサービスの中でも、最もビジネスシーンで活用されているのが「Googleカレンダー」だろう。ここでは、カレンダーをより便利に使えるテクニックを紹介する。

ビジネスからプライベートまで活躍、スケジュール管理の定番を使いこなす

Googleが提供するさまざまなサービスの中でも、特にビジネスシーンで利用しているユーザーが多いのが「カレンダー」ではないだろうか。カレンダーは文字通り、日々のスケジュール管理をカレンダー上で行うことができるサービス。Macユーザー、iPhoneやiPadのユーザーであれば、純正のカレンダーアプリで十分という声もあるが、GoogleカレンダーはWindowsやAndoridといった、より幅広いデバイスにも対応するため、利用しているユーザーそのものが多い。また、純正のカレンダーアプリでもGoogleのアカウントを設定すれば、Googleカレンダー上の予定（アイテム）が自動的にカレンダーアプリに同期されるようになる。

さらに、Gmailの本文からシームレスに予定を作成したり、ほかのユーザーと予定を共有したりできるなど、Googleのほかのサービスとの連携に優れている点も、多くのユーザーに支持される理由の1つだろう。

そんなGoogleカレンダーには、あまり目立たないが知っていれば非常に役立つ、ピリリとビジネスに効く機能がある。ここではその中でも、Googleマップとの連携で、目的地までのルートと所要時間を調べる機能や、カレンダー上のアイテムをきめ細かく色分けするテクニックを紹介するので、ぜひ実践してみてほしい。

Googleカレンダー
作者:Google
価格:無料
URL:https://calendar.google.com/

5

Googleカレンダーとは?

ウェブブラウザからスケジュールを管理できる！

予定を内容で色分けしたり、複数日程に渡る予定も見やすく管理できる。定番のカレンダーだ。

ブラウザで動作するウェブアプリとして提供される。表示されるカレンダー上の該当の日付をダブルクリックすると新規予定を作成できる。なお、iPhoneやiPad向けの専用アプリも提供されている。

Googleサービスとの連携も抜群！

GmailやGoogleマップ、Googleドライブなど、Googleが提供するほかのウェブサービス、ウェブアプリとの連携にも優れる。Gmailならメール本文に記載された日時を流用して予定を作成できる。

純正「カレンダー」と同期できる

「デスクトップアプリでスケジュール管理したい」という人は、純正のカレンダーアプリにGoogleアカウントを登録すればいい。登録は「カレンダー」メニューから「アカウントを追加」をクリックして、画面の指示に従い操作する。

このテクニックのポイントは?

- 複数のデバイス間で予定を同期して、どこからでもスケジュール管理したい。
- Googleの各種サービスと連携したい。
- ブラウザだけでなく、デスクトップアプリでもスケジュール管理したい。

目的地までの経路、所要時間を調べる

1 予定の「場所」をクリックする

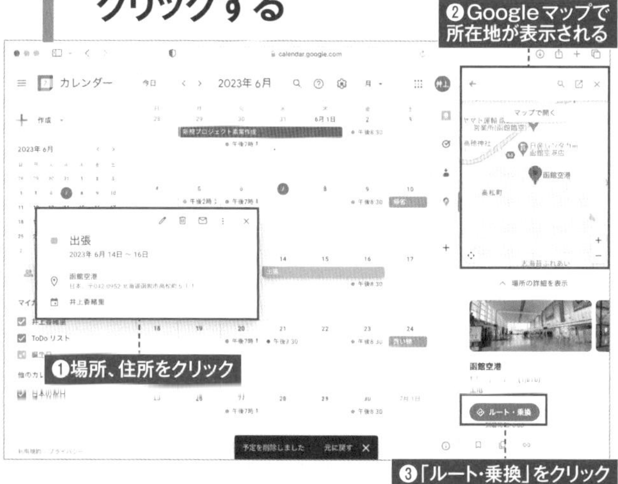

作成済みの予定をクリックして、その内容を表示する。予定が実施される場所が設定されている場合は、場所の名前あるいは住所をクリックすると、画面右に地図が表示されるので、「ルート・乗換」をクリックする。

2 出発地を入力する

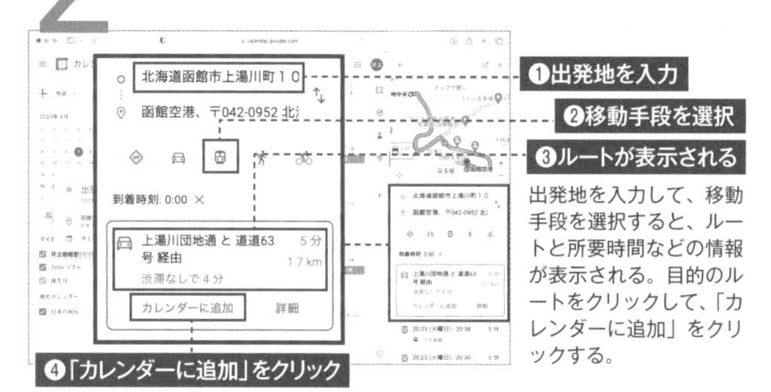

出発地を入力して、移動手段を選択すると、ルートと所要時間などの情報が表示される。目的のルートをクリックして、「カレンダーに追加」をクリックする。

3 カレンダーにルートが追加される

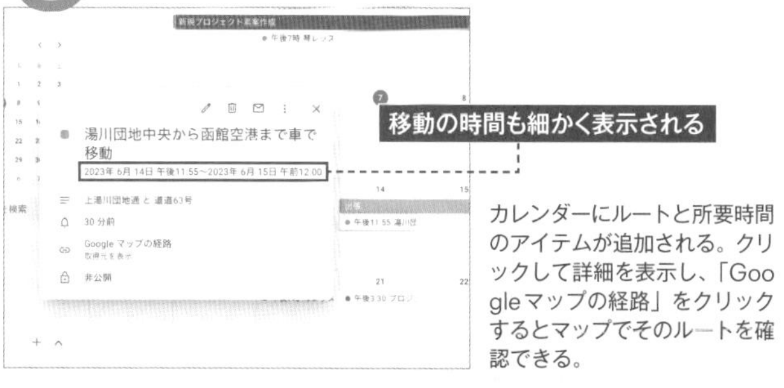

カレンダーにルートと所要時間のアイテムが追加される。クリックして詳細を表示し、「Googleマップの経路」をクリックするとマップでそのルートを確認できる。

新たなカレンダーの色を追加する

1 「カスタム色を追加」をクリックする

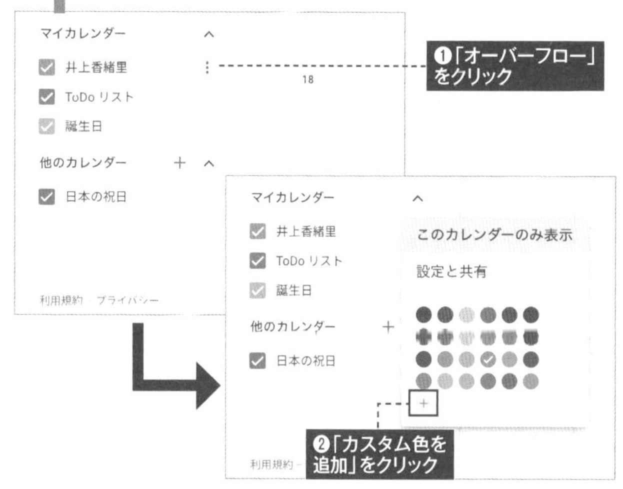

マイカレンダーのアカウント名横の「オーバーフロー」ボタンをクリックして、「カスタム色を追加」をクリックする。

2 目的のカラーを選ぶ

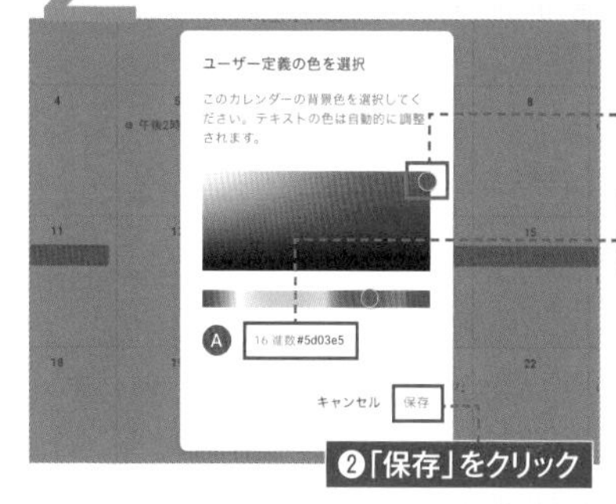

スライダーやポインターをドラッグして目的の色を選択し、「保存」をクリックする。「16進数」に所定のカラーコードを入力して色を選択することもできる。

3 色が追加された

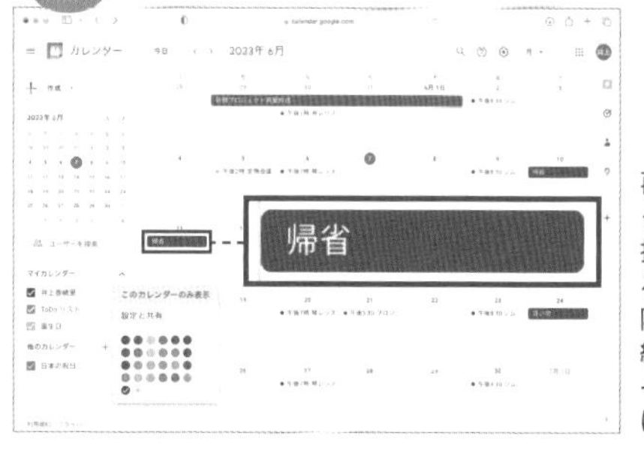

再度「オーバーフロー」ボタンをクリックすると、選択した色が追加されていることが確認できる。以降、予定の新規作成時や編集時に追加した色をアイテムに設定できるようになる。

まとめ 機能が豊富だから使い道も無限大! Googleカレンダーを使いこなそう!

カレンダーを複数のユーザー、家族などに公開し、スケジュールを共有したり、予定が近づくとメールなどで知らせるように設定したりと、すでにGoogleカレンダーの豊富な機能を使いこなしている人にとっても、ここで紹介したピンポイントテクニックを知っている人は少なかったのではないだろうか。豊富な機能を備えるGoogleカレンダーだが、未だに現在進行形で進化しているため、日常的に使用する中でどんどん新たなテクニックを発見、開発できる楽しみがあるのも、大きな魅力といえるだろう。

実戦
テクニック!!

複数のタスクも進行度が一目瞭然！カンバン方式「Trello」の完璧タスク管理術

うっかり忘れ防止や進行度把握に必須なタスク管理アプリ

ビジネスシーンでは、進行度の違う長期タスクを複数管理することが多く、タスクの整理や見やすさも重要になってくる。そこで、グラフィカルにタスクや進行を管理できる「Trello」を使ってみよう。

Trelloでは、タスクのジャンルを「ボード」単位で作成し、その中にタスクのリスト（カード）を作成する。感覚的には、業務ごとにホワイトボードを分けて、付箋やメモでタスクをペタペタと貼りつけていくといった手法に近い。いわゆるカンバン方式をデジタル化したようなタスク管理ツールだ。

この方式のメリットは、現在どんな業務を抱えていて、その中にはどんなタスクがあって、どんな進行度なのか？までを直感的に把握できる点にある。標準で「ToDo」「作業中」「完了」といった、進行度毎のリストが用意されており、カードを移動させる、貯まっているタスクと作業中のタスク、完了したタスクとをひと目で見分けられる。

見た目こそシンプルだが、スケジュール設定での期日通知、メンバーを招待しての共有管理やタスク割り振りなども可能と、実際はかなり多機能なタスク管理ツール。iPhoneやiPad、Webからもアクセスできるので、ぜひ活用してみよう。

Trello
作者／Trello,Inc.
価格／無料（月額6ドルからの有料プランあり）
カテゴリ／ビジネス

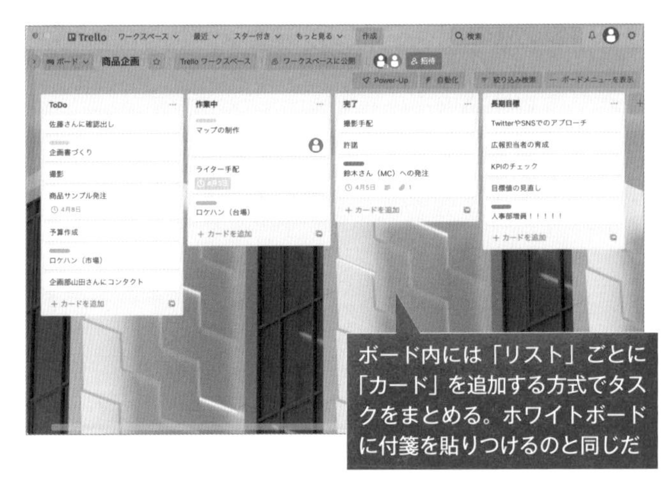

5

Trelloでタスクを整理･進行度を確認する

1 ワークスペースにボードを作成

作成したワークスペースを開き「新しいボードを作成」からボードを追加していく。

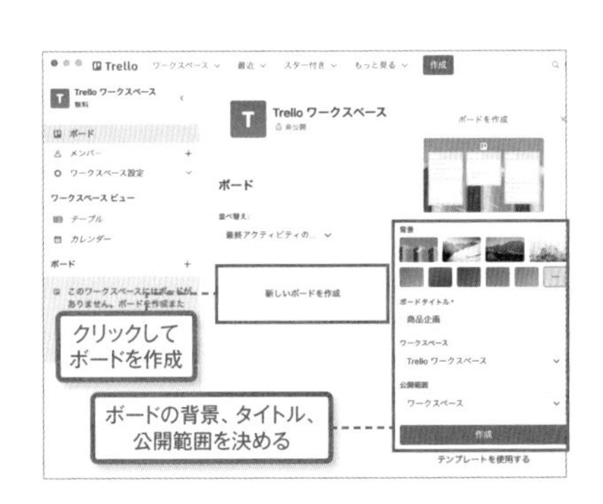

2 リストにカード（タスク）を追加する

ボードを開いたら、「ToDo」カードの「＋カードを追加」をクリック。タスクを追加していこう。

3 進行に合わせてカードを移動

カードリストは予め「作業中」と「完了」が用意されている。進行に合わせてカードをドラッグで移動させていこう。

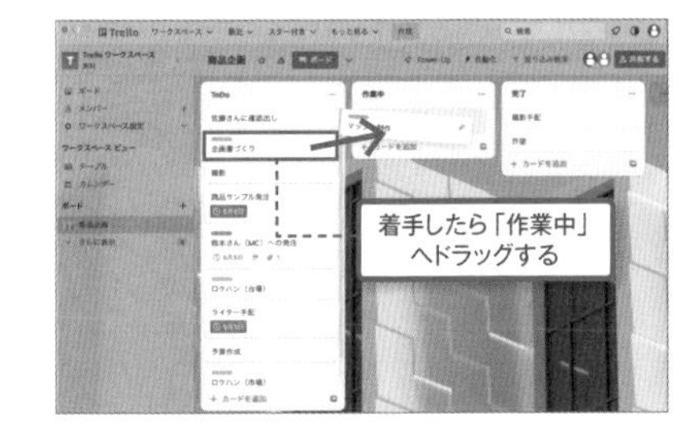

大量タスクも管理しやすいエディタ風タスクツール

複数のタスクを階層管理したいなら「TickTick」もおすすめだ。「フォルダ」ー「タスクリスト」ー「タスク」ー「サブタスク」といった、フォルダ構造のようにタスクを管理できる。フォルダの中に複数のタスクリストを追加でき、ほかのユーザーとタスクリストの共有も可能。プロジェクト単位で異なるタスクを進行するのに使い勝手がいい。

タスクをチェック表示とテキスト表示で切り替えられる点もユニーク。無料版ではかなり機能が制限されているものの、2ユーザーまでのタスク共有も可能で、チャットもやり取りできる。グループワークにも即活躍するレベルだ。

TickTick
作者／Appest Limited
価格／無料（プレミアム:2.4ドル/月）
カテゴリ／仕事効率化

1

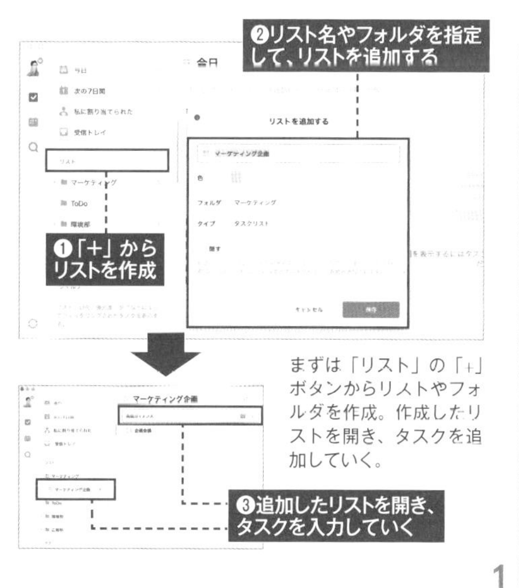

まずは「リスト」の「+」ボタンからリストやフォルダを作成。作成したリストを開き、タスクを追加していく。

2

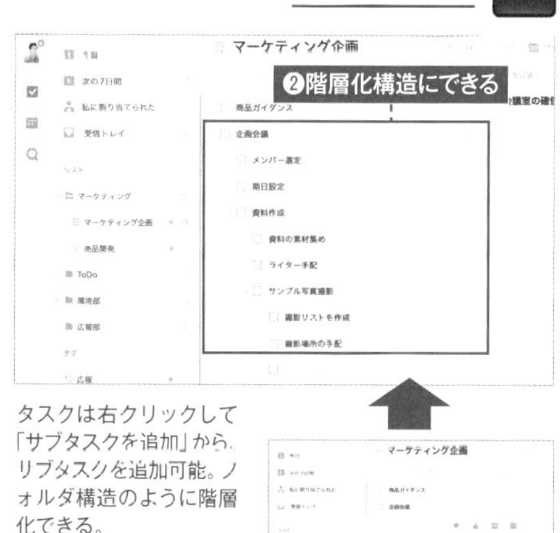

タスクは右クリックして「サブタスクを追加」から、サブタスクを追加可能。フォルダ構造のように階層化できる。

3

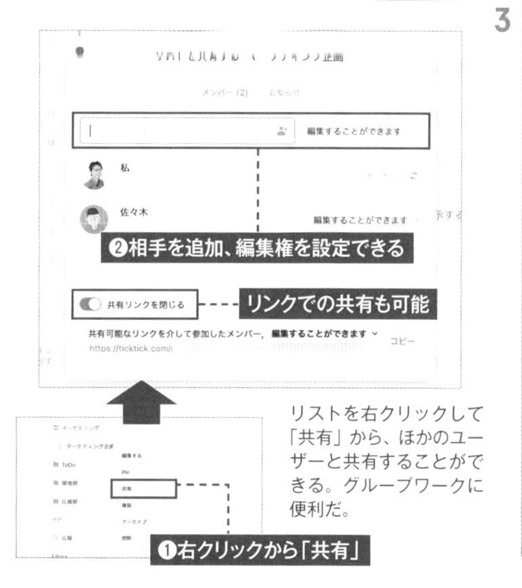

リストを右クリックして「共有」から、ほかのユーザーと共有することができる。グループワークに便利だ。

4

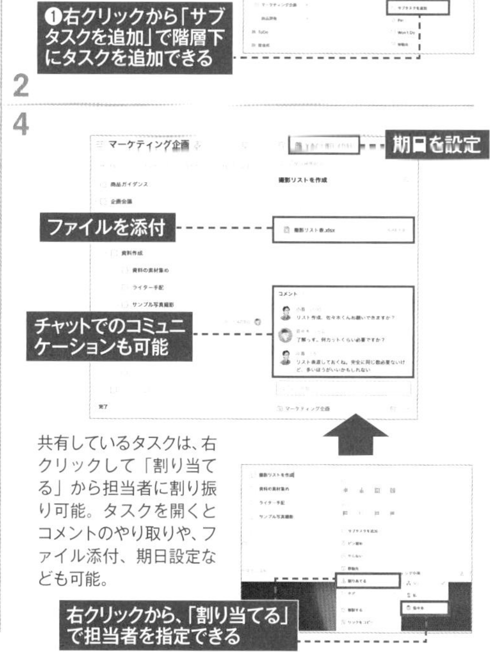

共有しているタスクは、右クリックして「割り当てる」から担当者に割り振り可能。タスクを開くとコメントのやり取りや、ファイル添付、期日設定なども可能。

標準の「リマインダー」も多機能に進化している!

優秀な外部ツールに押されているようだが、Mac標準の「リマインダー」も、近年はかなり多機能に進化している。ここで紹介している他のツールのようにタスクリストの共有も可能で、タグによるタスク整理もできる。また、上部アイコンで「今日」「日時設定あり」「フラグ付き」など、タスクの状況がわかりやすい。Macユーザー間でタスクを共有するなら、このアプリもおすすめだ。

4 ラベルや期日の設定

カードの右クリックメニューから、ラベルの色や、期日（日付）を設定することができる。

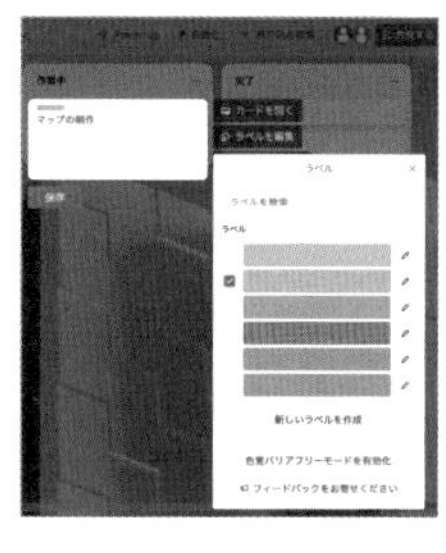

5 カードに説明と添付ファイルを追加する

カードをクリックすると詳細画面が表示される。こちらではタスクの説明や、ファイルの添付なども行える。

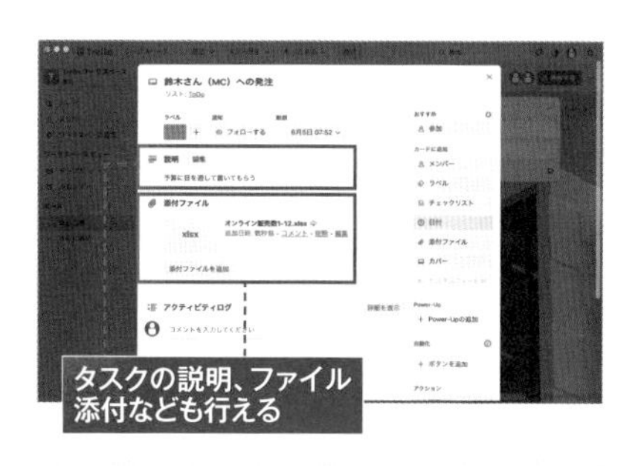

6 ボードに招待してタスクを割り振る

「共有する」ボタンから相手を指定して、ボードを共有できる。共有した相手にタスクを割り振ることも可能だ。

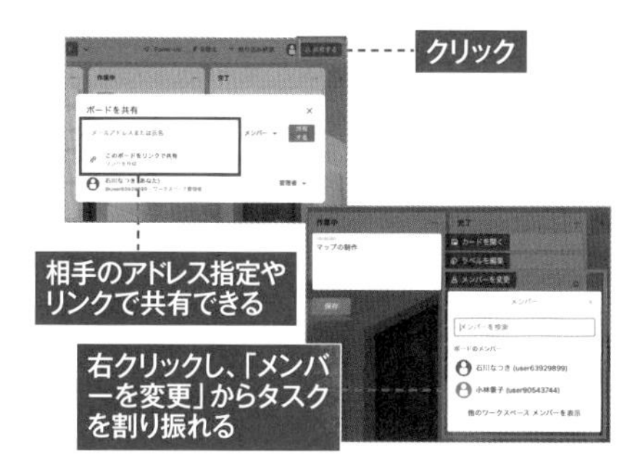

実戦テクニック!!

Notionで自分の思い描いたとおりにタスクを管理する

効率的かつ視認性に優れたタスク管理をNotionで実践しよう

超多機能クラウドメモツールとして、“デキる” MacBookユーザーの間で絶大な人気を博している「Notion」。人気の理由は、誰でも直感的に使いこなせる洗練されたUIとカスタマイズ性の高さにある。特に、Notion を単なるメモツールで終わらせていないのが、専用アプリ顔負けのタスク、スケジュール管理機能だ。

タスク管理の鉄則は、タスクとスケジュールを一体化することだが、意外にも専用アプリではそれができていないケースも多い。実際、macOSにも「カレンダー」と「リマインダー」というアプリが標準搭載されているが、別アプリになっている。Notion ではこれらを一体化し、1画面で表示できるため、おのずと無理のあるスケジュールを回避できるようになり、タスク管理もしやすくなる。

このようなタスク、スケジュール管理に特化したページを作るには、まず新規ページにカレンダーを挿入する。続けて、このカレンダーと連動する一覧表（タスクリスト、スケジュールリスト）を挿入すればいい。以降は、カレンダーに入れたスケジュールが自動的に一覧表に、一覧表に入れたタスクが自動的にカレンダーに、それぞれ反映されるようになる。

Notion for Mac
作者／Notion Labs, Inc.
価格／無料
URL／https://www.notion.so/

スケジュールの全体像を確認するカレンダーと、

個々のタスクを管理するリストを、

カレンダー

タスクリスト

1つのページにまとめる

カレンダーではスケジュールの状況を、タスクリストでは個々のタスクを、それぞれ確認しやすいというメリットがあるが、それぞれを別々のページではなく、1つのページにまとめることで、タスクの管理運用がより効率的になる。

インラインカレンダーを作成する

1 「カレンダービュー」をクリックする

ページ本文で「／」キーを押すと、スラッシュメニューが表示されるので、「カレンダービュー」をクリックする。メニュー項目名の先頭数文字を入力すると、すばやく選択できる。

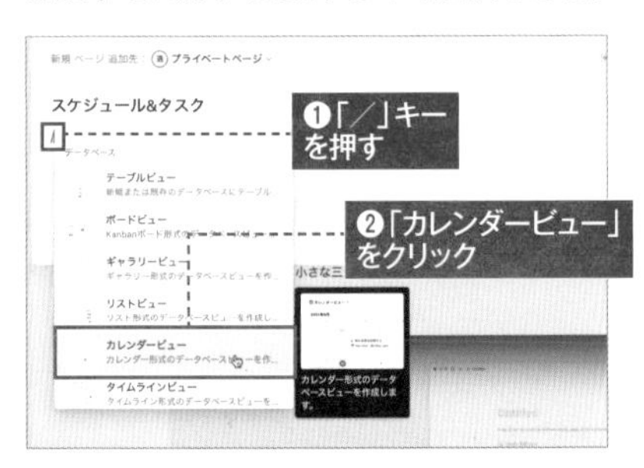

2 「新規データベース」をクリックする

続けてデータソースを選択する。ここでは、ほかのページのデータと連携しない新しいカレンダーを作成するので、「新規データベース」をクリックする。

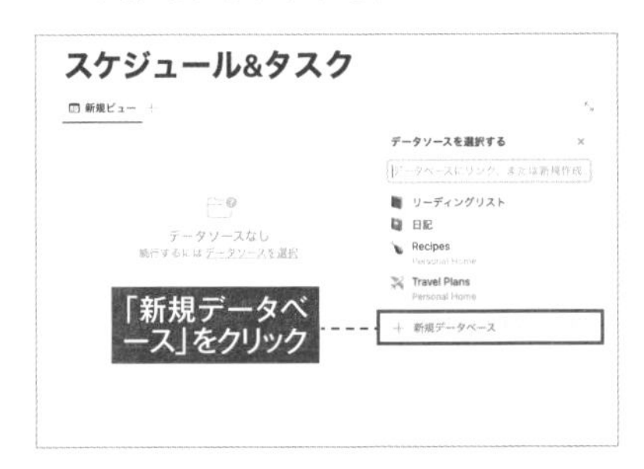

3 カレンダーが挿入される

カレンダーが挿入されるので、その名前を入力する。「<」「>」をクリックして表示月を切り替えられる。予定を入れる日付にポインタを合わせて「＋」をクリックする。

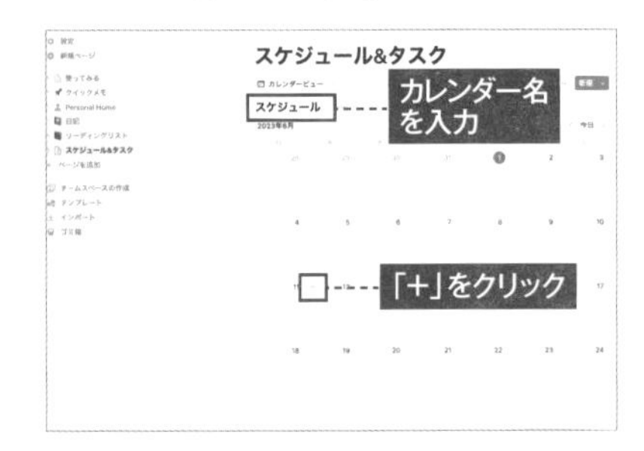

カレンダーとリンクするタスクリストを作成する

カレンダーを作成したら、続けて同じページにタスクリストを作成する。まずはカレンダー作成時と同様にスラッシュメニューから「テーブルビュー」をクリックしよう。重要なことは、続けて連携するカレンダーを選択する手順で、ここでカレンダー作成時に付けた名前を選択する。

カレンダーを先に作成したのは、そのようにすることで追加するタスクリストの表に、カレンダーに合わせた列見出しやセル属性が自動設定されるためだ。たとえばタスクリストの「日付」の列では、セルをクリックするとカレンダーが表示され、簡単に日付を指定できるようになる。以降は、カレンダーとタスクリストのどちらからでもタスクを追加できる。

1

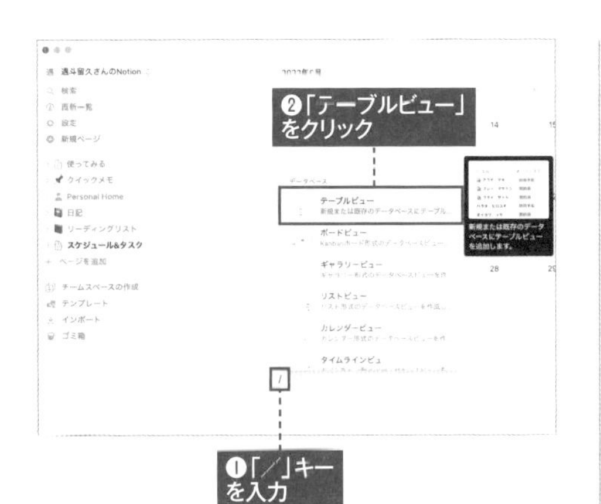

下段の手順で挿入したカレンダーの直下にカーソルを移動して「／」キーを押す。メニューが表示されるので、「テーブルビュー」をクリックする。

2

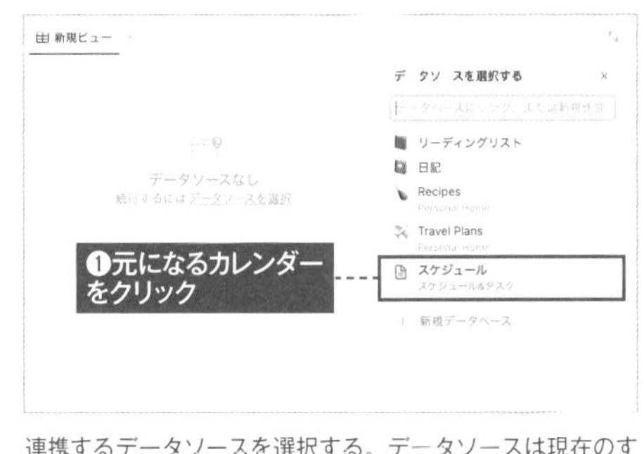

連携するデータソースを選択する。データソースは現在のすべてのページの中から選ぶことができるが、ここでは下段の手順で作成したカレンダーをデータソースとするので、カレンダーに付けた名前をクリックする。

3

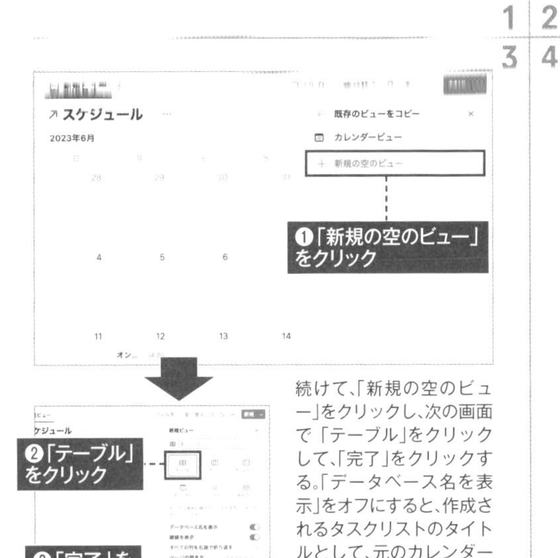

続けて、「新規の空のビュー」をクリックし、次の画面で「テーブル」をクリックして、「完了」をクリックする。「データベース名を表示」をオフにすると、作成されるタスクリストのタイトルとして、元のカレンダー名が表示されなくなる。

4

カレンダーの下にタスクリストが挿入される。以降はカレンダー、一覧表のいずれかに追加した予定やタスクが、もう一方にも自動反映されるようになる。

完了したタスクはアーカイブページに移動する

仕事をしていればタスクは日に日に増えていき、タスクリストが何十行、何百行にもなってしまう。そのため、完了したタスクは削除するか、別の場所にアーカイブしておこう。アーカイブ専用のページを作っておき、カレンダー、もしくはタスクリストから、完了したタスクをサイドバーのアーカイブページにドラッグしておけば、後から見返すこともできるのでおすすめだ。

カレンダー上のタスクを、サイドバーのアーカイブページにドラッグ&ドロップすれば、カレンダーとタスクリストには、進行中のタスクのみが残る。

4 予定を入力する

別ウインドウで予定の編集画面が表示されるので、予定のタイトルやコメントなどを入力する。下の余白にも自由にメモなどを書き込むことができる。

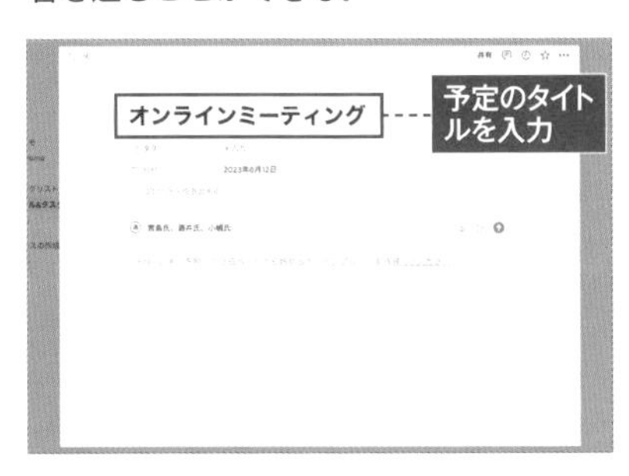

5 開始時刻を指定する

予定の開始時刻を指定するには、「日付」のデータをクリックすると表示される上図で、「時間を含む」をオンにして、この画面上部に時間を入力する。

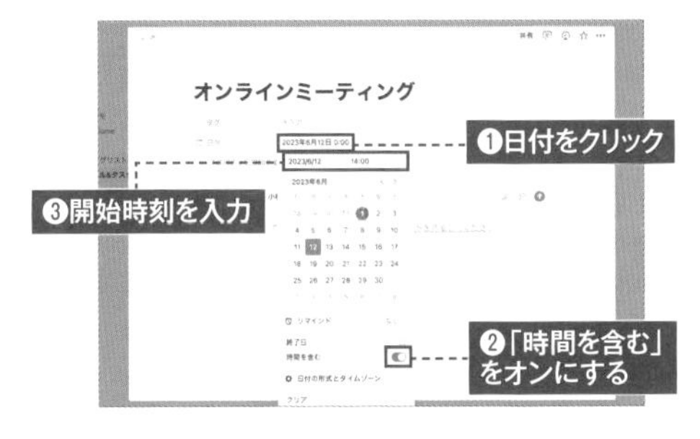

6 予定が登録される

カレンダーに新しい予定、タスクが追加される。追加した予定はドラッグ＆ドロップでカレンダー内の別の日付に移動でき、右クリックメニューの「Delete」で削除できる。

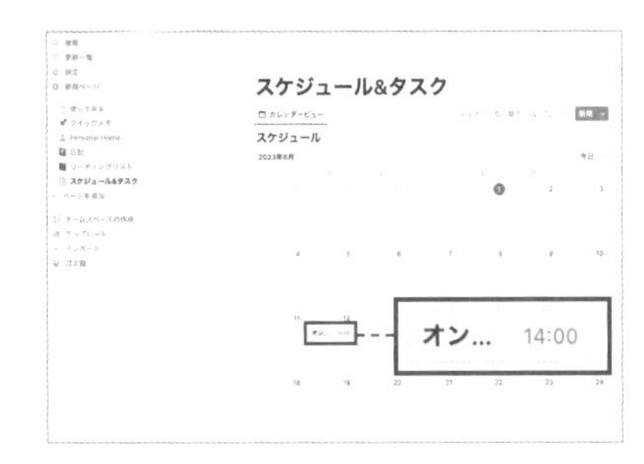

管理

実戦 テクニック!!

ブラウザ版Gmailをもっと便利に使いこなそう!

メールを中心とした操作が効率化できるサイドパネルが便利

ブラウザから手軽にアクセスできるGmailは、環境が変わってもアクセスしやすく、ビジネスシーンでもGmailをメインのメールアドレスやサブアドレスとして利用しているユーザーが多い。昨今のテレワークとの相性も良いメールサービスだ。

標準のままでも、Gmailは多機能で便利なサービスだが、ちょっとしたテクニックを知っておくと、さらに使いやすくなる。その最たるものが「サイドパネル」だ。画面右端に格納されていて「<」ボタンで展開できるサイドパネルにはいくつかのボタンが備わっており、Googleサービスやサードパーティ製のアドオンの機能を利用できる。たとえば、メールを開いた状態でサイドパネルの「Googleカレンダー」をクリックすれば、Gmailを開いたまま、カレンダーの予定を確認できる。メールのタイトルを引用してGoogleカレンダーへと予定を追加できるのも便利だ。「Keep」や「ToDo」に保存するテクニックもマストな機能。該当するメールにワンクリックでアクセスできるため、メールを探し出す手間がなくなる。

これらサイドパネルを活用することで、メールに関する手間の大幅カットが期待できる。業務の効率化、時短も狙えるので、GmailやGoogleサービスを多用するならしっかりとチェックしていこう。

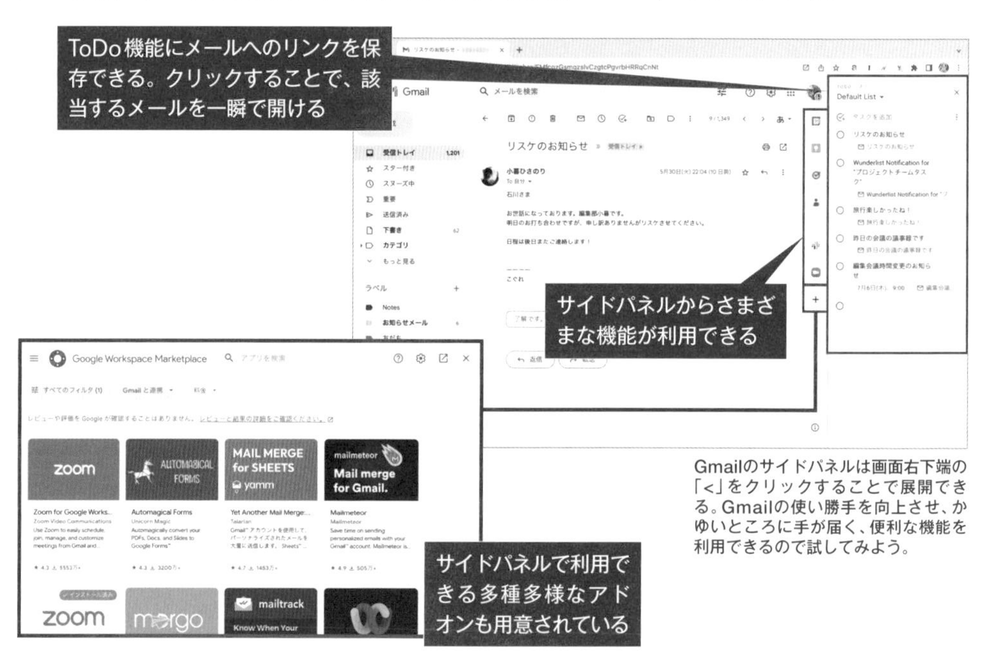

Gmailのサイドパネルは画面右下端の「<」をクリックすることで展開できる。Gmailの使い勝手を向上させ、かゆいところに手が届く、便利な機能を利用できるので試してみよう。

GmailからGoogleカレンダーに素早く予定を入れる

1 メールから「予定を作成」をクリック

Gmailでメールを開いたら上部メニューの「⋮」→「予定を作成」をクリックする。

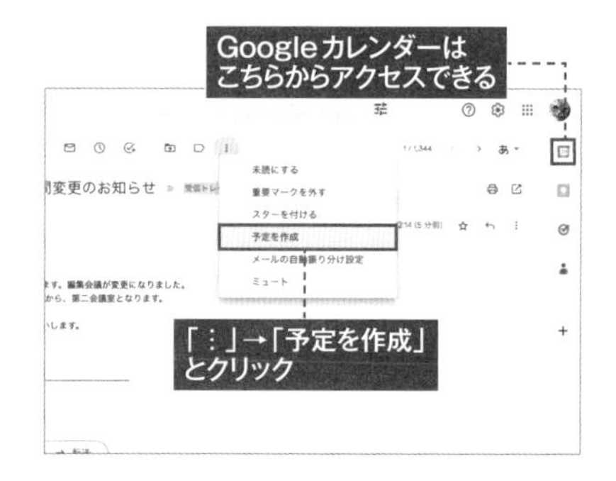

2 タイトルと日時を保存する

予定のタイトルと日時を設定して「保存」をクリックする。メールの送信者に招待メールを送ることもできるが、そちらは任意でいい。

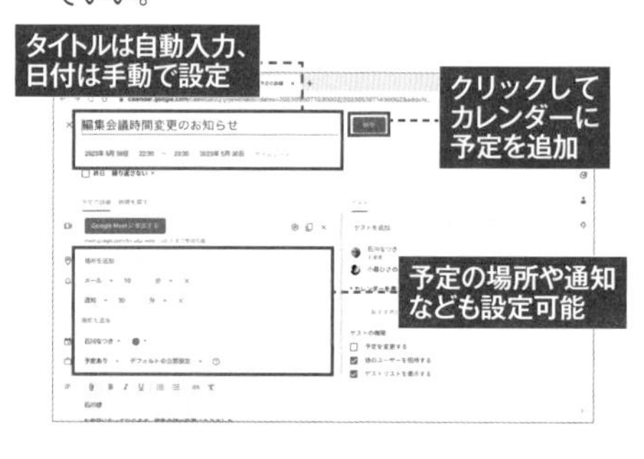

3 Googleカレンダーに予定が入る

Googleカレンダーに予定が追加され、Gmailを見ながらサイドパネルで素早く予定を確認できる。

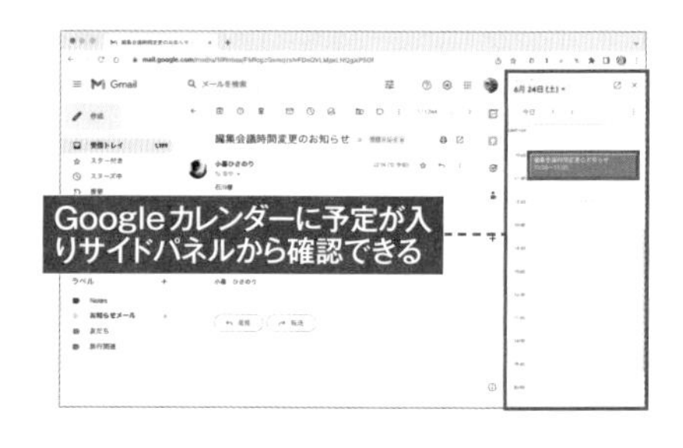

Google Keepにメールへのリンクを加える

1 「Keep」でメモを追加する

メールを開いた状態でサイドパネルからKeepを表示。「+メモを入力」からメール内容のメモを入力していく。

2 メールリンクから該当メールを表示する

Keepのメモのリンクをクリックすると、他のメールやトレイを開いていても、すぐに該当メールを表示できる。

3 KeepからもGmailを表示可能

Gmailのサイドバーだけでなく、Keepアプリからも該当メールを即呼び出すことができる。

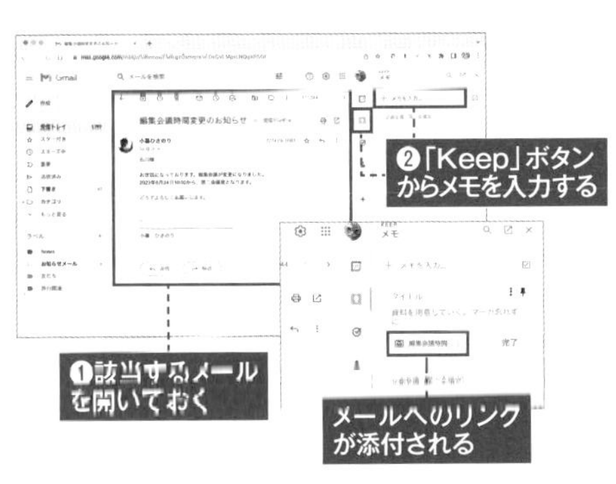

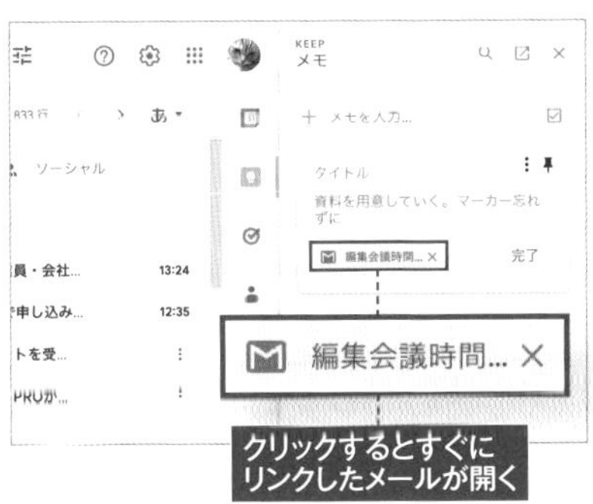

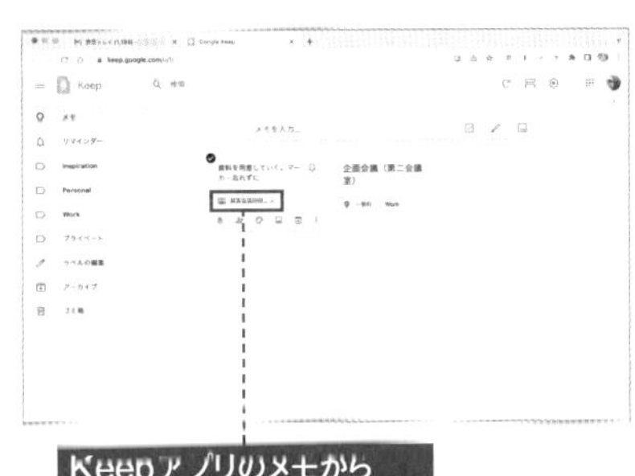

メールをリンクしたToDoを作成する

1 「タスクに追加」をクリックする

サイドパネルからToDoリストを表示し、メールを開いた状態で「ToDoリストに追加」をクリックする。

2 リンク付きのToDoが作成される

メールへのリンク付きToDoが作成される。Keepと同じく、リンク部をクリックすると、該当メールを素早く表示できる。

3 すぐに見返したいメールをToDo化しておく

進行中の案件など、すぐに見返したいメールをToDo化しておこう。返信を作成する際なども素早くメールを展開できて、メールのやり取りが格段に素早くなる。

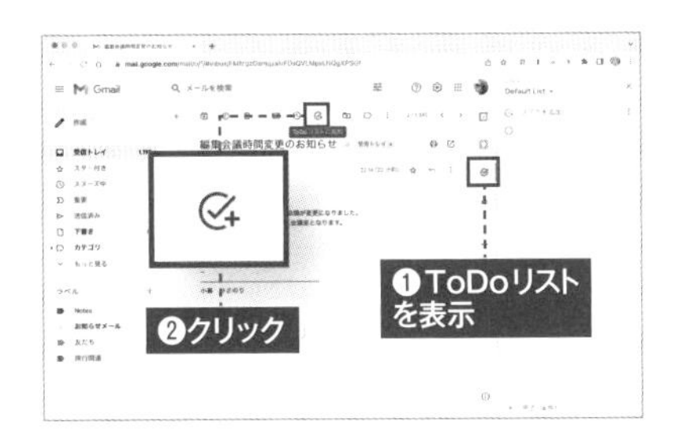

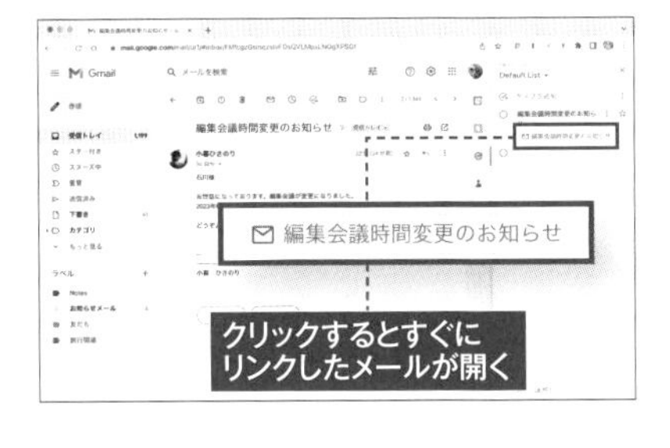

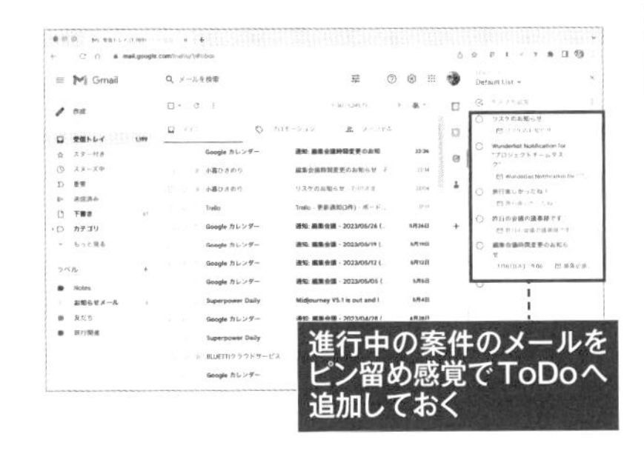

よく連絡を取る相手に素早くメールを作る

1 「連絡先」をクリックする

メールを開いた状態で「連絡先」をクリックすると、そのメールスレッドに参加している相手の連絡先がリストアップされる。

2 すべての連絡先を表示する

「連絡先」欄をクリックして「連絡先」に切り替えると、Googleの連絡先を表示できる。

3 連絡先のアドレスにメールを作成

連絡先を開き、「メールを送信」をクリックすると、新規メールを作成できる。

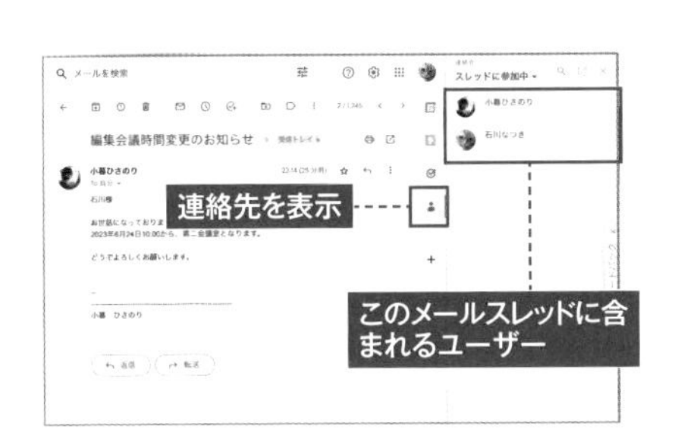

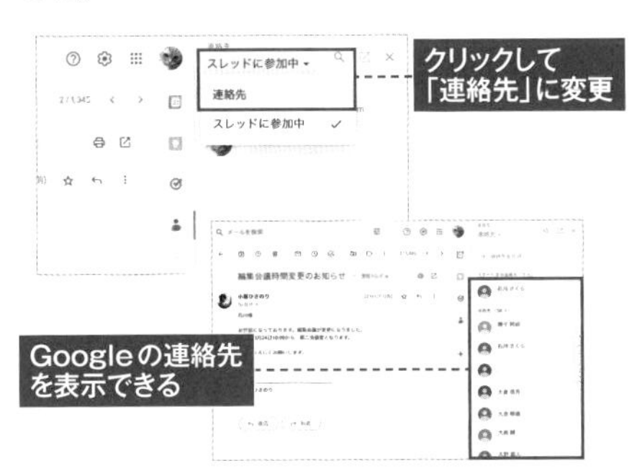

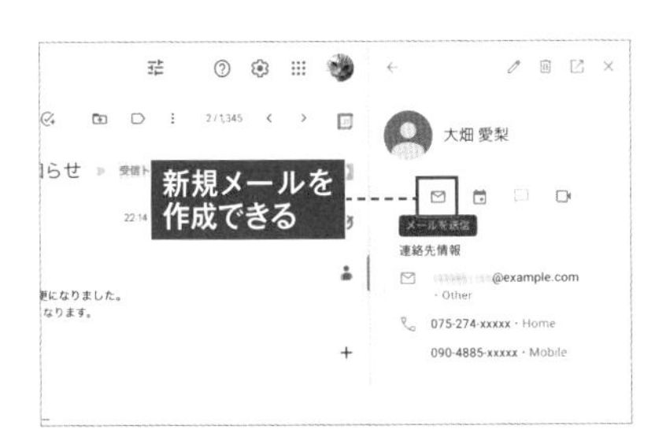

サイドパネルに便利なアドオンを追加してみよう

サイドパネルでは、「+」ボタンからサードパーティ製アドオンを追加して機能を増やすこともできる。

ビジネスに必須なコミュニケーションツール「Slack」をはじめ、タスク管理の「TickTick」「Trello」、スクラップサービスの「Evernote」、ミーティングの必携となった「Zoom」など、定番のツールが追加できる。

これらアドオンは、メールと連携した機能が利用できる。Slackであれば、メールの内容を自分宛てに転送できる。Zoomはメールに含まれるユーザーに向けてミーティングを作成でき、メールまで送ってくれる。こうして外部ツールで、手間・手順をカットできるのもGmailを選ぶ理由になっている。

サイドパネルにアドオン（Slack）を追加する

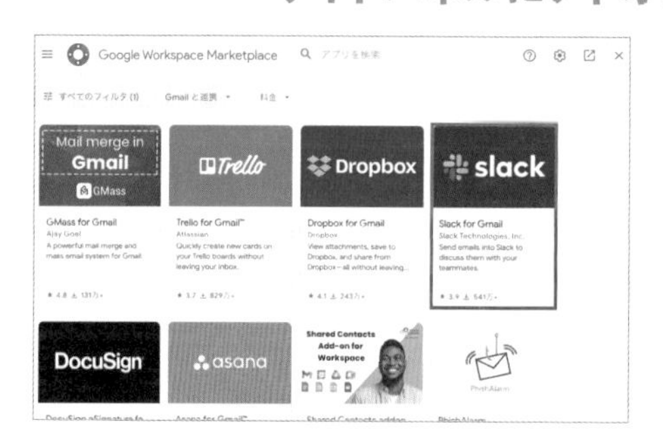

1 「+」ボタンからSlackアドオンを選ぶ

サイドパネルの「+」ボタンをクリックし、アドオン一覧からSlackを見つけてクリックする。

2 Slackアドオンをインストールしていく

「インストール」をクリックしてSlackアドオンをインストールしてGoogleアカウントとの連携を行う。インストール後は起動して、Slackにサインインしておこう。

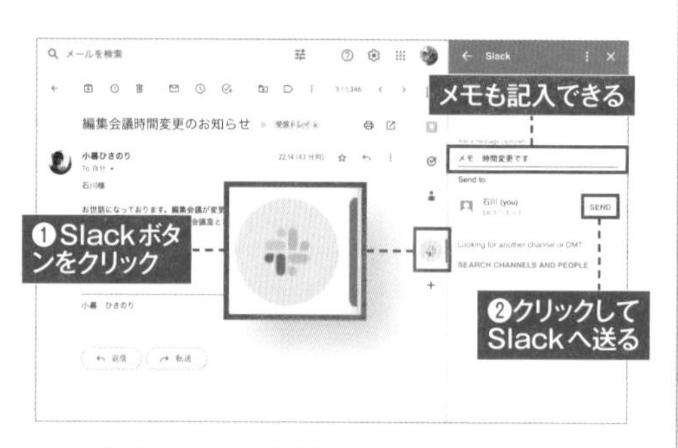

3 メールをSlackに送り込む

メールを開いている状態で、サイドバーのSlackボタンをクリック。「SEND」をクリックすることでメールの内容をSlackへ送れる。

4 Slackでメールを確認する

Slackに送られたメールは、自分のスペースから確認できる。クリックして全文を確認可能だ。

不要なアドオンをアンインストールする方法

不要になったアドオンの削除方法も覚えておこう。アドオンの追加画面で「設定」ボタンをクリックし「アプリを管理」をクリック。削除したいアドオンの「⋮」をクリックして「アンインストール」をクリックすればいい。

アドオンの削除は管理画面から。アプリの「⋮」ボタンをクリックして、「アンインストール」をクリックする。

ZoomアドオンでGmailからZoom会議を始める

1 メールの相手をZoom会議に誘う

会議に誘いたい相手とのメールを開き、Zoomアドオンをクリックする。

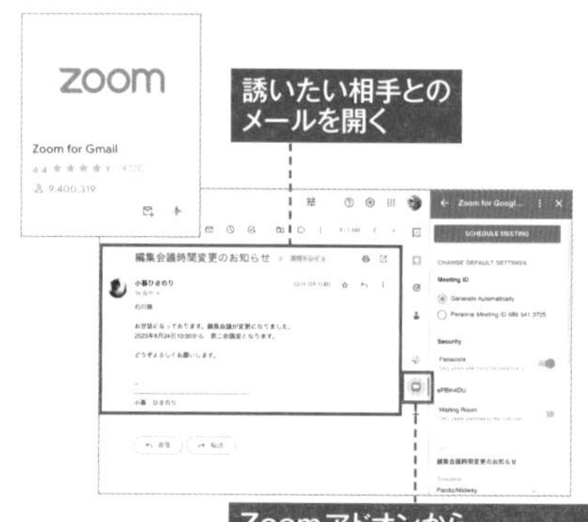

2 会議のタイトルを入力してミーティングを作成

「SCHEDULE MEETING」をクリックするとミーティングが作成され、相手にメッセージが届く。なお、下にスクロールするとトピックや開始時刻の予約設定も可能だ。

3 ミーティングを開始する

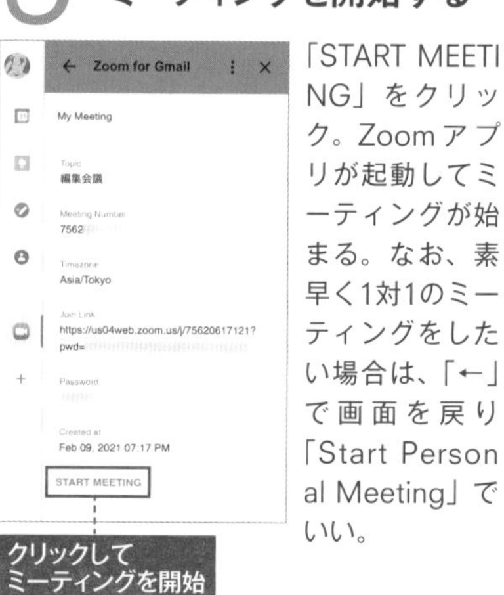

「START MEETING」をクリック。Zoomアプリが起動してミーティングが始まる。なお、素早く1対1のミーティングをしたい場合は、「←」で画面を戻り「Start Personal Meeting」でいい。

よく使う定型文はテンプレート化してメール作成を高速化する

メールの書き出しや季節の挨拶は、定型文として辞書ツールに登録して一発変換。毎回おなじみの挨拶から始まるメールでの連絡では、定番であり初歩的な効率化テクニックで、利用している人も多いだろう。しかし、Gmailを使うのであれば、定型文を「テンプレート」化してしまったほうが断然使いやすい。

テンプレートを利用するには、新規メールを作成し、テンプレートとして保存しておきたい内容を記入し、レイアウト・デザインを整える。その後、メニューからテンプレートとして保存すればいい。辞書への単語登録と違い、こちらは文字装飾などを含んだ状態で保存しておけるため、目立たせたい文言が含まれる重要なメールでも使いやすい。テンプレートは複数作成して切り替えられるので、用途に応じてメールの「テンプレ化」を進め、メールのやりとりにかかる時間を短縮していこう。

メールからテンプレートを作成して運用する

1 Gmailのすべての設定を表示する

まずはテンプレートを有効にしよう。画面上部の「設定」ボタンをクリックし、「すべての設定を表示」をクリックする。

2 テンプレート機能を有効化

「詳細」をクリックし、「テンプレート」欄の「有効にする」にチェックを入れる。画面を下部までスクロールして「変更を保存」をクリックして保存しよう。

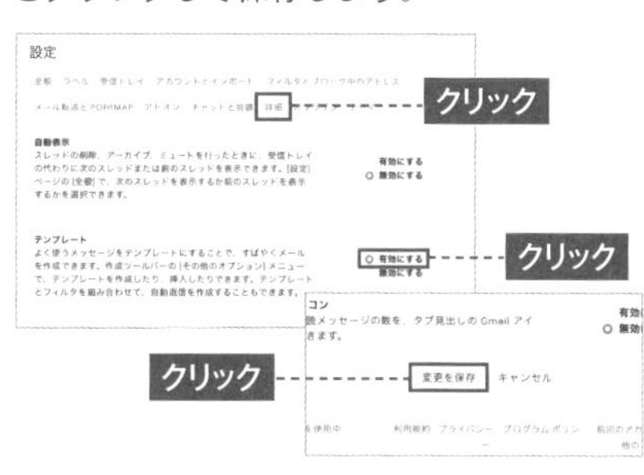

3 テンプレートとなるメッセージを入力する

「+作成」から新規メッセージを作成。テンプレートにしたい内容を入力。入力できたら「⋮」をクリックする。件名を含めることも可能だ。

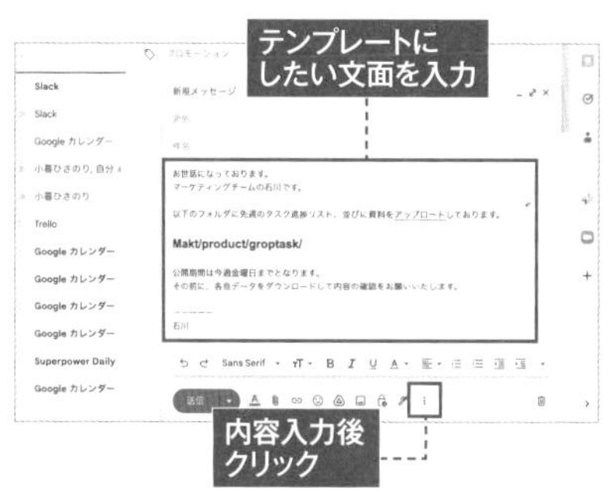

4 メッセージ内容からテンプレートを作成

メニューから「テンプレート」→「下書きをテンプレートとして保存」→「新しいテンプレートとして保存」とクリック。

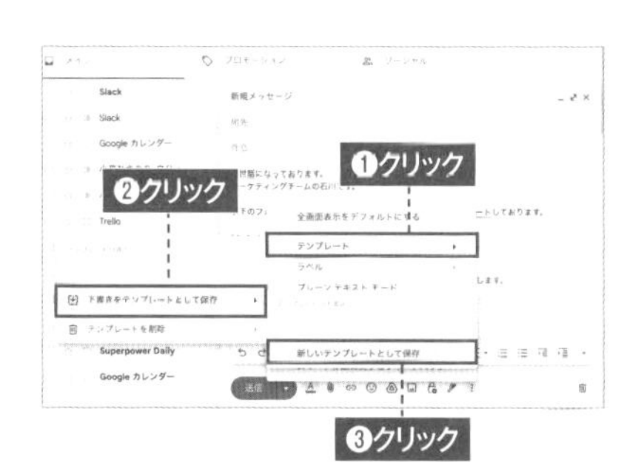

5 テンプレートの名前を入力する

テンプレートに名前を付ける。なるべくわかりやすいものがいい。名前を入力できたら「保存」をクリックする。

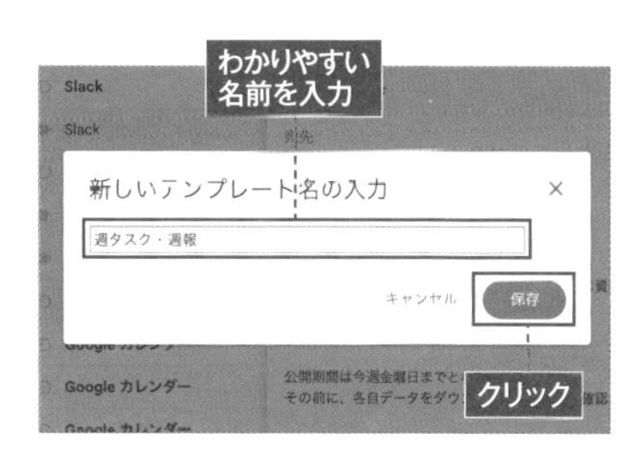

6 メールにテンプレートを挿入する

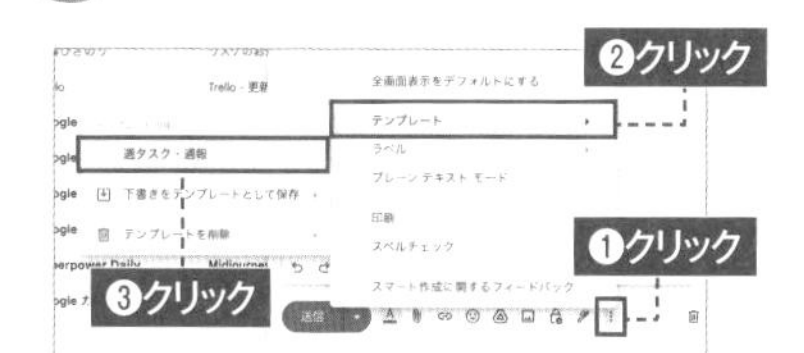

新規メールを作成時に「⋮」→「テンプレート」から保存したテンプレート名を選ぶと、メール本文にテンプレート内容が挿入される。

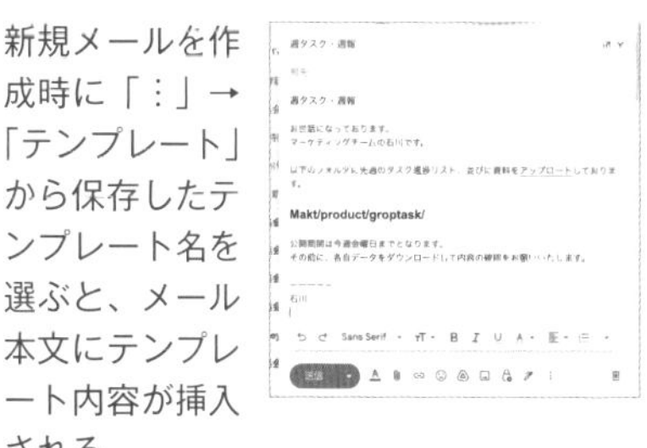

Gmailをメインで使うならデスクトップ通知を有効化しておこう

Gmailをブラウザで使うなら新着メールにすぐに気がつけるようにしておこう。画面上部の「設定」ボタンをクリックし、「すべての設定を表示」。「全般」から「メール通知（新規メール）」をオンにすることで、新着メールで通知が届くようになる。なお、ブラウザ側でサイトからの通知の許可も行なっておく必要がある。

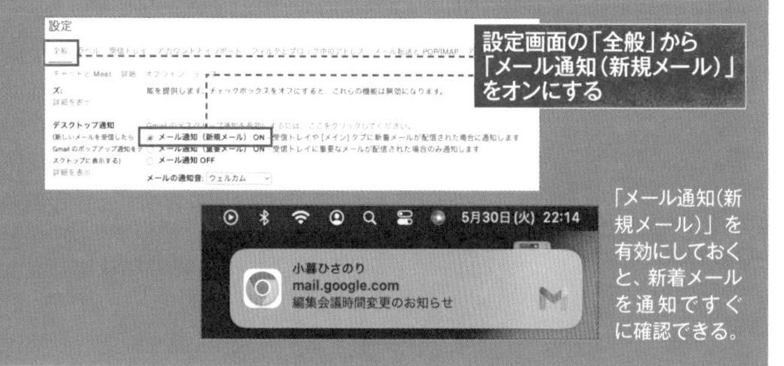

「メール通知(新規メール)」を有効にしておくと、新着メールを通知ですぐに確認できる。

アプリ・インデックス

アプリ名から記事の掲載ページを検索できます。

Apple Vision Proの衝撃!

2023年6月6日（日本時間）に、開催されたAppleのWWDCでは、15インチのMacBook Air、さらにパワーアップしたMac Studio、Mac Proなどの実機の発表があった。さらに、新たなiOS、iPadOS、macOS Sonomaなどが発表され、話題を集めた。最新OSを使うことができるのは、しばらく先になるが、さまざまな更新があるのでMacやMac周辺はさらに便利になっていくだろう。

しかし、イベントの最後に登場した「Apple Vision Pro」には、誰もが度肝を抜かれたのではないだろうか。M2チップと、聞き慣れないR1チップ、片目に対して4K以上の解像度が与えられた超高精細なディスプレイ、コントローラーなしのインターフェース……まさしくSF映画の世界そのままの機器であった。

そして、発表後の実機体験をした人の話は絶賛の嵐。イベントの映像でも見られたが、このApple Vision Proは、Macのディスプレイとしても完璧に機能するらしい。Macの外部ディスプレイをどれにしようか悩む世界は終了し、Macの操作はApple Vision Pro内で収まってしまう世界も、すぐ目の前にあるのかもしれない。

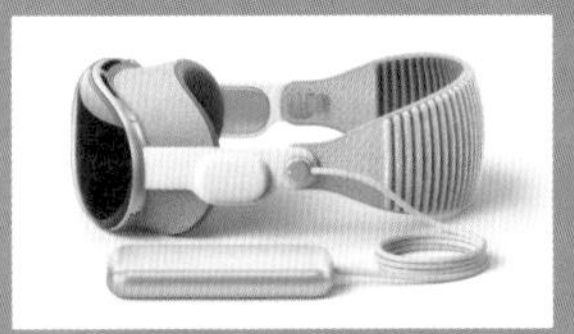

Apple Vision Pro
2024年よりアメリカで発売後、順次世界各地で発売予定。予想価格48万円前後。

Mac 最強の仕事術!

執筆
河本亮
小暮ひさのり
小原裕太

カバー・本文デザイン
ゴロー2000歳

本文デザイン
長澤 均 [papier collé]
松澤由佳

2023年6月30日発行

編集人　内山利栄
発行人　佐藤孔建
印刷所:シナノ株式会社
発行・発売所:スタンダーズ株式会社
〒160-0008
東京都新宿区四谷三栄町12-4　竹田ビル3F
営業部（TEL）03-6380-6132